Under the editorship of

WILLIAM G. MOULTON

CORNELL UNIVERSITY

Andy Slee

INTERMEDIATE GERMAN

Erika Meyer

MOUNT HOLYOKE COLLEGE

HOUGHTON MIFFLIN COMPANY · BOSTON

The Riverside Press Cambridge

The Riverside Press

CAMBRIDGE, MASSACHUSETTS

PRINTED IN THE U.S.A.

Preface

INTERMEDIATE GERMAN is designed as a basic text for the second-year course in college German. Its primary aim is to teach the student to speak and write simple, idiomatic German, and secondarily, to help him develop his skill in reading. The main task of an intermediate text is to review and strengthen what the student has learned in the elementary course and to expand his knowledge of grammar as well as his active vocabulary.

This book is a middle-of-the-road text, seeking to combine the most useful elements of the modern oral-aural approach with those of the more traditional grammatical approach. To do this as effectively as possible, the book has been divided into two parts. Part I provides practice material, and Part II is a summary of grammar. This arrangement also emphasizes the idea that the living language comes first and that the grammatical analysis — essential and important as it is — is nothing more than a tool to help the student develop his skill in the language.

The key to each chapter of Part I is the prose passage at the beginning. Its intent is first of all to arouse a positive approach in the student by providing material of interest on contemporary Germany as well as a vocabulary that is applicable to his own experience. Since it is to be used as a basis for conversation and composition, it is for the most part distinctly conversational in style and simple enough for students to be able to imitate. A great deal of modern, everyday vocabulary is provided, for example, in connection with driving a car, with traveling, and ordering meals, and in connection with life in a city apartment. The sections on Berlin and on the Free University are less conversational in tone and are more specifically designed to develop skill and correctness in writing.

A considerable variety of exercises is provided to satisfy the desires of different teachers. The book allows for various teaching methods, but the method that has achieved the best results in the two years of classroom testing is a modified "direct method." The introductory prose passage should be read repeatedly, preferably aloud, so that the student will gradually learn to think in German and develop a sense of German sentence pattern. This repeated reading is essential if the exercises are to be of maximum value. These are constructed on the principle of constant repetition of sentence patterns and of vocabulary in different contexts. For teachers who prefer a more traditional method, sentences to be translated from English to German are provided. Specific suggestions for grammar review are given in each chapter, but the teacher will no doubt often wish to refer to other grammatical points as well.

The "Summary of Grammar" which constitutes Part II contains the usual material found in an elementary text plus expanded explanations of such points as the student will need at this stage of his learning. Verbal prefixes, for example, and sentence structure are treated in considerable detail. In addition, there is a fairly long list of "Special Problems," where an analysis and explanation of the most common "troublemakers" has been attempted. The listed idioms were chosen for their frequency of use, and are grouped so as to be of maximum usefulness to the student, both for purposes of reference and for learning. A brief section on vocabulary building is included in order to develop the student's understanding of relationships between words, so that he will learn to expand his vocabulary in an intelligent way rather than simply by rote. The sections entitled "Aids in Reading" should help the student over some of the chief hurdles encountered in reading, including technical or scientific German.

Part II is essentially a reference grammar, and in order to use it most effectively, the student should from the beginning be encouraged to familiarize himself with it as thoroughly as possible. Simply for the sake of convenience and orderliness, the material has for the most part been divided into chapters according to the parts of speech. With the help of the Table of Contents at the beginning of the book and the index at the end, the student should be able to find what he needs without difficulty.

This book has been in preparation over a period of years, and I am deeply indebted to many colleagues and friends for their criticisms and suggestions. I owe particular gratitude to all the members of the German Department at Mount Holyoke College, who have co-operated so patiently in testing the book in the classroom in its various stages of completion. Grateful acknowledgments must also go to William G. Moulton, editor of the Houghton Mifflin German Series, for his numerous helpful suggestions.

E. M.

Contents

PART ONE

PART TWO

Summary of German Grammar

INTERMEDIATE GERMAN

PART ONE

KAPITEL I

Ein Wochenende im Schwarzwald

Als ich die Augen aufmachte, strömte schon warmes, gelbes Licht durch die hellen Gardinen am Fenster meines kleinen Hotelzimmers. Am Abend vorher waren wir im strömenden Regen in Freiburg angekommen und hatten nur mit größter Schwierigkeit eine Unterkunft für die Nacht gefunden. Freiburg als Tor zum Schwarzwald hat immer einen starken Fremdenverkehr, und jetzt war es überfüllter als je, denn die Universität Freiburg feierte in diesem Sommer (1957) ihr 500-jähriges Entstehungsjubiläum, wozu Gäste aus aller Herren Länder gekommen waren. Aber wir waren direkt zum Verkehrsamt im Bahnhof gegangen, wo man uns hilfsbereit und freundlich Auskunft gegeben hatte über die wenigen noch freien Hotelzimmer und Fremdenzimmer in der Stadt.

So waren wir denn in dem einfachen aber sehr freundlichen und blitzsauberen Hotel Roseneck gelandet. Es liegt nicht in der Stadtmitte sondern ein wenig außerhalb, was den doppelten Vorteil hat, daß es verhältnismäßig ruhig und außerdem nicht zu teuer ist.

Glücklich, daß der Regen vorbei war, stand ich schnell auf und trat ans Fenster. Wie anders es jetzt da unten aussah als gestern Abend bei unserer Ankunft! Da waren wir, nachdem wir unser Auto untergestellt hatten, so schnell wie möglich im klatschenden Regen zwischen den roten, auf die Seite gekippten Tischen, durch den kleinen Hotelgarten gelaufen, um ins Trockene zu kommen. Jetzt standen die Tische alle hübsch aufrecht auf dem Kiesboden des Gartens, und die bunten Tischdecken leuchteten in der frühen Sonne. Ein paar hohe, alte Kastanienbäume warfen ihren kühlen Schatten auf einige der Tische, und manchmal fiel noch ein glitzernder Tropfen von den regenschweren Blättern zur Erde.

Eine junge Kellnerin in hellem Kleid und weißer Schürze ging zwischen den Tischen umher, setzte einen kleinen Blumenstrauß auf jeden und brachte auf ihrem großen Tablett das Kaffeegeschirr. Auf mehreren Tischen standen dann bald die einfachen Gedecke für die Gäste: ein kleiner Teller, Tasse mit Untertasse, Kaffeelöffel und Messer.

Ich wandte mich wieder ins Zimmer zurück, putzte mir die Zähne, wusch mir Hände und Gesicht in dem kleinen Waschbecken, das einen Hahn für heißes sowohl wie kaltes Wasser hatte. Ich zog mich an, und nachdem ich mir noch das Haar gekämmt und die Lippen geschminkt hatte, packte ich schnell meine paar Sachen zusammen. Ich hatte ja nur ein kleines Wochenendköfferchen für die kurze Fahrt in den Schwarzwald, denn wir hatten nicht viel Gepäckraum in unserem Volkswagen.

In wenigen Minuten stand ich im Gang und klopfte an der gegenüberliegenden Tür an. Sofort antwortete Helenes Stimme: „Bist du das, Ingrid? Ich bin gleich fertig." „Gut", sagte ich, „dann will ich schon 'runtergehen. Ich habe nämlich einen schrecklichen Hunger." „Ja", sagte sie, indem sie die Tür öffnete und den Kopf herausstreckte, „geh schon 'runter und bestell mir auch gleich einen Kaffee. Ich komm' gleich nach. Wir können heute morgen doch im Garten frühstücken?" „Natürlich, bei dem herrlichen Sonnenschein."

(*Fortsetzung folgt*)

ÜBUNGEN

A. Grammar Review: Adjectives, pp. 152–155, separable prefixes pp. 176, 179–181.

B. Fragen

1. Was für ein Zimmer hatte Ingrid? 2. Was für Gardinen waren am Fenster? 3. Was war das Erste, was Ingrid am Morgen tat? 4. Was für ein Licht strömte ins Zimmer? 5. Wann waren die Freunde in Freiburg angekommen? 6. Wie war das Wetter am Abend vorher gewesen? 7. Warum ist es meistens schwer, eine Unterkunft in Freiburg zu finden? 8. Warum war Freiburg im Sommer 1957 überfüllter als je? 9. Woher kommen die Gäste? 10. Wohin gingen die Freunde, um eine Unterkunft zu finden? 11. Was erhiel-

ten sie dort? 12. Was ist ein Fremdenzimmer? 13. Was für ein Hotel ist das Hotel Roseneck? 14. Wo liegt es? 15. Wohin ging Ingrid, nachdem sie aufgestanden war? 16. Was sah sie unten? 17. Was hatten die Freunde am Abend vorher getan? 18. Was tat die Kellnerin jetzt? 19. Was für ein Kleid und was für eine Schürze trug sie? 20. Wohin stellte sie die Gedecke für die Gäste? 21. Was ist das Kaffeegeschirr? 22. Wohin wandte Ingrid sich jetzt? 23. Was tat sie? 24. Was für Wasser floß ins Waschbecken? 25. Wohin wollten die Freunde eine Fahrt machen? 26. Was für ein Auto hatten sie? 27. Was tat Ingrid, als sie im Gang stand? 28. Was tat ihre Freundin Helene? 29. Was sollte Ingrid für sie tun? 30. Was wollte Helene dann tun?

C. Schreiben Sie Sätze, in denen die folgenden Wörter gebraucht werden!

1. Fenster, aufmachen, am Morgen
2. vorher, ankommen, in der Stadt
3. Auskunft, Verkehrsbüro, eine hilfsbereite Dame
4. Fremdenverkehr, Schwierigkeiten, Unterkunft
5. aufstehen, um sieben Uhr, gestern morgen
6. nachdem, ankommen, zu Bett gehen
7. Garten, aussehen, anders als
8. einige, stehen, Garten
9. ich, umhergehen, unter, Bäume
10. sich zurückwenden, Haus
11. Hände waschen, Zähne putzen
12. sich anziehen, sich das Haar kämmen
13. sich die Lippen schminken, Koffer packen
14. Fahrt, in, Wald, machen
15. anklopfen, Tür
16. ’runtergehen, eine Suppe bestellen
17. heute morgen, Kaffee trinken

D. Vocabulary Building, pp. 197–199.
Analysieren Sie die Bildung (formation) der folgenden Wörter, und benutzen Sie jedes in einem kurzen Satz!

1. kommen, ankommen, die Ankunft, die Auskunft, die Unterkunft
2. um, umher
3. ander–, anders
4. ein, einige

5. mehr, mehrere
6. gehen, der Gang
7. decken, das Gedeck, die Tischdecke
8. früh, frühstücken

E. Aufsätze und Gespräche

1. Beschreiben Sie den Hotelgarten am Abend im Regen und am frühen Morgen im Sonnenschein!
2. Gespräch im Verkehrsbüro

F. Translate into German.

1. People from all over the world came to the 500th anniversary of the University of Freiburg. 2. We had come the evening before, but we did not arrive before the rain. 3. A woman in the tourist office had given us information, and we went to the Hotel Roseneck right away. 4. It was a comparatively quiet hotel and not very expensive. 5. A few tables with gaily colored tablecloths were standing in the garden. 6. After Ingrid had got dressed, she stepped into the corridor. 7. She knocked at the door of the room opposite. 8. She immediately heard a voice, "Is that you, Ingrid? I will be ready in a minute." 9. "Good," answered Helene, "you know, last night it was raining, but this morning the sun is shining." 10. Ingrid turned around and then went down into the garden.

VOCABULARY

anders different
an·klopfen knock at
an·kommen, kam an, ist angekommen arrive
die Ankunft arrival
an·ziehen, zog an, angezogen put on; **sich anziehen** get dressed
auf·machen open
auf·stehen, stand auf, ist aufgestanden get up
die Auskunft, -̈e information
aus·sehen (wie), sah aus, ausgesehen look (like)
außer outside of, except
außerdem besides
außerhalb on the outside, outside of
bestellen order (in a restaurant)
das Blatt, -̈er leaf, page
blitzsauber sparkling clean
der Blumenstrauß, -̈e bouquet of flowers
bunt gaily colored
doch certainly, nonetheless (for further meanings, see Grammar, p. 200)
einfach simple
einige a few, some
das Entstehungsjubiläum anniversary of the founding
die Fahrt, –en trip, ride
feiern celebrate
fertig finished, ready
die Fortsetzung, –en continuation
frei vacant
fremd strange; **der Fremd–**

stranger; **der Fremdenverkehr** tourist business; **das Fremdenzimmer, –** guest room
frühstücken breakfast
der Gang, –̈e corridor
die Gardine, –n curtain
der Garten, –̈en garden
das Gedeck, –e setting
gegenüber opposite
das Gepäck baggage
das Geschirr dishes
gestern yesterday; **gestern abend** last night
gleich right away; like
der Hahn, –̈e faucet; cock
hell bright, light
herrlich splendid, glorious
heute morgen this morning
hilfsbereit helpful
hübsch pretty, nice
indem as (*conj.*)
ja you know, certainly (for further meanings see Grammar, p. 201)
je ever
das Kaffeegeschirr breakfast dishes
der Kastanienbaum, –̈e chestnut tree
die Kellnerin, –nen waitress
der Kiesboden, –̈ gravel floor
kippen tilt, tip over
klatschen splash
klopfen knock, pound
der Kopf, –̈e head
das Land, –̈er country, land; **aus aller Herren Länder** from all over the world
laufen, lief, ist gelaufen run
leuchten shine
der Löffel, – spoon
mehrere several
das Messer, – knife
möglich possible
nachdem after (*conj.*)
nach·kommen, kam nach, ist nachgekommen follow
nämlich that is, you must know
natürlich of course, natural
putzen clean, polish, brush
ruhig quiet
'runter·gehen (= **herunter·gehen**), **ging'runter, ist 'runtergegangen** go down
die Sache, –n thing
sauber clean
schminken put on make-up
schon already (see Grammar, p. 201)
schrecklich terrible
die Schürze, –n apron
die Schwierigkeit, –en difficulty
sofort immediately, at once
stark strong, heavy
die Stimme, –n voice
strömen stream
das Tablett, –e tray
die Tasse, –n cup
der Teller, – plate
teuer expensive
der Tisch, –e table
die Tischdecke, –n tablecloth
das Tor, –e gate
trocken dry
der Tropfen, – drop
umher around (*adv.*)
unten down below, downstairs
die Unterkunft, –̈e accommodations
unter·stellen place under shelter
die Untertasse, –n saucer
verhältnißmäßig comparatively
der Verkehr traffic
das Verkehrsamt, –̈er tourist office
vorher before (*adv.*)
der Vorteil, –e advantage
das Waschbecken, – wash bowl
wenden, wandte, gewandt turn (*a thing*); **sich wenden** turn (*oneself*)
werfen, warf, geworfen, throw, cast
der Zahn, –̈e tooth
das Zimmer, – room
zusammen together

Ein Wochenende im Schwarzwald

(*Fortsetzung*)

Ich ging also nach unten, und als ich im Garten ankam, fand ich unsre beiden Kameraden Fritz und Toni schon da. Sie standen auf, als ich an den Tisch trat, und gaben mir die Hand. „Guten Morgen! Gut geschlafen?" sagten sie fast gleichzeitig. „O, ja, prima! Habt ihr schon bestellt?" „Nein, wir wollten auf euch warten. Kommt Helene noch nicht?" „Doch, sie ist gleich da."

Toni winkte der Kellnerin, die gerade aus dem Haus kam, und als sie an unseren Tisch trat, sagte er: „Bitte, Fräulein, vier Kaffee complets, oder", wandte er sich an Fritz und mich, „möchte jemand noch etwas anderes zum Frühstück?" „Doch", sagte ich, „ich hätte gern ein Ei", und zur Kellnerin: „Vier Minuten, bitte."

In ein paar Minuten erschienen gleichzeitig Helene und die Kellnerin, letztere mit zwei Kaffeekannen, die je zwei Portionen enthielten, Sahne, Zucker, ein Körbchen mit knusprigen, hellbraunen Brötchen, ein Glastöpfchen mit Erdbeermarmelade und eine kleine Glasschüssel mit frischen, zartgelben Butterröllchen. Bald darauf brachte sie auch mein weichgekochtes Ei im Eierbecher, und wir aßen alle mit großem Appetit. Der Kaffee und die Brötchen mit der schönen frischen Butter und Marmelade schmeckten uns herrlich da draußen im sonnigen Garten.

Als wir mit dem Essen fertig waren, sagte Toni, sich umsehend, „Na, wo bleibt denn die Kellnerin?" Sie stand nicht weit von uns entfernt und räumte einen Tisch ab, aber ihr Rücken war uns zugekehrt, also rief Toni: „Hallo, Fräulein!" Und als sie näher trat: „Wir möchten zahlen." „Einen Augenblick", sagte sie, und ging fort mit ihrem Tablett voll Geschirr. „Einen Augenblick", wiederholte Toni, „das kennen wir ja. Wenn die einen Augenblick sagen, meinen sie eine Stunde!"

Und es dauerte tatsächlich eine ganze Weile, bis die Kellnerin wiederkam. Als sie endlich mit ihrem kleinen Papierblock erschien, fragte sie: „Alle zusammen?" „Nein", sagte Helene, „getrennt bitte, wir führen getrennte Kasse." Mit einem schnellen Blick übersah die Kellnerin den Tisch und sagte: „Das waren also drei Kaffee complets 5 und einmal mit Ei." Sie schrieb einige Zahlen auf ihr Blöckchen und gab jedem seine Rechnung. Das Frühstück war DM 1,75 pro Person, nur ich hatte 50 Pfennig mehr zu bezahlen für mein Ei. Dann kam natürlich noch 10 Prozent Bedienung dazu.

Als die Kellnerin gewechselt hatte und wieder fortgegangen war, 10 sagte Helene: „Ich finde das doch komisch: für ein nettes, sauberes Zimmer mit fließendem Wasser bezahlt man nur DM 5,50, und für ein paar Brötchen und ein paar Tassen Kaffee müssen wir so viel bezahlen." „Aber du kleine Gans", sagte Toni, indem er ihr die Hand auf die Schulter legte, „das ist doch zum Ausgleich. Wir sind so- 15 zusagen gezwungen, hier zu frühstücken, und weil die Zimmer so billig sind, muß das Frühstück verhältnismäßig teuer sein. Auf der Preistafel im Zimmer stand doch: Bei Nichteinnahme des Frühstücks im Hause erhöht sich der Zimmerpreis um 75 Pfennig. Der Wirt will doch auch leben. Gut wenigstens, daß die Bedienung gleich mit 20 auf die Rechnung kommt. Dann wartet die Kellnerin wenigstens nicht auf ihr Trinkgeld."

Nun gingen wir alle wieder auf unsere Zimmer und holten unsre kleinen Handkoffer herunter. Zwei Köfferchen steckten wir in den schmalen Gepäckraum hinter dem Rücksitz unseres Wagens, und 25 die anderen beiden kamen vorne unter die Haube.

(*Fortsetzung folgt*)

ÜBUNGEN

A. Grammar Review: Prepositions, pp. 157–158.

B. Fragen (answer in same tense as question)

1. Wohin ist Ingrid gegangen? 2. Wie begrüßt man einen Freund in Deutschland? 3. Was haben Toni und Fritz getan, als Ingrid erschien? 4. Auf wen haben die beiden jungen Männer gewartet? 5. Was hat Fritz bestellt? 6. Was für ein Ei hat Ingrid bestellt? 7. Was ist ein Kaffee complet? 8. Wieviel Kaffee enthielt eine Kaffee-

kanne? 9. Woraus ißt man weichgekochte Eier in Deutschland? 10. Was für Butter gab es zum Frühstück? 11. Schmeckt Ihnen das Essen auch gut draußen? 12. Was hat Toni getan, als alle mit dem Essen fertig waren? 13. Wo war die Kellnerin? 14. Was hat sie dort getan? 15. Was hat die Kellnerin getan, als Toni sie rief? 16. Was hatte sie auf ihrem Tablett? 17. Was brachte sie mit, als sie wiederkam? 18. Warum wollten die Freunde getrennte Rechnungen haben? 19. Wieviel kostete das Frühstück für alle vier Personen? 20. Wieviel Bedienung muß man bezahlen? 21. Warum ist das Frühstück in einem deutschen Hotel immer verhältnismäßig teuer? 22. Um wieviel erhöhte sich der Zimmerpreis, wenn man das Frühstück nicht im Hotel nahm? 23. Wohin gingen die Freunde, nachdem sie gezahlt hatten? 24. Warum gingen sie dahin? 25. Wo ist Platz für Gepäck in einem Volkswagen?

C. Machen Sie Sätze, in denen die folgenden Wörter gebraucht werden!

1. nach unten, aus; Zimmer, laufen
2. Bei meiner Ankunft, die Hand geben
3. gerade, erscheinen; als, sich setzen
4. noch nicht, essen, denn, warten auf
5. Ingrid, sich wenden an, Kellnerin; als, wiederkommen
6. ich, gern haben, Ei; schmecken, gut
7. Wir, warten auf, Freund
8. Jemand, verstehen, Hotelpreise?
9. Kellnerin, gleich, wiederkommen
10. Teller, enthalten, 'was anderes
11. ich, umsehen; als, fertig, sein
12. Tisch, weit entfernt, stehen
13. ein paar Minuten, ich, aufs Zimmer, gehen
14. Fritz, herunterholen, Gepäck
15. Weil, viele Gäste, draußen; Frühstück, warten auf
16. zum Frühstück, gern, Kaffee, trinken
17. Kellnerin, abräumen, Kaffeegeschirr

D. Grammar Review: Vocabulary Building, pp. 197–199. Analysieren Sie die Bildung der folgenden Wörter und benutzen Sie jedes in einem kurzen deutschen Satz!

1. unter, unten
2. scheinen, erscheinen

3. gleich, gleichzeitig
4. halten, enthalten
5. der Raum, abräumen
6. der Blick, der Augenblick
7. vor, vorher, vorne, bevor
8. hoch, erhöhen
9. die Zahl, zahlen, bezahlen, erzählen

E. Aufsätze und Gespräche
1. Frühstück in einem deutschen Hotel.
2. Frühstück in einem amerikanischen Hotel.
3. Frühstück im Studentenheim oder zu Hause.

F. Translate into German.

1. After I had dressed I went downstairs. 2. My friends were waiting for me down below in the garden. 3. I shook hands with them because I had not seen them yet today. 4. Someone had already ordered coffee and rolls for breakfast. 5. But it took quite a while until the waitress brought it. 6. The crisp rolls with fresh butter and strawberry jam tasted very good to me. 7. When we were finished with (the) breakfast the waitress cleared the table. 8. I always like to eat outdoors. 9. We had no time to bring down our baggage, so the waitress brought it for us.

VOCABULARY

ab off
also so
der Augenblick, –e moment
der Ausgleich, –e equalization; **zum Ausgleich** for the sake of equalization
die Bedienung, –en service
begrüßen greet
beide both, two
bezahlen pay
billig cheap
der Blick, –e look
der Block, ¨–e pad
das Brötchen, – roll
dauern last; **eine ganze Weile dauern** take quite a while
DM = Deutsche Mark
draußen outdoors, outside
das Ei, –er egg
der Eierbecher, – egg cup
entfernt far away, distant
enthalten, enthielt, enthalten contain
die Erdbeere, –n strawberry
erhöhen raise; **sich erhöhen** be raised
erscheinen, erschien, ist erschienen appear, put in an appearance
fort away
das Frühstück, –e breakfast; **zum Frühstück** for breakfast
die Gans, ¨–e goose

gerade just; straight
gleichzeitig at the same time
gern gladly; **etwas gern haben** like something; **etwas gern tun** like to do something
hallo a call to attract someone's attention
die Hand, ⸚e hand; **einem die Hand geben** shake hands with someone
die Haube, –n hood
holen get, bring
jemand somebody
der Kaffee coffee
Kaffee complet continental breakfast
die Kasse, –n cash box; **getrennte Kasse führen** keep separate accounts, "go Dutch"
knusprig crisp
der Koffer, – trunk, suitcase
der Korb, ⸚e basket
mit·bringen, brachte mit, mitgebracht bring along
na well!
nach unten downstairs (*with a verb of motion*)
nett nice
die Nichteinnahme: bei Nichteinnahme des Frühstücks when breakfast is not taken
noch nicht not yet
ein paar a few
die Preistafel, –n card giving room rate
prima fine, first-rate
der Raum, ⸚e space, room
räumen clear
die Rechnung, –en bill
der Rücken, – back; **der Rücksitz, –e** back seat
die Sahne cream
schmal narrow
schmecken taste
die Schulter, –n shoulder
die Schüssel, –n bowl
stecken stick, put
die Stunde, –n hour
tatsächlich actually, really
der Topf, ⸚e pot, dish
trennen separate
das Trinkgeld, –er tip
übersehen, übersah, übersehen look over
vorne in front
der Wagen, – car
warten wait, **warten auf** (*with acc.*) wait for
'was (etwas) anderes something else
wechseln change, make change
weich soft
die Weile, –n while, time, **eine ganze Weile** quite a while
wenigstens at least
wiederholen repeat
winken beckon to (*with dat.*)
der Wirt, –e hotelkeeper
die Zahl, –en number
zahlen pay
zart delicate, tender; **zartgelb** pale yellow
das Zimmer, – room; **auf sein Zimmer gehen** go to one's room
der Zucker sugar
zu·kehren turn towards
zwingen, zwang, gezwungen force

KAPITEL III

Ein Wochenende im Schwarzwald

(*Fortsetzung*)

Toni saß am Steuer, und indem er den Schlüssel ins Zündschloß steckte und ihn drehte, sagte er: „Nun, ich bin gespannt, ob er anspringt. Nach einer Nacht im Regen wäre es nicht verwunderlich, wenn er bockte.“ Aber Gottseidank, der Wagen sprang an, ohne große Schwierigkeiten zu machen. „Nun“, sagte Toni, „wissen die Herrschaften denn schon, wo sie hinwollen?“ „Ach“, rief Helene, „fahren wir doch einfach ins Blaue hinein!“ „Du mit deinen romantischen Ideen“, antwortete Toni, „ins Blaue hinein klingt ja sehr schön, aber wenn man das im Schwarzwald macht, kommt man höchstwahrscheinlich nicht ins Blaue sondern in den großen und fröhlichen Schwarm seiner Mitmenschen, die auch alle ins Blaue fahren wollen. Ihr wißt doch, daß es den ganzen Sommer im Schwarzwald von Fremden nur so wimmelt. Im Winter übrigens auch, denn dann kommen sie zum Skilaufen.“

„Also — was schlägst du vor, mein Herr Besserwisser?“ fragte ich. „Nun, ich mit meiner praktischen Seele habe gestern Abend beim Einschlafen die Autokarte studiert und bin zu dem Schluß gekommen, daß wir die großen Autostraßen vermeiden sollten und, so weit es geht, die kleinen Nebenstraßen nehmen.“ „Und mich nennst du romantisch,“ murmelte Helene. „Natürlich bin ich auch romantisch, aber ich bin eben ein praktischer Romantiker, und das ist ein großer Unterschied.“

„Praktisch, romantisch, unpraktisch, unromantisch! Das ist mir alles ganz wurscht“, sagte Fritz, „ich bin ein Mann der Tat und schlage vor, daß wir endlich das viele Gerede lassen und losfahren. Wenn du die Karte kennst, Toni, warum übernimmst du nicht die Führung und wir anderen fahren einfach mit.“ „Also gut“, sagte

Toni, „um aus der Stadt herauszukommen, nehmen wir am besten die Straße 31. Das ist allerdings eine ziemlich große Straße, aber wir brauchen nicht lange darauf zu bleiben. Wir können bald in eine kleinere abbiegen."

Als wir in die breite Straße einfuhren, die am Hotelgarten vorbeilief, sagte Toni: „Nun müssen wir erst mal sehen, daß wir die 31 finden. Ich habe ein dunkles Gefühl, daß wir sie gestern einmal gekreuzt haben. Ich denke, wenn wir geradeaus fahren, kommen wir schon dahin."

Wir fuhren also langsam weiter, und alle sahen sich um nach dem bekannten gelben Straßenschild mit der Nummer 31. Aber statt dessen sahen wir sehr bald ein anderes Schild vor uns, das uns auch schon allzubekannt war. Es war das runde rote Schild durchkreuzt von einem horizontalen weißen Balken. „Einbahnstraße!" rief Helene. „Paß auf, Toni, da dürfen wir nicht 'rein." „Ja, mein Gänschen, ich habe es schon lange gesehen," antwortete Toni.

Während wir links abbogen und gleichzeitig der rote Winker an der linken Seite des Wagens herausflitzte, lehnte Helene sich zurück im Sitz und saß mäuschenstill da. Als wir ein Stückchen weitergefahren waren, wandte sie sich mit einem süßen Lächeln zu Toni und sagte: „Mein Herr, dürfte ich Sie fragen, ob Sie die Absicht haben, im Kreis zu fahren?" „Wieso?" antwortete er. Dann grinste er ein wenig verschämt und zog schnell den Winker wieder ein.

Als wir beide im Rücksitz noch über Helenes kleinen Sieg lachten, kamen wir schon auf die 31, und nun fuhren wir auf der breiten Hauptstraße so schnell weiter, wie es bei dem ziemlich starken Verkehr ging. Es waren viele Lastwagen unterwegs, die meistens einen fürchterlichen Lärm machten, und kaum hatten wir den einen überholt, so erschien schon wieder so ein Untier vor uns. Zwischen den größeren und kleineren Wagen flitzten die üblichen Motorräder, Vespas, Mopeds, und wie die zweirädrigen kleinen Biester alle heißen, die die Landstraße laut und unsicher machen.

(*Fortsetzung folgt*)

ÜBUNGEN

A. Grammar Review: Modal auxiliaries, pp. 169–173.

B. Fragen

1. Was muß man tun, um ein Auto zum Anspringen zu bringen?

2. Warum nennt Toni Helene romantisch? 3. Welche Schwierigkeiten hat man, wenn man im Schwarzwald ins Blaue fahren will? 4. Warum reist man im Winter in den Schwarzwald? 5. Warum nennt Ingrid Toni einen Besserwisser? 6. Wann hat Toni die Autokarte studiert? 7. Was schlägt Toni nun vor? 8. Was ist ein Unterschied im Charakter von Helene und von Toni? 9. Was hat Fritz vorgeschlagen? 10. Was soll Toni tun? 11. Was wollen die anderen tun? 12. Was müssen sie tun, um aus der Stadt herauszukommen? 13. Wohin fuhren sie zuerst? 14. Was für eine Straße lief am Hotel vorbei? 15. Was mußten sie jetzt erst mal finden? 16. Wie konnten sie wahrscheinlich dahin kommen? 17. Wonach sahen die Freunde sich jetzt um? 18. Was haben sie statt dessen sehr bald gesehen? 19. Was bedeutet dieses Schild? 20. Was, sagte Helene, sollte Toni tun? Warum? 21. Warum nannte er sie ein Gänschen? 22. Was ist der Unterschied zwischen einer Gans und einem Gänschen? 23. Was tat der rote Winker des Wagens, als sie links abbogen? 24. Warum fragte Helene Toni, ob er in einem Kreis fahren wollte? 25. Was hat Toni dann getan? 26. Worüber haben die beiden im Rücksitz gelacht? 27. Was ist ein Lastwagen? 28. Warum ist es schwer, einen Lastwagen zu überholen? 29. Warum konnten die Freunde nicht sehr schnell fahren? 30. Wie heißen einige von den „zweirädrigen Biestern", die man auf den Landstraßen Europas sieht?

C. Machen Sie Sätze mit folgenden Wörtern!

1. im Sommer, Auto, anspringen; im Winter, bocken
2. wollen, Fahrt, Gastwirtschaft, im Wald
3. gespannt sein, Weg, dahin, finden, ohne Schwierigkeiten
4. höchstwahrscheinlich, es wimmelt, Menschen, da
5. vorschlagen, ins Blaue fahren
6. zum Schluß kommen, schnell, losfahren, sollen
7. jemand, übernehmen; müssen, alle, aufpassen
8. möchten, vor Dunkelheit, dahin
9. vorbeifahren, viele schöne Häuser
10. müssen, Autos, überholen; denn, Verkehr, stark
11. schon lange, geradeaus fahren
12. sich umsehen nach, Schild, bekannt
13. Einbahnstraße, dürfen, hineinfahren
14. nach einer ganzen Weile, können, Nebenstraße, einbiegen
15. ich, zurücklehnen; denn, froh, ankommen

D. Analysieren Sie die Bildung der folgenden Wörter, und gebrauchen Sie jedes in einem kurzen Satz!

1. springen, anspringen
2. wahr, wahrscheinlich
3. der Mensch, der Mitmensch, der Mitschüler
4. schlagen, vorschlagen, der Vorschlag
5. schließen, der Schluß, der Schlüssel
6. die Straße, die Autostraße, die Einbahnstraße, die Hauptstraße, die Nebenstraße, die Landstraße
7. der Rücken, der Rücksitz
8. gerade, geradeaus
9. reden, das Gerede
10. holen, überholen

E. Gespräch oder Aufsatz

Ich fahre mit einem Freund oder einer Freundin durch meine Vaterstadt.

F. Translate into German.

1. I like Wiesbaden, but I have no intention of driving there today. 2. I want to avoid the highways so far as possible. 3. My best friend would like to come along. 4. It is not easy to drive in the city because of the many one-way streets. 5. I have to go past a big truck which is standing in the street. 6. I don't like to drive in heavy traffic. 7. I am not allowed to drive fast in the city. 8. I was driving straight ahead, but my friend cried, "Look out, you have to turn off here." 9. So I turned off from the main road and into a narrow side street. 10. We began to look around for a good hotel. 11. After quite a while we saw a sign with the name of a hotel on it, and I said, "I think *(finden)* we ought to go there."

VOCABULARY

die Absicht, –en intention
allerdings to be sure
also gut all right then
an·springen, sprang an, ist angesprungen start (*of a motor*)
auf·passen take care, look out
der Balken, – bar, beam
bedeuten mean
bekannt well-known
biegen, bog, gebogen bend, turn
das Biest, –er beast
blau blue; **ins Blaue fahren** drive off at random
bocken be stubborn
brauchen need, use
dahin to there

Schmal = narrow in the open —
eng = narrow with restricting sides H

drehen turn
dunkel dark, dim
eben just, the point is; level
die Einbahnstraße, –n one-way street
ein·schlafen, schlief ein, ist eingeschlafen fall asleep
erst mal first of all
flitzen flit
fröhlich happy
fürchterlich terrible, fearful
gehen, ging, ist gegangen go, walk; be possible
geradeaus straight ahead
das Gerede idle talk
die Hauptstraße, –n main street, highway
heißen, hieß, geheißen be called, be named
heraus out (*adv.*)
die Herrschaften ladies and gentlemen (*here used ironically*)
hin to there
höchstwahrscheinlich most probably
die Karte, –n map
kaum hardly
kennen, kannte, gekannt know, be acquainted with
klingen, klang, geklungen sound
der Kreis, –e circle
kreuzen cross
lächeln smile
die Landstraße, –n road, highway
lange a long time; **ich habe es schon lange gesehen** I saw it long ago
der Lärm, –e noise
der Lastwagen, – truck
lehnen (sich) lean
links at the left, to the left
los·fahren, fuhr los, ist losgefahren get going
mit·fahren, fuhr mit, ist mitgefahren go along
der Mitmensch, –en –en fellow human being
der Moped, –s motor bike
die Nebenstraße, –n side street
nennen, nannte, genannt call
die Nummer, –n number
nur so fairly
das Schild, –er sign
der Schluß, –̈sse conclusion
der Schlüssel, – key
die Seele, –n soul
der Sieg, –e victory
der Sitz, –e seat
spannen span, stretch; **ich bin gespannt** I wonder, I'm curious
das Steuer, – steering wheel
süß sweet
die Tat, –en action
überholen overtake
üblich usual
übrigens by the way
um·sehen, sah um, umgesehen: sich umsehen nach look around for
der Unterschied, –e difference
das Untier, –e monster
vermeiden, vermied, vermieden avoid
verschämt shamefaced
verwunderlich surprising
die Vespa, –s motor scooter
vorbei past; **an etwas** (*dat.*) **vorbeifahren** drive past something
vor·schlagen, schlug vor, vorgeschlagen suggest
wimmeln swarm
der Winker, – direction indicator
wurscht: das ist mir ganz wurscht it's all the same to me
ziehen, zog, (ist) gezogen pull, draw, move
ziemlich fairly, pretty
zuerst first, at first
das Zündschloß, –̈sser ignition (*in a car*)
zweirädrig two-wheeled

KAPITEL IV

Ein Wochenende im Schwarzwald

(Fortsetzung)

Als wir aus der Stadt und aus dem schlimmsten Verkehr heraus waren und es etwas ruhiger geworden war, sagte Fritz: „Wißt ihr, was ich heute schon gemacht habe? Während ihr Langschläfer noch im Bett lagt, hab' ich einen kleinen Spaziergang gemacht."
5 „Nein, tatsächlich?" sagte Toni. „Nun, du bist ja unser chronischer Frühaufsteher. Was hast du denn diesmal erlebt?"

„Nun, ich bin durch die Altstadt gegangen, das heißt, was noch davon übrig ist, bis zum Münsterplatz. Und ich muß sagen, diesmal jedenfalls hat sich das Frühaufstehen gelohnt. Der Markt
10 war schon in vollem Gang, und alles sah sehr schön aus vor dem Hintergrund des hohen roten Münsters. Die Verkäufer hatten ihre kleinen Buden und Tische mit bunten Schirmen darüber schon aufgestellt. Da war alles zu haben: Gemüse, Fleisch, Fische, Eier, Blumen und wer weiß was. Es waren auch schon einige besonders
15 tüchtige Hausfrauen da, die früh gekommen waren, um die beste Auswahl zu haben. Die sahen sich sozusagen jedes Ei und jede Kartoffel von allen Seiten an, bevor sie sie kauften und in ihr Einkaufsnetz steckten. Das ganze Bild wurde besonders hübsch durch die vielen Blumen, die rot, blau und gelb in der Morgen-
20 sonne leuchteten."

Fritz machte eine Pause, wandte sich um und holte aus einer Ecke des Gepäckraums hinterm Sitz eine Papiertüte hervor. „Ich hab' euch auch was mitgebracht", sagte er, „seht mal die schönen dicken Erdbeeren. Ich hätte lieber Schwarzwälder Kirschen ge-
25 nommen, aber die gab es noch nicht. Die kommen erst etwas später." Und er reichte die Tüte herum. „Es sind sozusagen heilige Erdbeeren", fuhr er fort.

„Was quasselst du von heiligen Erdbeeren?" sagte Toni, indem er eine besonders saftige rote Erdbeere in den Mund steckte. „Ja, ja", sagte Fritz, „ich habe sie direkt unterm Hauptportal des Münsters gekauft. Erstens waren es fast die einzigen Erdbeeren auf dem Markt, und dann hat mich die Verkäuferin so gerührt. Es war eine hübsche junge Bauersfrau mit einem weißen Kopftuch um den Kopf, die auf einem großen Sack Kartoffeln unterm Münsterportal saß. Neben sich hatte sie einen Strauß blauer Kornblumen und einen kleinen Haufen Erdbeeren. Sie saß ganz still da und wartete, daß man käme und ihre Sachen kaufte. Ich fand sowohl die Frau wie ihre Produkte unwiderstehlich."

Toni unterbrach: „Was, du hast uns keine Kornblumen mitgebracht!?" „Aber natürlich doch", erwiderte Fritz, „wenn man mich doch einmal ausreden lassen wollte!" Er langte wieder hinter den Sitz, und diesmal hatte er einen kleinen Strauß leuchtend blauer Kornblumen in der Hand. „Da", sagte er, indem er sie Helene in den Vordersitz hinüberreichte, „steck sie in die Vase, bei der nächsten Tankstelle halten wir und lassen uns ein bißchen Wasser für die Vase geben. Wir müssen ja doch bald tanken."

Die blauen Blumen sahen sehr hübsch aus in der kleinen Hängevase vor der Windschutzscheibe. Bald kam auch eine Tankstelle, und wir fuhren ein. Als der Tankwart ans Autofenster trat, sagte Toni: „Auffüllen, bitte!" und während der Mann den Tank füllte, stieg Toni aus und holte Wasser für unsere Blumen.

„Wie steht's mit dem Öl und der Batterie?" fragte der Tankwart, als er mit dem Auffüllen fertig war. „Batterie ist okeh, aber das Öl könnten Sie mal nachprüfen", sagte Fritz. „Ich weiß auch nicht, ob die Reifen genug Luft haben. Und vergessen Sie bitte nicht, den Ersatzreifen nachzuprüfen."

Das Öl war in Ordnung, aber die beiden Vorderreifen sowohl wie einer der Hinterreifen waren etwas herunter und mußten aufgepumpt werden. Zum Schluß putzte der Tankwart noch die Windschutzscheibe, wobei er sehr vorsichtig die beiden Scheibenwischer von dem Glas hob, und dann gab er uns die Rechnung für die 25 Liter Benzin, die wir gebraucht hatten.

„Wollen Sie eine Quittung?" fragte er. „Nein, nicht nötig", antwortete Toni. „Bitte", sagte ich, „noch eins, ehe wir weiterfahren. Können wir nicht das Dach öffnen? Wozu hat man denn ein Schiebedach, wenn nicht für solches Wetter wie heute?" Toni schob also das Dach zurück, und jetzt konnten besonders wir im Rücksitz viel besser sehen als vorher.

(*Fortsetzung folgt*)

ÜBUNGEN

A. Grammar Review: Principal parts of strong and of irregular weak verbs, pp. 233–236.

B. Fragen

1. Wie nannten die Freunde Fritz? 2. Wohin war er schon am frühen Morgen gegangen? 3. Was war der Hintergrund für den Markt? 4. Was für Schirme hatten die Verkäufer über ihren Buden aufgestellt? 5. Was war alles auf dem Markt zu haben? 6. Warum waren einige Hausfrauen schon so früh gekommen? 7. Wie zeigten sie, daß sie besonders tüchtig waren? 8. Was hatten die Frauen für ihre Einkäufe mitgebracht? 9. Warum waren die Blumen so besonders hübsch? 10. Worin waren die Erdbeeren, die Fritz mitgebrachte hatte? 11. Warum hat er keine Kirschen mitgebracht? 12. Warum nannte er die Erdbeeren heilig? 13. Warum hatte er gerade diese Erdbeeren gekauft? 14. Was hatte die Frau um den Kopf? 15. Was für einen Sack Kartoffeln hatte sie? 16. Was war neben ihr? 17. Wohin hatte Fritz seine Erdbeeren gelegt? 18. Was sollte Helene mit den Blumen tun? 19. Wo hing die Vase? 20. Was wollten die Freunde an der nächsten Tankstelle tun? 21. Was tat der Tankwart, während Toni Wasser für die Blumen holte? 22. Was prüfte der Tankwart alles nach? 23. Was machte er mit den Reifen? 24. Wo sind die Scheibenwischer an einem Auto? 25. Wie viel Benzin haben die Freunde getankt? 26. Warum ist es gut, ein Schiebedach zu haben?

C. Machen Sie Sätze aus folgenden Wörtern!

1. Spaziergang machen; aber, Verkehr, schlimm
2. Reisen, Schwierigkeiten; aber, sich lohnen
3. ich, mir ansehen, am Markt
4. Verkäufer, warten auf, Käufer
5. Blumen, Gemüse, aussehen
6. kaufen, einige, besonders hübsch
7. kaufen, wollen; aber, nicht zu haben
8. Erdbeeren, Kirschen, lieber haben
9. heute morgen, arbeiten; erst heute abend fahren
10. besonders vorsichtig, fahren, wegen, Verkehr

11. Tankstelle, nachprüfen
12. erst wenn, in Ordnung; weiterfahren
13. Quittung, brauchen
14. mein Freund, unterbrechen; wenn, zu lange sprechen
15. ausreden lassen

D. Wortanalyse und Satzbildung
1. jeder, jedenfalls
2. übrig, übrigens
3. das Mal, diesmal, einmal, zum ersten Mal
4. kaufen, einkaufen, der Käufer, verkaufen, der Verkäufer
5. setzen, ersetzen, der Ersatz
6. sehen, die Sicht, die Vorsicht, vorsichtig

E. Aufsätze und Gespräche
1. Eine Hausfrau geht zum Markt und kauft ein. Gespräche mit den Verkäufern und Verkäuferinnen.
2. Zwei Amerikaner sehen sich einen Markt in einer deutschen Kleinstadt an.
3. Ein Autofahrer hält mit seiner Frau an einer Tankstelle.

F. Translate into German.

1. The market was in full swing when I arrived there. 2. It is always worthwhile to go there to see the booths which are set up there in front of the old cathedral. 3. If one goes there early one has a good choice. 4. (The) most housewives don't come until later. 5. In the early morning the flowers and vegetables always look fresh. 6. Cherries were not yet to be had, so I bought a bag of strawberries. 7. I put one in my mouth, and I must say it tasted good. 8. When we stopped at a filling station the attendant came out right away. 9. He tested our tires and found that the spare needed a little air. 10. When he asked us whether we wanted a receipt we answered that it was not necessary.

VOCABULARY

an·sehen, sah an, angesehen look at; **sich etwas ansehen** take a look at something
auf·füllen fill up
auf·stellen set up
aus·reden finish talking
die Auswahl, –en choice
die Batterie, –n battery

der Bauer, –s or **–n, –n** farmer, peasant
besonders especially
das Bild, –er picture
ein bißchen a bit, a little
die Bude, –n booth
das Dach, ⸚er roof
die Ecke, –n corner
ehe before (*conj.*)
ein·kaufen buy, do shopping
das Einkaufsnetz, –e net bag to hold purchases
einzig only
erleben experience, live through
der Ersatz substitute
der Ersatzreifen, – spare tire
erst not until, only
erstens in the first place
erwidern reply, answer back
etwas something, somewhat
fast almost
der Fisch, –e fish
das Fleisch, –e meat
fort·fahren, fuhr fort, ist fortgefahren continue
der Gang, ⸚e course, going; **in vollem Gang** in full swing
das Gemüse, – vegetable
es gibt there is, there are (*with acc.*)
das Glas, ⸚er glass
halten, hielt, gehalten hold, stop
der Haufen, – pile, heap
heben, hob, gehoben raise, lift
heilig holy, sacred
heißen, hieß, geheißen be called; **das heißt** that is
herum around (*adv.*)
hervor forth, out (*adv.*)
der Hintergrund, ⸚e background
hinüber across, over
jedenfalls in any case
die Kartoffel, –n potato
kaufen buy
die Kirsche, –n cherry
die Kornblume, –n bachelor's button
langen reach
der Langschläfer, – lazybones, late sleeper
sich lohnen be worth while
die Luft, ⸚e air
mal = einmal once (*or for emphasis*)
der Markt, ⸚e market
der Mund, ⸚er mouth
das Münster, – cathedral
nach·prüfen check, test
nötig necessary
das Öl oil
okeh O.K.
der Platz, ⸚e place, square
das Portal, –e portal
das Produkt, –e product
quasseln talk nonsense, blab
die Quittung, –en receipt
reichen pass, reach
der Reifen, – tire
rühren move, touch, stir
der Sack, ⸚e sack
saftig juicy
der Scheibenwischer, – windshield wiper
das Schiebedach, ⸚er sunroof
schieben, schob, geschoben push
der Schirm, –e umbrella
schlimm bad
der Schluß, ⸚sse conclusion, end; **zum Schluß** at the end
der Spaziergang, ⸚e walk, stroll; **einen Spaziergang machen** take a walk
stehen: wie steht's? how are things?
der Strauß, ⸚sse bouquet
tanken get gasoline
die Tankstelle, –n filling station
der Tankwart, –e filling station attendant
das Tuch, ⸚er kerchief, cloth
tüchtig efficient, capable
die Tüte, –n bag
übrig left, left over
unterbrechen, unterbrach, unterbrochen interrupt

unwiderstehlich irresistible
die Vase, –n vase
verkaufen sell
der Verkäufer, – seller
der Vordersitz, –e front seat
vorsichtig careful, cautious
das Wasser, – water
das Wetter, – weather
die Windschutzscheibe, –n windshield

KAPITEL V

Ein Wochenende im Schwarzwald

(Fortsetzung)

Nun dauerte es nicht mehr lange, bis wir von der Haupstraße abbogen auf eine schmale aber gut gepflasterte Straße, die sich gemütlich durch das schöne grüne Land schlängelte. Hier war fast gar kein Verkehr, und wir genossen sehr die plötzliche Stille. Als wir durch ein ganz kleines Bauerndorf kamen, rief Helene auf einmal: „Guck, da geht eine Frau in Tracht! Wie hübsch! Das sieht doch wirklich reizend aus!"

Wir fuhren langsamer und sahen alle auf die junge Frau in ihrer schönen bunten Tracht mit einem schneeweißen, schwarzbebänderten Hut auf dem Kopf. Wie wir weiterfuhren, sahen wir noch einige solche Frauengestalten in ihren Trachten. Wie wir gerade wieder einmal eine bewunderten, sagte Helene plötzlich: „Das ist aber komisch. Das sind ja alles Sonntagstrachten, die die Frauen anhaben, und heute ist doch gar nicht Sonntag. Was das wohl zu bedeuten hat?" Aber keiner von uns konnte ihr eine Antwort geben.

Nach etwa einer halben Stunde fuhren wir in das kleine Dorf St. Peter ein, dessen hohe Kirchtürme wir schon von weitem auf einem Hügel gesehen hatten. Wir fuhren eine kleine Anhöhe hinauf und befanden uns nun auf einmal mitten auf einem reizenden kleinen Dorfplatz, der ganz von Häusern umringt war und auf dem viele Leute herumstanden. Alle waren festlich angezogen, die Männer in ihren schwarzen Sonntagsanzügen und die Frauen in ihren wunderschönen Trachten. Sie unterhielten sich in kleinen Gruppen und schienen auf etwas zu warten.

„Was hier wohl los ist?" sagte Toni. „Da müssen wir doch mal halten und jemand fragen." „Bestimmt! Hier gibt's sicherlich was was zu sehen! Da wollen wir doch mitmachen! Was das wohl sein kann?" riefen wir alle durcheinander.

Menzenschwand im Schwarzwald

Sonntag in St. Peter im Schwarzwald

Altes Schwarzwälder Bauernhaus

Junge Schwarzwälderbäuerinnen in festlicher Tracht

Prozession in Wolfach im Schwarzwald

Wir fanden eine freie Ecke am Rande des Dorfplatzes und parkten den Wagen. „Alle 'raus!" rief Toni, und im Nu waren wir alle ausgestiegen. Der Wagen wurde abgeschlossen und wir gingen zur Mitte des Platzes. Nachdem wir uns ein wenig umgesehen hatten, beschlossen wir jemand zu fragen, was eigentlich los wäre. Nahe beim Marktbrunnen stand ein großer, sehr gut aussehender älterer Mann, der seinen schwarzen Anzug aus feiner aber schwerer Wolle mit besonderer Würde trug. Auf der Weste hing eine schwere goldene Uhrkette, und vor dem steifen weißen Hemdkragen trug er eine schwarze Kravatte. Schneeweißes Haar war unter dem schwarzgrünen Hut zu sehen, und in dem kräftigen, klugen Bauerngesicht trug er einen schön geschwungenen Schnurrbart.

Zu diesem Mann gingen wir und fragten ihn, ob hier ein Fest gefeiert würde. Er sah uns etwas erstaunt an und antwortete dann: „Aber heute ist doch St. Petri und Pauli. Wir feiern unser Patrozinium." „Wie, bitte?" sagte ich, denn ich verstand das Wort nicht. Wieder sah er uns verwundert an, bevor er antwortete: „St. Peter ist doch unser Patron, und heute ist sein Namenstag." „Ach so!" rief ich, „dann gibt es wohl auch eine Prozession?" „Ja, selbstverständlich. Die Leute sind jetzt schon in der Kirche beim Gottesdienst. Wenn der aus ist, fängt die Prozession an."

„Vielen Dank", sagte Toni, und dann zu uns, als wir uns ein Stückchen von dem Bauern entfernt hatten: „Hört, Kinder, da haben wir aber Schwein. So eine Prozession ist wirklich etwas Besonderes. Ich hab' mal eine im Film gesehen, der übrigens, wie mir gerade einfällt, hier in St. Peter gemacht worden ist. Wie hieß er doch noch? Es war im Ganzen ein ziemlicher Kitsch, aber die Aufnahmen von der Prozession waren wunderbar."

„Großartig", sagte Fritz, „wir sehen nun also die Prozession ohne den Kino-Kitsch. Ich schlage vor, wir setzen uns an einen Tisch da im Vorgärtchen des Klosterstübli. Da werden wir sicherlich einen guten Blick auf die Prozession haben, wenn sie hier vorbeikommt. So können wir alles in größter Gemütlichkeit genießen."

(*Fortsetzung folgt*)

ÜBUNGEN

A. Grammar Review: Reflexive Verbs, 173–175.

B. Fragen

1. Auf was für eine Straße kamen die Freunde jetzt? 2. Wieso war es hier so still? 3. Was für eine Tracht hatte die Frau im Bauerndorf an? 4. Warum war es verwunderlich, daß sie solche Kleider anhatte? 5. Was sahen die Freunde bald von Weitem? 6. Wo befanden sie sich auf einmal? 7. Was taten die Leute auf dem Platz? 8. Was wollten die Freunde tun? 9. Wo parkten sie das Auto? 10. Was taten sie mit dem Wagen, nachdem sie ausgestiegen waren? 11. Was trug der Mann, der in der Nähe des Brunnens stand? 12. Was für ein Gesicht hatte er? 13. Warum feierten die Leute St. Petri und St. Pauli? 14. Was gibt es immer bei einer solchen Feier? 15. Wann sollte die Prozession anfangen? 16. Was taten die Freunde, nachdem sie mit dem Bauern gesprochen hatten? 17. Was bedeutet „Schwein haben"? 18. Was fiel dem Toni ein? 19. War der Film sehr gut? 20. Was war das Beste an dem Film? 21. Von wo wollten sich die Freunde die Prozession ansehen? 22. Wo mußte sie vorbeikommen?

C. Machen Sie Sätze mit folgenden Wörtern!

1. in einem Dorf, es gibt, gar kein
2. ich, genießen, Land
3. wir, sich unterhalten, gerade; als, jemand, treten
4. ich, bewundern, reizend
5. Mann, anhaben, Hemd, Anzug
6. Fahrt, dauern, etwa
7. ich, warten auf, einige
8. einfallen, auf einmal; daß, er, Wagen, abschließen
9. ich, sich befinden, mitten in, Fest
10. ich, teilnehmen an
11. wissen, eigentlich, los sein
12. Fest, anfangen, erst
13. Gottesdienst, erst, aus sein, seit einer halben Stunde
14. sich entfernen, Kirche

15. sich setzen, Stuhl, vor Gasthaus
16. etwas Besonderes, gern sehen

D. Wortanalyse und Satzbildung
1. sich wundern, bewundern
2. hoch, die Anhöhe
3. finden, sich befinden
4. schließen, abschließen, beschließen
5. die Mitte, mitten in
6. sich wundern, verwunderlich, verwundert, wunderbar
7. nehmen, die Aufnahme

E. Aufsätze und Gespräche
1. Beschreiben Sie St. Peter, wie es an dem Morgen aussah, als Ingrid und ihre Freunde dort ankamen!
2. Zwei Freunde machen eine Fahrt durch eine amerikanische Landschaft.
3. Ein Deutscher zeigt einem Amerikaner, der ihn besucht, die Landschaft seiner Heimat.

F. Translate into German.

1. All at once, while we were driving on an unpaved side road we saw a group of children standing beside the road. 2. They seemed to be waiting for somebody. 3. One of the little girls looked especially pretty in her red dress and white hat. 4. "Look," I said, "what do you suppose it means?" 5. We decided to stop and asked them what was the matter. 6. A few of the children immediately stepped to the car door. 7. When we asked them, "What's the matter?" one of them answered, "Nothing, nothing at all. We are just waiting for the bus. We want to go to Freiburg." 8. "Well," said I, "get in, you can ride with us. We are going there too." 9. In an instant they had all got in and we started out again.

VOCABULARY

ab·schließen, schloß ab, abgeschlossen lock; conclude
an·fangen, fing an, angefangen start, begin
die Anhöhe, –n elevation, hill
die Antwort, –en answer
der Anzug, ⸚e suit (*of clothes*)
die Aufnahme, –n photograph, picture
aus (*adv.*) finished, over
bebändert beribboned
bedeuten mean; **was das wohl bedeuten soll?** I wonder what that means?

sich befinden, befand, befunden find oneself, be
beschließen, beschloß, beschlossen decide
bestimmt certain, certainly
bewundern admire
der Brunnen, – well, fountain
das Dorf, ⸚er village
eigentlich really
ein·fallen, fiel ein, ist eingefallen occur; **es fällt mir gerade ein** it just occurs to me
einmal once; **auf einmal** all at once
etwa approximately, about
das Fest, –e festival
der Film, –e movie
gar at all; **gar kein** none at all, **gar nichts** nothing at all
gemütlich comfortable, cozy
genießen, genoß, genossen enjoy
das Gesicht, –er face
die Gestalt, –en figure, form
der Gottesdienst, –e church service
groß tall
großartig grand, great
die Gruppe, –n group
gucken look
das Hemd, –en shirt
der Hügel, – hill
der Hut, ⸚e hat
die Kette, –n chain
das Kino, –s movies, movie theatre
der Kitsch trash (*in figurative sense only*)
das Kloster, ⸚ monastery
das Klosterstübli name of an inn (**Stübli** *is a small room*)
klug intelligent, smart
kräftig strong, vigorous
der Kragen, – collar
die Kravatte, –n necktie
langsam slow
die Leute (*pl.*) people
los loose; **was hier wohl los ist?** I wonder what is going on; what's the matter here?
mit·machen join in
die Mitte middle
mitten in in the middle of
nahe bei near
Nu: im Nu in an instant
das Patrozinium patron saint's day
pflastern pave
plötzlich sudden
der Rand, ⸚er edge
'raus: heraus out (*adv.*)
reizend charming
sich schlängeln meander, wind
der Schnurrbart, ⸚e moustache
schwingen, schwang, geschwungen arch
selbstverständlich of course, naturally
sicherlich certainly, surely
das Schwein, –e pig; **Schwein haben** be in luck
das Stück, –e piece
teil·nehmen, nahm teil, teilgenommen take part, **teilnehmen an** (*dat.*) take part in
die Tracht, –en native costume
der Turm, ⸚e tower
die Uhr, –en clock, watch
unterhalten, unterhielt, unterhalten entertain; **sich unterhalten** converse, have a talk
das Vorgärtchen, – small garden in front of house
die Weste, –n vest
wie how; **wie bitte** I beg your pardon (*used when one has not heard or understood what was said*)
die Wolle wool
die Würde, –n dignity

KAPITEL VI

Ein Wochenende im Schwarzwald

(Fortsetzung)

Das Klosterstübli ist eine Gastwirtschaft, die ihren Namen wohl von dem Kloster hat, das früher hier in St. Peter war und das jetzt ein Priesterseminar ist. Kirche und Seminar sind von einer hohen Steinmauer umgeben, und das Klosterstübli ist eins der Häuser, das an der Mauer steht, die an dieser Seite die Grenze des Dorfplatzes bildet. Vor dem Haus ist eine Art Terrasse, die etwas erhöht über dem kleinen Platz liegt. Nachdem Toni und Fritz einen Blick in die Wirtsstube getan und festgestellt hatten, daß nicht alle Bauern im Gottesdienst waren, sondern daß viele an den langen Holztischen in der Wirtsstube saßen und ein zweites Frühstück mit Bier genossen, traten wir wieder hinaus auf die Terrasse und fanden noch Platz an einem Tisch, der im Schatten eines großen Baumes stand.

„Schrecklich, was für einen Hunger man immer auf Reisen kriegt", sagte Toni. „Wie wäre es, wenn wir dem Beispiel der Bauern da drinnen folgten und uns auch ein zweites Frühstück bestellten?" „Gar kein schlechter Einfall", sagte Helene, worauf wir alle dasselbe bestellten und auch nach kurzem Warten erhielten: große, dicke Scheiben von dunklem Bauernbrot mit einer fast ebenso dicken Scheibe von stark geräuchertem Schwarzwälder Schinken. Dazu nahm jeder ein Viertelliter Wein. Die Kellnerin brachte ihn in hübschen grauen Steinkrügen, die mit blauen Trauben und Weinblättern bemalt waren.

Als wir noch beim Essen waren, ertönte auf einmal eine Blechmusik, zuerst leise, aber dann sehr bald laut und kräftig. „Da sind sie!" rief Helene. Und so war es. Die Prozession, die zuerst von der Kirche zum Friedhof hinter der Kirche gegangen war, kam nun um die Ecke herum und zog über den Dorfplatz an uns vorbei. Von unserem erhöhten Platz aus konnten wir alles so wunderbar sehen wie von einer Loge im Theater.

„Ach, wenn ich doch nur eine Film-Kamera hätte, und zwar eine mit Farbfilm!" rief ich. „Statt dessen guck' lieber genau hin und merk' dir alles im Gedächtnis!" antwortete Fritz.

Es war ein herrliches Bild, das sich nun vor unseren Augen entfaltete. Geführt wurde die Prozession von einigen Priestern im goldweißen Ornat, und junge Chorknaben mit frischen, kindlichen Gesichtern trugen den gleichfalls gold-weißen Baldachin hoch über den Häuptern der Priester. Gleich dahinter kamen die farbig bemalten Holzfiguren der Mutter Maria und des Heiligen Petrus, die auf einem Holzgestell von sechs oder acht Mönchen auf den Schultern getragen wurden.

Es war ein zugleich festlicher und feierlicher Anblick, und feierlich-festlich wirkte auch die nächste Abteilung: die älteren Männer der Gemeinde, alle in würdigem Schwarz gekleidet, schritten ernst und aufrecht daher, gefolgt von den älteren Frauen, alle in Tracht und manche mit der wundervollen Festkrone auf dem Kopf. Diese sah aus, als ob sie aus lauter bunten Edelsteinen gemacht wäre, so schön glitzerten die rosa, gelben und zartblauen Glassteinchen in der Sonne. Einige von den alten Frauen gingen mit gesenktem Kopf, den Rosenkranz in den Händen, und man konnte sehen, wie ihre Lippen sich andächtig im Gebet bewegten.

Jetzt wurde die Musik auf einmal so laut, daß man nichts anderes hören konnte, und dann sahen wir auch gleich die Blechmusik um die Ecke marschieren. Auf ihren hochpolierten Instrumenten spielten die Männer ein altes Kirchenlied und schienen sich ganz ihrer Musik hinzugeben. Gleich nach ihnen kam eine Gruppe Männer in dunkler Uniform mit runden Helmen, die wie pures Gold in der Sonne funkelten. Dies, sagten wir uns, mußte wohl die Feuerwehr sein. Hinter ihnen gingen die jüngeren Männer der Gemeinde, auch sie in schwarzen Anzügen, und dann die jungen Mädchen in bunten Trachten. Diese trugen auch eine Art Krone auf dem Kopf, die ähnlich wie ein breiter Kranz aus Perlenblumen aussah. Viele von den ernsten Gesichtern der jungen Mädchen waren sehr schön mit ihren regelmäßigen Zügen, den gesunden roten Wangen und den großen dunklen Augen unter dem schwarzen Haar.

Den Schluß der Prozession bildete eine Gruppe Nonnen in ihren langen schwarzen Gewändern. Auch sie gingen mit ernsten und andächtigen Gesichtern an uns vorbei. Hinterher liefen dann noch einige Kinder, die auch wohl irgendwie teilhaben wollten an der Festlichkeit.

(*Fortsetzung folgt*)

ÜBUNGEN

A. Grammar Review: Word Order, pp. 133–136.

B. Fragen

1. Warum heißt die Gastwirtschaft wohl das Klosterstübli? 2. Was für eine Mauer umgibt Kirche und Seminar? 3. Was bildet die Grenze des Dorfplatzes? 4. Wohinein taten Toni und Fritz einen Blick? 5. Was stellten sie dabei fest? 6. Wohin sind sie dann wieder gegangen? 7. Was beschlossen alle zu tun? 8. War das ein guter Einfall? 9. Warum? 10. Wie dick war der Schinken, den sie zu ihrem Brot bekamen? 11. Was für Krüge hatte man für den Wein? 12. Was hörte man auf einmal? 13. Wohin war die Prozession zuerst gegangen? 14. Wieso war es ähnlich wie im Theater? 15. Was hätte Ingrid gern gehabt? 16. Was, sagte Fritz, sollte sie lieber tun? 17. Wer führte die Prozession? 18. Wer trug den Baldachin? 19. Was kam gleich dahinter? 20. Was trugen die Mönche und wie? 21. Was für Steine hatten die Festkronen der Frauen? 22. Was für Instrumente hatte die Blechmusik? 23. Was für Uniformen trug die Feuerwehr? 24. Was trugen die jüngeren Männer? 25. Was hatten die jungen Mädchen an? 26. Wie sahen ihre Kronen aus? 27. Was für Gesichtszüge hatten die meisten Mädchen? 28. Was taten die alten Frauen? 29. Warum liefen die Kinder hinterher?

C. Machen Sie Sätze mit folgenden Wörtern!

1. Gottesdienst, Kirche, heraustreten
2. Gastwirtschaft, sehen; Hunger kriegen
3. Freunde, Kirche, Blick tun
4. Kirche, drinnen, aussehen; als ob, alt
5. Frauen, aussehen; als ob, arbeiten
6. Hände, sich bewegen, langsam
7. Prozession, vorbeigehen, Friedhof
8. Feuerwehr, bilden, Teil, Prozession

9. genießen, jede Art, Festlichkeit
10. ich, feststellen; daß, Schwarzwälder Schinken
11. dieser Schinken, fast ebenso gut, Virginia ham
12. einfallen, gerade; Kamera, Auto, liegen
13. Einfall, einige Aufnahmen, machen
14. Helme, aussehen, genau, Gold
15. Glassteinchen, aussehen, ähnlich, Edelsteine

D. Wortanalyse und Satzbildung
1. ziehen, der Zug, anziehen, der Anzug
2. eben, ebenso
3. einfallen, der Einfall
4. bilden, das Bild, die Bildung
5. stellen, bestellen, feststellen
6. halten, erhalten, enthalten
7. denken, der Gedanke, das Gedächtnis
8. beten, das Gebet
9. teilen, der Teil, die Abteilung, teilnehmen, teilhaben

E. Gespräche und Aufsätze
1. Fritz und Toni unterhalten sich mit den Bauern in der Wirtsstube.
2. Ingrid und Helene unterhalten sich auf der Terrasse über das, was sie gesehen haben und noch sehen.

F. Translate into German.

1. Our house is surrounded by many fine trees. 2. When you step out of the house into the garden you see a kind of terrace right around the corner. 3. On it you see nothing but roses. 4. It forms one of the prettiest gardens that I have ever seen. 5. We got the roses from our grandmother and have been enjoying them for many years. 6. My grandmother is very old now and cannot move without help. 7. My memory is not very good, so that I cannot tell you exactly in what year our grandmother came to us. 8. At first she took part in the work in the garden, but now she has to stay inside. 9. I have often said to myself that it is very nice to have a table in the garden, so that one can breakfast outdoors. 10. I have found out *(feststellen)* that I always enjoy my coffee if I can drink it outdoors.

VOCABULARY

die Abteilung, –en section, department
ähnlich wie similar to, like
der Anblick, –e sight
andächtig devout, attentive
die Art, –en kind; **eine Art Krone** a kind of crown
der Baldachin, –e canopy
das Beispiel, –e example
bemalen paint
bewegen move (something); **sich bewegen** move
das Bier, –e beer
bilden form
die Blechmusik brass band
der Blick, –e glance; **einen Blick tun** cast a glance
das Brot, –e bread
der Chor, ¨–e choir
ebenso just as
der Edelstein, –e precious stone
der Einfall, ¨–e idea
entfalten unfold
erhalten, erhielt, erhalten receive, get
ernst serious
ertönen resound, sound
die Farbe, –n color
feierlich solemn
fest·stellen ascertain, find out
die Feuerwehr, –en fire department
die Figur, –en figure
der Friedhof, ¨–e cemetery
funkeln gleam, shine
die Gastwirtschaft, –en restaurant, eating place
das Gebet, –e prayer
das Gedächtnis memory
die Gemeinde, –n congregation, community
genau precise, exact; **genau hingucken** look at carefully, take a good look
das Gestell, –e framework
gesund healthy
das Gewand, ¨–er garment, garb
gleichfalls likewise
die Grenze, –n boundary
das Haar, –e hair
das Haupt, ¨–er head
der Helm, –e helmet
sich hin·geben give oneself up to
das Holz, ¨–er wood
der Hunger hunger; **Hunger kriegen** get hungry
irgendwie in some way or other
die Kamera, –s camera
die Kirche, –n church
der Knabe, –n, –n boy
der Kranz, ¨–e wreath; **der Rosenkranz, ¨–e** rosary
kriegen get
die Krone, –n crown
der Krug, ¨–e pitcher, jug
lauter nothing but
leise low, soft (not loud)
das Lied, –er song
die Lippe, –n lip
das Liter, – litre
die Loge, –n box seat
die Mauer, –n wall
merken notice; **sich etwas merken** make a note of something
der Ornat ceremonial robes
der Priester, – priest
räuchern smoke *(as of meat)*
regelmäßig regular
rosa pink
der Schatten, – shade, shadow
die Scheibe, –n slice
der Schinken, – ham
schlecht bad
schreiten, schritt, ist geschritten stride, walk
die Terrasse, –n terrace
das Theater, – theatre
die Traube, –n cluster *(of grapes)*
umgeben, umgab, umgeben surround
die Uniform, –en uniform
die Wange, –n cheek

der Wein, –e wine
das Weinblatt, ¨–er grape leaf
wirken have an effect, act
die Wirtsstube, –n tap room of inn
würdig dignified
der Zug, ¨–e feature; procession
zugleich at the same time
zwar (*almost impossible to translate, it has somewhat the idea of* "and what's more")

KAPITEL VII

Ein Wochenende im Schwarzwald

(Fortsetzung)

Inzwischen hatten wir fertig gegessen und auch unseren Wein ausgetrunken. Nachdem wir bezahlt hatten, standen wir also auf, gingen die paar Stufen vom Garten auf den Dorfplatz hinunter und weiter zum Tor in der Klostermauer, das in den großen geschlossenen Hof vor der Kirche führte. Hier standen viele Leute und unterhielten sich. In der Mitte des Hofes stand ein riesiger Baum, unter dem viele kleine Buden aufgestellt waren. Hier konnte man allerlei Spielzeug und billiges Konfekt kaufen, und auch kleinere Gebrauchsartikel, wie zum Beispiel Hosenträger, Strümpfe und Steinkrüge. Was uns aber am allerbesten gefiel, waren die braunen Lebkuchenherzen, die mit bunten Blumen aus Zuckerguß verziert waren. Außerdem standen auf jedem ein paar Worte in Zuckerschrift, wie zum Beispiel „Mein Stern" oder „Du bist mein".

Jeder kaufte eins von den Herzen, die wir dann einander schenkten. Als Toni mit einer höflichen Verbeugung Helene seins überreichte, sagte er: „Bitte, gnädiges Fräulein, da ist mein Herz. Ich schenke es Ihnen, ohne große Gefahr, daß es zerbrochen werden könnte, denn es ist ja in Zellophan eingewickelt."

Tatsächlich, das altmodische Lebkuchenherz, das mich beim ersten Blick an Gottfried Kellers schöne Novelle „Romeo und Julia auf dem Dorf"* erinnert hatte, war durch eine Zellophanhülle modernisiert worden.

Wir gingen nun noch ein bißchen umher unter den festlich gekleideten Leuten im Hof und bewunderten die schönen Trachten

* Bei Keller (einem Schweizer Schriftsteller des 19. Jahrhunderts) nimmt ein junges Liebespaar teil an einem ähnlichen Fest wie diesem in St. Peter. Der Jüngling schenkt dem Mädchen ein Lebkuchenhaus, und sie schenkt ihm dafür ein Herz.

aus der Nähe. Wir taten auch einen Blick in die große Barockkirche mit ihren prächtigen Altären und den vergoldeten Heiligenfiguren an den Pfeilern des Mittelganges. Aber dann war es Zeit, uns wieder auf den Weg zu machen, und wir gingen langsam zum Wagen zurück.

„Nun, Toni", sagte ich, als wir wieder im Wagen saßen und durch die Gegend rollten, „das muß ich sagen, du bist ein guter Reiseführer. Etwas Schöneres als diese Prozession hätten wir uns kaum wünschen können. Wir werden uns noch lange an diesen Tag erinnern." „Ja", antwortete er, „Glück muß der Mensch haben. Aber wohin soll's nun weitergehen?" Helene, die die Autokarte in der Hand hatte, sagte: „Die Straße über St. Märgen hat eine grüne Linie daneben, was bedeutet, daß sie landschaftlich schön ist. Fahren wir doch dahin."

Alle stimmten überein, nach St. Märgen weiter zu fahren und möglichst immer auf kleinen Straßen zu bleiben. Wir fuhren an vielen Schwarzwälder Bauernhöfen vorbei und freuten uns über das wunderbar helle Grün der Weiden an den Abhängen der Hügel, die auf der Spitze manchmal von dunklem Tannenwald gekrönt waren. Als es Mittag wurde, hielten wir in einem kleinen Dorf, und Helene und ich kauften in einer Bäckerei frische, knusprige Brötchen, während die beiden Jungens in einen Fleischerladen gingen und etwas Aufschnitt kauften. Mit diesen guten Dingen bewaffnet fuhren wir dann weiter, bis wir an einen hübschen Abhang kamen, wo wir ausstiegen, und, im Grase sitzend, ein einfaches Picknick hielten. Die grüne Wiese, auf der wir saßen, war besät mit den schönsten Feldblumen in allen Farben, und wir beiden Mädchen pflückten einen hübschen, bunten Strauß und banden ihn zusammen mit einem langen Grashalm.

Nachdem wir uns eine Stunde oder länger in dem duftenden Gras ausgeruht hatten, ging es wieder weiter. Wir konnten es nicht vermeiden, eine kurze Strecke auf der Hauptstraße zu fahren, und gleich waren wir wieder im dicksten Verkehr.

„Die Wochenendler sind schon alle unterwegs", sagte Fritz, als wir an einem freien Platz neben der Straße vorbeifuhren, wo ein kleines Zelt aufgestellt war mit einem hübsch gedeckten Klapptisch vor der Tür. Ein junger Mann war mit irgendeiner Arbeit am Zelt beschäftigt, während seine Frau mit ihrem ungefähr dreijährigen Kind in der Badehose gerade vom Bach heraufkam, der nicht weit von der Straße zwischen Tannen und Kiefern dahinfloß. Es mußte wohl ein Wasserfall in der Nähe sein, denn man hörte deutlich ein kräftiges Wasserrauschen, sogar über dem Lärm des Verkehrs.

(Fortsetzung folgt)

ÜBUNGEN

A. Grammar Review: Separable and inseparable prefixes, pp. 176–181.

B. Fragen

1. Was für ein Hof war vor der Kirche in St. Peter? 2. Was taten die Leute, die hier herumstanden? 3. Was verkaufte man in den kleinen Buden? 4. Nennen Sie einige Gebrauchsartikel aus dem täglichen Leben! 5. Beschreiben Sie die Lebkuchenherzen! 6. Was taten die Freunde mit den Herzen, die sie gekauft hatten? 7. Wie überreichte Toni Helene sein Lebkuchenherz? 8. Warum glaubte er, daß es nicht zerbrochen werden könnte? 9. Woran erinnerte das Herz Ingrid? 10. Was für eine Kirche hat das Dorf St. Peter? 11. Was taten die Freunde, nachdem sie einen Blick in die Kirche getan hatten? 12. Was bedeutet eine grüne Linie auf einer deutschen Autokarte? 13. Was wollten die Freunde jetzt tun? 14. Woran kamen sie vorbei? 15. Was für einen Tannenwald sahen sie manchmal? 16. Wohin gingen die beiden Mädchen? 17. Wo kann man Aufschnitt kaufen? 18. Wo hielten die Freunde zu Mittag? 19. Wo saßen sie beim Essen? 20. Was für Feldblumen pflückten die Mädchen am Abhang? 21. Wie lange ruhten sie sich im Grase aus? 22. Wohin kamen sie bald, als sie weiterfuhren? 23. Wer war schon unterwegs? 24. Was stand vor dem Zelt, an dem sie vorbeikamen? 25. Woher kam die Mutter gerade? 26. Was hatte das Kind an? 27. Wie alt war es? 28. Was für Bäume gab es hier?

C. Machen Sie Sätze aus folgenden Wörtern!

1. wir, sich unterhalten über
2. ich, gefallen, am besten
3. Gefahr, Verkehr, Hauptstraße
4. ich, sich auf den Weg machen, in, Stadt
5. sogar, Kinder, Deutsch, Deutschland
6. allerlei, sehen, beim Reisen

7. übereinstimmen mit, nie, Freund
8. ich, sich freuen über
9. Fleischer, verkaufen
10. feststellen; ungefähr fünf Meilen
11. einen Blick tun, Schwarzwälder Bauernhaus
12. aus der Nähe, noch schöner, aussehen
13. für einander, kaufen
14. sich erinnern an, Prozession
15. ich, beschäftigt, mit, irgendein

D. Wortanalyse und Satzbildung

1. zwischen, inzwischen
2. all, alles, allerlei
3. der Hof, höflich, der Friedhof
4. schreiben, die Schrift, der Schriftsteller
5. der Weg, unterwegs
6. irgendein, irgendwie, irgendwo
7. hängen, der Abhang
8. bedeuten, deutlich, die Bedeutung
9. fließen, der Fluß
10. jung, der Junge, der Jüngling
11. die Stimme, übereinstimmen

E. Gespräche und Aufsätze

1. Man macht allerlei Einkäufe in den Buden vor der Kirche.
2. Ein Picknick

F. Translate into German.

1. When the coffee is good I always drink it up. 2. I was just having a talk with a friend when Toni called me. 3. Toni and Fritz agreed that they had liked the procession best of all *(am allerbesten)*. 4. But they liked the women in their pretty costumes too. 5. I don't like this cheap candy. 6. We were all so busy that we didn't talk much to *(mit)* each other. 7. In one of the booths a young woman was selling all kinds of useful things, and I bought a pretty little pitcher. 8. I spoke a few words with her and soon found out *(feststellen)* that she did not live in this village. 9. She told me that she came from a town *(Stadt)* nearby. 10. It was now nearly noon and we started out for St. Märgen. 11. We bought some cold cuts which we ate with our crisp rolls.

VOCABULARY

der Abhang, ¨e slope, hillside
allerlei all kinds of
der Altar, ¨e altar
der Aufschnitt cold cuts
sich aus·ruhen take a rest
aus·trinken, trank aus, ausgetrunken drink up
der Bach, ¨e brook
die Bäckerei, –en bakery
die Badehose, –n bathing trunks, swim suit
das Barock baroque
der Baum, ¨e tree
das Beispiel, –e example; **zum Beispiel** for example
besäen sow (with), sprinkle (with)
beschäftigt busy
bewaffnen arm
decken cover; **den Tisch decken** set the table
deutlich clear
duften be fragrant, smell; **duftend** fragrant
einwickeln wrap up
erinnern remind; **sich erinnern an** (*acc.*) remember
der Fleischerladen, ¨ meat market
fließen, floß, ist geflossen flow
sich freuen be happy, be glad
der Gebrauch, ¨e use
die Gefahr, –en danger
gefallen, gefiel, gefallen please; **es gefällt mir** I like it
die Gegend, –en region, countryside
das Glück luck, happiness
gnädig gracious; **gnädiges Fräulein** a formal kind of address (*here used ironically*)
das Gras, ¨er grass
der Grashalm, –e blade of grass
das Herz, –ens, –en heart
der Hof, ¨e court, courtyard, farm, farmyard
höflich polite
die Hose, –n trousers
der Hosenträger, – suspenders
inzwischen meanwhile
der Junge, –n, –n *or* **–ns** boy
der Jüngling, –e youth, young man
die Kiefer, –n pine tree
der Klapptisch, –e folding table
das Konfekt confectionery, candy
der Lebkuchen, spicy cake a little like gingerbread
die Linie, –n line
der Mittelgang, ¨e center aisle
möglichst so far as possible
die Nähe proximity, vicinity; **in der Nähe** nearby; **aus der Nähe** from nearby
die Novelle, –n novelette
der Pfeiler, – pillar
prächtig splendid, magnificent
rauschen rush, roar, rustle
riesig gigantic, enormous
schenken give as a gift
die Schrift, –en writing, script
der Schriftsteller, – author
sogar even
das Spielzeug, –e toy
die Spitze, –n tip, summit, top
der Stern, –e star
die Strecke, –n stretch, way
der Strumpf, ¨e stocking
die Stufe, –n step (*of stairs*)
die Tanne, –n evergreen tree, fir
überein·stimmen agree
ungefähr about, approximately
die Verbeugung, –en bow
vergessen, vergaß, vergessen forget
verzieren adorn, ornament
der Wald, ¨er forest, woods
der Weg: sich auf den Weg machen start out (on the way)
die Weide, –n pasture
das Wort, –e (¨er) word
das Zellophan cellophane
das Zelt, –e tent
zerbrechen, zerbrach, zerbrochen break (*to pieces*)
der Zuckerguß, ¨sse sugar icing

KAPITEL VIII

Ein Wochenende im Schwarzwald

(Fortsetzung)

„Wir sind hier in der Nähe von Titisee“, sagte Helene, die wieder mit ihrer Autokarte beschäftigt war. „Die meisten von diesen Ausflüglern und Wochenendlern wollen wahrscheinlich dahin. Das ist einer der beliebtesten Orte in der Gegend. In der Hauptstraße steht ein Hotel neben dem anderen, und dazwischen sind lauter Geschäfte für Reiseandenken. Ich bin einmal da durchgefahren und fand alles schrecklich überfüllt. Die Landschaft rund herum ist natürlich wunderschön, aber die können wir auch ohne Fremdenverkehr und Reiseandenken haben. Guck mal, Toni, da vor uns biegt ein kleiner Weg nach rechts ab. Wollen wir den nicht nehmen?“

„Wie gnädiges Fräulein wünschen!“ antwortete Toni, indem er leicht bremste und ganz langsam um die ziemlich scharfe Ecke fuhr. „Du, Fritz“, sagte er dann, „ich glaube, wir sollten die Bremse mal nachprüfen lassen. Sie scheint mir nicht ganz richtig zu funktionieren.“ „Können wir machen“, erwiderte Fritz, „aber nicht heute. Wichtiger scheint mir für das Fahren hier in den Bergen, daß die Schaltung gut funktioniert. Bei diesen Serpentinen muß man ja dauernd umschalten.“

Und so war es. Dauernd ging es bergauf und bergab in manchmal haarsträubenden Serpentinen, und Toni mußte immer wieder vom dritten in den zweiten Gang umschalten und manchmal sogar in den ersten. Seine Hand kam kaum weg vom Schalthebel.

Die Landschaft wurde, wenn möglich, noch schöner als in der Gegend von St. Peter und St. Märgen. Die Berge wurden höher, und man sah immer mehr Tannenwald. Als wir längere Zeit bergauf gefahren und dann endlich oben angekommen waren, sahen wir im tiefen Tal unter uns ein langgestrecktes Bauerndorf, dessen Häuser der unregelmäßigen Linie eines sich dahinschlängelnden braunen

Baches folgten. Der Talboden lag schon im Schatten, aber auf den grünen Abhang uns gegenüber fielen immer noch die gelben Strahlen der Spätnachmittagssonne.

Da wir alle ziemlich müde waren von dem Fahren und dem vielen Sehen, beschlossen wir dahinunter zu fahren. „Wir dürfen auch nicht zu lange warten", sagte ich, „sonst finden wir kein Nachtquartier mehr. Es könnte ja sein, daß es auch noch andere Leute gibt, die auf die schlaue Idee gekommen sind, von den Hauptstraßen abzubiegen, und die sich hierher verloren haben."

„Und außerdem", unterbrach mich Helene, „hat die Urlaubszeit schon angefangen, wenn es auch noch nicht Hochsaison ist, und da werden viele Gasthäuser schon ganz besetzt sein mit Leuten, die sich für ihre zwei Wochen Urlaub in so einem kleinen Dorf niederlassen und von dort aus Wanderungen machen."

„Wie heißt eigentlich dieses Dorf?" fragte ich Helene, „oder steht es gar nicht auf deiner Karte drauf?" „Doch", antwortete sie, „es hat einen merkwürdigen Namen. Es scheint aus zwei Teilen zu bestehen. Wenn ich es richtig lese, heißt es Menzenschwand, und zwar gibt es ein Vordermenzenschwand und ein Hintermenzenschwand."

Es ging nun ziemlich rasch in Serpentinen den steilen Abhang hinunter, und sobald wir unten angekommen waren, war unser erster Gedanke, eine Unterkunft für die Nacht zu suchen. Nachdem wir vergebens in ein paar schon völlig besetzten Gasthäusern in Vordermenzenschwand angefragt hatten, beschlossen wir, die paar Kilometer nach Hintermenzenschwand weiterzufahren und es da zu versuchen. Die Strecke zwischen den beiden Dorfteilen schien ein beliebter Spaziergang der Dorfjugend zu sein, denn wir trafen verschiedene Gruppen junger Leute, die lachend und singend die Straße entlangwanderten.

In Hintermenzenschwand war ein ziemlich großes, sehr nettes Gasthaus, wo wir Gottseidank noch zwei Doppelzimmer zu einem sehr mäßigen Preis bekamen. Das Haus war wohl kürzlich renoviert worden, denn alles sah ganz neu und blitzsauber aus, und in den Zimmern gab es fließendes Wasser, heiß sowohl wie kalt. Helene und ich hatten ein Eckzimmer im ersten Stock, und wenn man die frischen bunten Gardinen an den Fenstern beiseiteschob, hatte man einen netten Blick auf die schmale Dorfstraße und auf den Abhang gegenüber, dessen Spitze immer noch im sanften Goldgrün der letzten Sonnenstrahlen glänzte.

(Schluß folgt)

ÜBUNGEN

A. Grammar Review: Relative pronouns, pp. 149–151.

B. Fragen (use relative pronouns in answering 2, 6, 11, 12, 21, 23, 26)

1. Wo waren die Freunde jetzt? 2. Was ist ein Wochenendler? 3. Was findet man in Titisee zwischen den Hotels? 4. Kaufen Sie gern Reiseandenken, wenn Sie auf Reisen sind? 5. Warum wollten die Freunde nicht nach Titisee? 6. Welchen Weg nahmen sie? 7. Was tat Toni, um das Auto langsam fahren zu lassen? 8. Was muß man manchmal mit der Bremse machen, wenn man immer sicher fahren will? 9. Warum ist es besonders wichtig, daß in den Bergen die Schaltung gut funktioniert? 10. Wie viele Gänge hat das Auto Ihrer Eltern? 11. In was für eine Landschaft kamen die Freunde jetzt? 12. Was für ein Tal sahen sie von oben? 13. Wo war der Abhang, auf den noch die Sonne schien? 14. Wie waren sie alle durch das lange Fahren geworden? 15. Wohin beschlossen sie zu fahren? 16. Warum durften sie nicht zu lange warten? 17. Wie lange haben die meisten Leute Urlaub? 18. Was tun die Deutschen gern in ihrer Urlaubszeit? 19. Wie hieß das Dorf, das die Freunde von oben sahen? 20. Woraus bestand es? 21. Was für einen Abhang mußten sie hinunterfahren? 22. Warum bekamen sie in Vordermenzenschwand keine Unterkunft? 23. In was für einem Gasthaus fanden sie endlich Zimmer? 24. Wo war das Zimmer der beiden Mädchen? 25. Was für Gardinen waren an den Fenstern? 26. Was sah man durchs Fenster?

C. Machen Sie Sätze aus folgenden Wörtern!

1. in der Nähe, beliebt, Ort, Lärm
2. auf die schlaue Idee kommen
3. im Verkehr, Bremse, Schaltung
4. bergauf, bergab, umschalten
5. wir, beschließen, Dorf, hinunter, fahren
6. Haus, merkwürdig, gegenüber, mir
7. auf, Bremse treten; sonst, schnell, um die Ecke
8. wieviele, verschieden, Teil, Auto

9. es, bestehen aus, hunderte
10. wenn auch, kleiner Ort; etwas Fremdenverkehr
11. Gasthaus, beliebt, mäßig, Preis
12. Dorf, tief, liegen; verschieden, kaum, sehen
13. anfragen, im Hotel; ob, kriegen
14. mehrere Hotels, vergebens, anfragen
15. im Schwarzwald, fahren, dauernd
16. immer dunkler, fast gar nicht, sehen

D. Wortanalyse und Satzbildung

1. schalten, umschalten, die Schaltung, der Schalthebel
2. setzen, besetzen, der Satz, der Aufsatz
3. wandern, die Wanderung
4. die Würde, würdig, merkwürdig
5. lieben, beliebt
6. kurz, kürzlich

E. Gespräche und Aufsätze

1. Gespräch über die verschiedenen Teile eines Autos (Siehe auch Kapitel IV)
2. Beschreiben Sie den Ort, wo Sie am liebsten hingehen, wenn Sie Urlaub haben!
3. Ein Amerikaner sucht ein Hotel in einem kleinen deutschen Ort.
4. Ein Deutscher sucht ein Zimmer in einem amerikanischen Motel.

F. Translate into German.

1. I will never buy many souvenirs, even if I have the money. 2. I drove through a few towns that are very popular in the summer. 3. Some of them consist of nothing but souvenir shops. 4. Once I came (in)to such a town, but I decided to drive on without stopping. 5. So I did not drive straight ahead but took a narrow street to the right. 6. It was a pretty sharp corner and the street led into a road that went uphill very steeply. 7. I shifted gears very fast, but it was no use. 8. The car rolled back farther and farther. 9. Finally I got the bright idea of stepping on the brake. 10. After a while I was again down in the main street. 11. I was very tired, so I stopped at a hotel that stood directly opposite me. 12. It looked somewhat peculiar, but it was not yet filled up, so I took a room on the second floor.

VOCABULARY

an·fragen inquire
der Ausflug, ¨e short trip, excursion
der Ausflügler, – one making an "Ausflug"
bekommen, bekam, bekommen receive, get
beliebt popular
bergab downhill
bergauf uphill
besetzen occupy
bestehen, bestand, bestanden exist; **bestehen aus** consist of
der Boden, ¨ floor, bottom
die Bremse, –n brake
bremsen brake
dauernd constantly
der Gang, ¨e gear
der Gedanke, –ns, –n thought
das Geschäft, –e business, shop
haarsträubend hair-raising
hierher to here
die Idee, –n idea; **auf die schlaue Idee kommen** get the bright idea
immer always; **immer mehr** more and more; **immer dunkler** darker and darker
die Jugend youth, young people
das (der) Kilometer, – kilometre
kürzlich recently
mäßig moderate; **zu einem mäßigen Preis** at a moderate price
merkwürdig strange, peculiar
müde tired
sich nieder·lassen, ließ nieder, niedergelassen settle down
oben on top, above, upstairs
der Ort, –e place, town
der Preis, –e price
das Quartier, –e quarters
rasch fast, quick
rechts at the right; **nach rechts** to the right
das Reiseandenken, – souvenir (*from a trip*)
richtig right, correct
sanft mild, gentle
der Schalthebel, – gearshift lever
die Schaltung, –en gearshift mechanism
schieben, schob, geschoben push
schlau sly, clever
die Serpentine, –n hairpin curve
sonst otherwise
steil steep
der Stock, *plural* **Stockwerke** floor; **im ersten Stock** on the second floor
der Strahl, –en ray, beam
suchen look for
das Tal, ¨er valley
um·schalten shift gears
der Urlaub, –e vacation
vergebens in vain, no use
verschieden different, various
versuchen try, attempt
weg away
wenn . . . auch *or* **auch . . . wenn** even if, even though
wichtig important

KAPITEL IX

Ein Wochenende im Schwarzwald

(Schluß)

Nachdem Helene und ich ausgepackt, uns Gesicht und Hände gewaschen und das Haar ein wenig geordnet hatten, gingen wir hinunter in die Gaststube, wo wir die beiden Jungens treffen sollten. Sie waren schon da und warteten auf uns an einem Tisch am Fenster.

Es waren viele Gäste im Speisezimmer, und die zwei Kellnerinnen, die sie bedienen mußten, hatten alle Hände voll zu tun. Aber nach einer Weile kam eine von ihnen an unseren Tisch, und wir bestellten unser Abendessen, mit dem sie dann auch ziemlich bald erschien. Da wir alle dasselbe bestellt hatten, nämlich Makkaroni mit Schinken und grünen Salat, brachte sie die Gerichte in zwei großen Schüsseln und stellte sie in die Mitte des Tisches. So konnte sich jeder selbst bedienen.

Als wir noch beim Essen waren, sahen wir durchs Fenster, wie uniformierte Männer mit Musikinstrumenten sich auf der erhöhten Terrasse direkt vor unserm Fenster versammelten. Sie hatten auch Notenständer mitgebracht, und nachdem sie diese aufgestellt hatten, setzten sie sich auf Klappstühle davor. Als alle auf ihren Plätzen saßen, stellte sich der Kapellmeister vor ihnen auf und gab das Zeichen zum Beginn des Spiels.

„Sieh mal“, sagte Fritz und erhob die Stimme, um sich hörbar zu machen über der lauten Blechmusik, „nun erleben wir auch noch eine Dorfkapelle. Es wird eben überall für die Kultur gesorgt.“

„Nun“, erwiderte ich, „gute Lungen haben sie auf jeden Fall.“

Es wurden Märsche, Volkslieder und dergleichen gespielt und zwar recht gut, aber aus solcher Nähe war es zu laut, um ein reiner Genuß zu sein. Deshalb standen wir auf, sobald wir mit dem Essen fertig waren, verließen die Gaststube und traten hinaus auf die Straße. Hier draußen fiel schon tiefe Dämmerung ein, und wie wir die Dorfstraße entlanggingen, konnten wir nur undeutlich die Menschen erkennen, die sich vor dem Gasthause versammelt hatten, um der Musik zuzuhören. Manche saßen auf den paar Holzbänken, die am Rande der Straße standen, aber die meisten standen einfach da oder gingen ein wenig auf und ab. Die Terrasse, die von elektrischen Birnen über den Köpfen der Kapelle hell erleuchtet war, sah besonders festlich aus im Gegensatz zu dem Halbdunkel der Straße.

„Wollen wir nicht noch ein bißchen spazierengehen?“ sagte Helene. „Guckt mal, hier ist ein Pfad, der bergan zu führen scheint.“

Es war nur ein schmaler Pfad, so daß wir im Gänsemarsch hinaufgehen mußten. In ein paar Minuten aber lief er in einen etwas breiteren Pfad ein, und dann waren wir auch gleich im Wald, mit dem der ganze ziemlich steile Abhang bedeckt war. Zu unserer Linken standen mächtige Tannen, deren Umrisse wir noch gerade in der immer tiefer werdenden Dämmerung erkennen konnten. Zur Rechten waren die Bäume kleiner, und man konnte durch die Tannenzweige hindurch die Lichter des Dorfes schimmern sehen. Daß dies ein richtiger Wanderpfad war, merkten wir daran, daß wir bald zu einer Holzbank kamen, die am Rande des Pfades stand.

„Wollen wir uns hier nicht ein bißchen hinsetzen“, sagte ich, „und von hier oben uns die Musik anhören?“ Hier im Walde nämlich klang die Musik wie aus weiter Ferne. Sonst war es wunderbar ruhig, und wir saßen eine Weile, ohne zu sprechen. Hier war man wie außerhalb der Welt, und man konnte den Trubel und das Menschengewimmel der Städte, in denen wir noch so kürzlich gewesen waren, fast gänzlich vergessen. Es war wunderschön, aber schließlich konnten wir hier doch nicht übernachten, und da wir alle müde waren, machten wir uns bald wieder auf den Weg ins Dorf hinunter.

Als wir unten ankamen, lag alles in tiefer Ruhe. Das Konzert war aus und die Dorfstraße fast leer. Man sah nur noch die letzten Zuhörer, die jetzt auch wohl auf dem Wege nach Hause waren.

In der Gaststube unseres kleinen Hotels war noch Leben. Es saßen noch allerlei Gäste da beim Bier oder bei einem Glas Wein, aber wir hatten heute genug erlebt und gingen direkt auf unsere Zimmer, wo ich jedenfalls in kürzester Zeit in tiefem Schlaf lag.

ÜBUNGEN

A. Grammar Review: Sentence Structure, pp. 133–136.

B. Fragen

1. Was taten die beiden Mädchen in ihrem Hotelzimmer? 2. Wo sollten sie die Jungens treffen? 3. Was taten die Jungens, als die Mädchen in der Gaststube erschienen? 4. Warum waren die beiden Kellnerinnen so beschäftigt? 5. Wie wurden die jungen Leute bedient? 6. Wo versammelten sich uniformierte Männer? 7. Was taten sie mit ihren Notenständern? 8. Was taten sie danach? 9. Warum mußte Fritz die Stimme erheben? 10. Was für Musik spielte die Kapelle? 11. Was haben die Freunde gleich nach dem Essen getan? 12. Warum konnten sie die Leute draußen nicht deutlich erkennen? 13. Warum hatten die Leute sich dort versammelt? 14. Wodurch sah die Terrasse besonders festlich aus? 15. Was schlug Helene vor? 16. Auf was für einem Pfad gingen sie bergan? 17. Was bedeutet „im Gänsemarsch gehen"? 18. Auf was für einem Abhang wanderten sie? 19. Wo standen mächtige Tannen? 20. Was für Bäume standen zur Rechten? 21. Woran merkten die Freunde, daß dies ein Wanderpfad war? 22. Wohin setzten sie sich? 23. Warum sagten sie eine Weile gar nichts? 24. Warum machten sie sich bald wieder auf den Weg ins Dorf hinunter? 25. Warum gingen die anderen Zuhörer jetzt auch nach Hause? 26. Wen sahen die Freunde in der Gaststube? 27. Wohin gingen sie gleich?

C. Machen Sie Sätze mit folgenden Wörtern!

1. Ankunft, auspacken, Koffer
2. ich, vor dem Essen, Hände waschen
3. meine Freunde, warten auf
4. Sonne, scheinen, Abhang
5. Kellnerin, scheinen, beschäftigt, sein
6. Dorfleute, erscheinen, zuhören
7. ich, fertigessen; verlassen
8. wir, Gottesdienst, sich versammeln
9. in der Kirche, sich setzen
10. Gottesdienst, sobald, aus; sich auf den Weg machen, nach Hause

11. wenn, auf dem Weg, nach Hause; Freunde, treffen
12. am Sonntag nachmittag, gern, ein bißchen spazierengehen

D. Wortanalyse und Satzbildung

1. dienen, bedienen, die Bedienung
2. hören, hörbar, anhören, zuhören
3. all, überall
4. kennen, erkennen
5. verschieden, der Unterschied
6. gegen, gegenüber, der Gegensatz
7. genießen, der Genuß

E. Gespräche und Aufsätze

1. Die jungen Leute sitzen auf der Bank im Wald und unterhalten sich über alles, was sie an diesem Tag erlebt und gesehen haben.
2. Unterschiede zwischen dem Reisen in Deutschland und in Amerika.

F. Translate into German.

1. After supper I left the dining room and went right up to my room. 2. I ran up the stairs and then went to the right. 3. As soon as I stepped into the room I heard music through the open window. 4. My room is on the third floor, but I could hear the music quite clearly. 5. I stepped to the window, pushed aside the curtains and looked down into the narrow street. 6. It was strange, but at first I couldn't see anything at all. 7. The music became louder and louder, and after a few minutes I saw a brass band coming down the street. 8. I didn't know where they were going. 9. I decided in any case to listen to their music, even if it was a bit loud. 10. For that reason I remained standing at the window, while they moved past me. 11. Everywhere children were collecting in small groups, and men and women appeared in the doors and windows. 12. They seemed to want to hear the music too.

VOCABULARY

das Abendessen, – supper
an·hören listen *(acc.)*
die Bank, ⸚e bench
bedienen serve; **sich bedienen** serve oneself, help oneself
bergan uphill
die Birne, –n pear; electric light bulb
die Dämmerung twilight
dergleichen the like
deshalb for that reason, therefore

erheben, erhob, erhoben raise; **sich erheben** rise
erkennen, erkannte, erkannt recognize
erleuchten illuminate
der Fall, ¨e case; **auf jeden Fall** in any case
die Ferne, –n distance
der Gänsemarsch single file
der Gast, ¨e guest
die Gaststube, –n taproom or informal dining room in inn
der Gegensatz, ¨e contrast
der Genuß, ¨sse pleasure, enjoyment
das Gericht, –e dish (*of food*)
das Gewimmel swarming, teeming multitude
die Hand, ¨e hand; **alle Hände voll zu tun haben** have plenty to do
hörbar audible
die Kapelle, –n orchestra, band; chapel
der Kapellmeister, – orchestra conductor
der Klappstuhl, ¨e folding chair
das Konzert, –e concert
leer empty
das Licht, –er light
link . . . zur Linken at the left
die Lunge, –n lung
mächtig mighty
der Marsch, ¨e march
die Musik music
der Notenständer, – music stand
ordnen put in order
der Pfad, –e path
recht . . . zur Rechten at the right
die Ruhe rest, peace
der Salat, –e lettuce, salad
der Schlaf sleep
schließlich after all, finally
sobald as soon as
sorgen worry, care, look out
das Speisezimmer, – dining room
das Spiel, –e playing, game
treffen, traf, getroffen meet, hit
der Trubel turmoil
überall everywhere
der Umriß, –sse outline
verlassen, verließ, verlassen leave (*transitive — must take an object*)
sich versammeln gather, collect
das Zeichen, – sign
zuhören (*dat.*) listen to
der Zweig, –e branch

KAPITEL X

Berlin

Man hat seit 1948 Berlin die „seltsamste Stadt“ der Welt genannt. Es ist eine Stadt, die aus zwei getrennten Teilen besteht. Berlin, offiziell immer noch die Hauptstadt Deutschlands, hat heute (1958) zwei Stadtverwaltungen, zwei Telefonnetze, zwei Elektrizitätswerke, zwei Gaswerke, zwei Wasserwerke, zwei Kanalisationsanlagen und zwei Flughäfen. Und was das Allerwichtigste ist: Berlin ist scharf getrennt in zwei Kulturbereiche: freie wirtschaftliche und geistige Entfaltung im Westen; staatliche Herrschaft und Kontrolle im Osten.

Es war aber nicht immer so. Wenn Berlin auch nicht so alt ist wie manche andere deutsche Stadt, so reicht doch seine Geschichte bis ins 13. Jahrhundert zurück. Um diese Zeit entstand die erste Siedlung an der Spree — wahrscheinlich durch Wenden, ein slavisches Volk, das aus dem Osten gekommen war. Am Ende des 15. Jahrhunderts war es eine Stadt von ungefähr 12 000 Einwohnern und und wurde schon zu dieser Zeit die Residenz der preußischen Familie der Hohenzollern. Nach dem Dreißigjährigen Krieg hatte es nur noch halb so viele Einwohner. Im 18. Jahrhundert wurde ein Teil der Stadt ummauert, aber nach ungefähr hundert Jahren wurden die Mauern wieder abgerissen, und heute stehen davon nur noch einige Tore.

Das schnelle Wachstum der Stadt, das schon im 17. Jahrhundert begonnen hatte, wurde durch die napoleonischen Kriege unterbrochen — von 1806 bis 1808 war Berlin von französischen Truppen besetzt. Aber nach dem Frieden von 1815 entwickelte es sich außerordentlich rasch zu einem Zentrum der Verwaltung, der Kultur, der Manufaktur und des Bankwesens. Mit enormer Energie nahm Berlin teil an der Entwicklung von Handel und Industrie, die überall in der westlichen Welt stattfand. Schon früh wurden Lokomotiven und andere Maschinen in Berlin gebaut, aber erst die Entwicklung der Eisenbahn in den vierziger Jahren machte Berlin zu einer wirklich großen und modernen Industriestadt.

Als dann 1871 die Einigung Deutschlands stattfand, wurde Berlin die Hauptstadt des Reiches. Es war schon vorher die Hauptstadt Preußens gewesen. Was dies für das Wachstum der Stadt bedeutete, kann man sich leicht denken. Einige Statistiken zeigen es sehr deutlich: 1871 war die Einwohnerzahl 914 000; 1900 war sie 2,7 Millionen; 1925 war sie rund 4 Millionen, und kurz vor dem zweiten Weltkrieg war sie 4 330 000. Damit war Berlin zur viertgrößten Stadt der Welt geworden. Es war das größte Eisenbahnzentrum in Mitteleuropa; es besaß den zweitgrößten Binnenhafen Deutschlands und war ein wichtiges Zentrum des Flugverkehrs. Es war das Hauptzentrum des Handels, des Finanzwesens und der Verwaltung des ganzen deutschen Reiches. Außerdem war es bis zur Zeit des Nationalsozialismus ein außerordentlich reges Zentrum für geistiges und künstlerisches Leben.

Dieses rasche Wachstum der Stadt hatte aber auch eine negative Seite. Es ging in Berlin nicht anders als in mancher anderen Großstadt der Welt. Der Wohnungsbau hielt nicht Schritt mit dem enormen Zustrom der Menschen. Das Bauen war lange in den Händen von Privatleuten, die sich nur für den eigenen Profit interessierten. Sie bauten große vier- oder fünfstöckige Mietskasernen mit vielen Zimmern und kleinen Höfen, in die sich selten oder nie ein Sonnenstrahl verirrte.

Ein wenig besser wurden die Dinge um die Mitte des 19. Jahrhunderts, als der Polizeipräsident der Stadt eines Tages feststellte, daß die Höfe zu klein wären: die pferdebespannten Spritzen der Feuerwehr ließen sich darin nicht wenden. So wurde die Vorschrift gemacht, daß von nun an jeder Hof ein Mindestmaß von 5,34 mal 5,34 Meter haben musste. Ein Sonnenstrahl konnte aber trotzdem nicht herein. Schön und gut war es auch, als im letzten Viertel des 19. Jahrhunderts viele breite Straßen in der Stadt angelegt wurden. Aber für die Wohnungen bedeutete es, daß die Häuser nach hinten ausgedehnt wurden. So entstanden die vielen Hinterhäuser und Hinterhöfe, die für das Vorkriegsberlin so charakteristisch waren.

In dieser Zeit des großen technischen Fortschritts ist der einzelne Mensch zu kurz gekommen. Häufig waren Wohngegenden und Industrieanlagen nicht getrennt, und oft wohnten vier oder fünf Menschen, und manchmal noch mehr, in einem einzigen Zimmer. Am Afang des 20. Jahrhunderts wohnten neun Zehntel aller Berliner in vier- oder fünfstöckigen Hinterhäusern. Viele mußten auch mit

Kellerwohnungen zufrieden sein. Was dies für die Gesundheit der Bevölkerung bedeutete, läßt sich leicht denken.

Um die Jahrhundertwende entstanden die ersten gemeinnützigen Baugesellschaften, aber erst nach dem Ende des Weltkrieges von 5 1914 bis 1918 nahm die Stadtverwaltung die Sache in die Hand und fing an, wirkliche Reformen zu machen. Man machte die ersten Versuche, Industriegebiete von Wohngegenden zu trennen, und man baute auch einige Mustersiedlungen außerhalb der Stadtmitte. Der zweite Weltkrieg jedoch machte dieser Entwicklung ein plötzliches 10 Ende.

(*Fortsetzung folgt*)

ÜBUNGEN

A. Fragen

1. Welche Dinge werden hier genannt, die für das tägliche Leben einer Großstadt wichtig sind? 2. Welche kulturellen Unterschiede bestehen zwischen Westberlin und Ostberlin? 3. Wie heißt die Hauptstadt des Staates, in dem Sie leben? 4. Ungefähr wie alt ist Berlin? 5. Wann und wo entstand die erste Siedlung? 6. Was ist die Spree? 7. Wer waren die Wenden? 8. Welche Bedeutung hatte Berlin am Ende des 15. Jahrhunderts? 9. Was geschah im Dreißigjährigen Krieg? 10. Was tat man im 18. Jahrhundert? im 19ten? 11. Wann begann das schnelle Wachstum der Stadt? 12. Wozu entwickelte sie sich nach 1815? 13. Was fand zu dieser Zeit überall in der westlichen Welt statt? 14. Was baute man schon früh in Berlin? 15. Was machte Berlin zu einer großen und modernen Industriestadt? 16. Wann fand die politische Einigung Deutschlands statt? 17. Wieso wuchs Berlin jetzt so außerordentlich rasch? 18. Nennen Sie einige Gründe, warum man Berlin um 1925 eine Weltstadt nennen konnte! 19. Was war die negative Seite des schnellen Wachstums der Stadt? 20. Was für Häuser wurden gebaut? 21. Nur wofür interessierten sich die Leute, die bauten? 22. Wie wurde festgestellt, daß die Höfe zu klein waren? 23. Was tat man im letzten Viertel des 19. Jahrhunderts? 24. Was bedeutete dies für die Wohnungen? 25. Beschreiben Sie die Wohnungssituation in Berlin am Anfang des 20. Jahrhunderts! 26. Erst wann begann die Stadtverwaltung sich aktiv für die Wohnungsfrage zu interessieren? 27. Was tat man um diese Zeit?

B. Grammar Review: Passive Voice, pp. 167–169 and pp. 230–231.
1. Underline all the passive constructions in this chapter and change each to all the other tenses except the future perfect.
2. Change to passive the last two sentences in this chapter.

C. Review **erst:** Grammar, p. 204.
1. Translate the last sentence in the third paragraph and the first sentence in the last paragraph.
2. Write three sentences using **erst** with the meaning of "not until," "only."

D. Wortanalyse und Satzbildung
1. geschehen, die Geschichte
2. stehen, entstehen
3. wohnen, der Einwohner, die Wohnung, der Wohnungsbau
4. schreiten, der Schritt, der Fortschritt
5. wachsen, das Wachstum
6. hinter, hinten
7. entwickeln, die Entwicklung
8. finden, stattfinden
9. handeln, der Handel
10. ein, einzeln, einigen, die Einigung, einzig
11. sitzen, besitzen
12. sein — gewesen, das Bankwesen, das Finanzwesen
13. schreiben, die Schrift, die Vorschrift
14. trotz, trotzdem
15. legen, anlegen, die Anlage
16. das Volk, die Bevölkerung

E. Gespräche und Aufsätze
1. Ein Berliner und ein Amerikaner unterhalten sich. Jeder erzählt von seiner Stadt.
2. Eine kurze Geschichte von Berlin bis zum Anfang des zweiten Weltkrieges.

F. Translate into German.

1. Why is Berlin called one of the strangest cities in the world? 2. Are there many American cities as large as Berlin? 3. New York is probably the most important center for financial affairs. 4. Many large tenement houses were built there during the nineteenth cen-

tury. 5. The intellectual growth of the city has been rather slow. 6. New regulations must be made, if we want to have better buildings. 7. Does Chicago now possess the largest inland harbor in America? 8. Many housing developments have come into being near the city. 9. The streets for it had been laid out by the city administration. 10. I will not be satisfied until I have seen Berlin.

VOCABULARY

der Anfang, ⸚e beginning
die Anlage, –n establishment, system
an·legen lay out, establish
aus·dehnen expand
das Bankwesen, – banking, banking system
der Bau, –ten building
bauen build
der Bereich, –e realm
berühmt famous
besitzen, besaß, besessen possess
die Bevölkerung, –en population
der Binnenhafen, ⸚ inland harbor
die Einigung unification
der Einwohner, – inhabitant
einzeln single, individual
die Eisenbahn, –en railroad
entstehen, entstand, ist entstanden originate, come into being
sich entwickeln develop
die Entwicklung, –en development
der Flug, ⸚e flight, flying
der Flughafen, ⸚ airport
der Fortschritt, –e progress
der Friede, –ns (*gen.*) peace
das Gebiet, –e territory, domain
geistig intellectual, spiritual
gemeinnützig for the common good
die Geschichte, –n history, story
die Gesellschaft, –en society, company
der Hafen, ⸚ port, harbor
der Handel commerce
häufig frequent
die Hauptstadt, ⸚e capital city
die Herrschaft, –en domination, rule
hinten back, in back
das Jahrhundert, –e century
jedoch however
die Kanalisationsanlage, –n sewage system
die Kaserne, –n barracks
der Keller, – basement, cellar
die Kontrolle, –n supervision, checking
der Krieg, –e war
die Kultur, –en culture
künstlerisch artistic
leicht easy, light (*in weight*)
die Manufaktur manufacturing
das Maß, –e measure, dimension
der Mensch, –en human being, man
die Mietskaserne, –n tenement house
das Mindestmaß, –e minimum dimension
das Muster, – model, pattern
das Netz, –e net
der Osten east
das Pferd, –e horse; **pferdebespannt** horse-drawn
das Preußen Prussia
der Profit, –e profit
die Reform, –en reform
rege lively, active
das Reich, –e empire
reißen, riß, gerissen tear
schnell fast, quick
seltsam strange, peculiar, curious

der Schritt, –e step
die Siedlung, –en settlement, housing development
die Spritze, –n fire hose
statt·finden, fand statt, stattgefunden take place
trotzdem in spite of that
sich verirren get lost
der Versuch, –e attempt
die Verwaltung, –en administration
das Volk, ⸚er people, nation
die Vorschrift, –en regulation
wachsen, wuchs, ist gewachsen grow
das Wachstum growth
die Welt, –en world
das Werk, –e work, works
wirtschaftlich economic
die Wohnung, –en dwelling, apartment
das Zentrum, *pl.* **Zentren** center
zufrieden satisfied, content
der Zustrom, ⸚e influx

KAPITEL XI

Berlin

(Fortsetzung)

Für einen Amerikaner, der heute eine Reise nach Berlin machen will, ist ein Flugzeug vom Flughafen irgendeiner großen westdeutschen Stadt das beste und praktischste Mittel, um dahin zu kommen. Berlin liegt nämlich wie eine Insel mitten im „roten 5 Meer" der russischen Zone. Beim Fliegen besteht nicht die Gefahr wie in der Eisenbahn oder im Auto, daß man an der Grenze aufgehalten wird.

Wenn man dann im Tempelhofer Flughafen landet, der mitten in der Stadt liegt, und vom Flughafen hinaus auf den davor- 10 liegenden „Platz der Luftbrücke" tritt, sieht man als Erstes ein hohes, abstrakt geformtes, weißes Denkmal. Dieses Denkmal hat eine ernste Bedeutung für Amerikaner sowohl wie für Deutsche. Es wurde errichtet zum Gedenken der amerikanischen Flieger, die 1948–49 abgestürzt sind, als sie Lebensmittel nach Berlin flogen, 15 um die russische Blockade zu brechen. Es ist ein konkretes Zeichen der engen Zusammenarbeit zwischen Berlinern und Amerikanern und außerdem eine Erinnerung an den entscheidenden Wendepunkt in der Nachkriegszeit Berlins, nämlich das erfolgreiche Durchhalten und das schließliche Brechen der Blockade.

20 Was dies bedeutet, kann man nur verstehen, wenn man Berlin vor und während der Blockade mit dem Westberlin von heute vergleicht. Und noch genauer versteht man es, wenn man auch nur einen oberflächlichen Blick in das Ostberlin von heute tut.

Weil Berlin die Hauptstadt des Landes war und weil der größen- 25 wahnsinnige Hitler darauf bestand weiterzukämpfen, auch als die Lage völlig hoffnungslos war, war Berlin noch schlimmer zerbombt und zertrümmert als die anderen deutschen Städte. Als 1945 der Krieg zu Ende war, kam die sowjetische Besatzung, und die Berliner lebten zwei Monate unter russischem Terror, bevor die West- 30 mächte einzogen. Die Erlebnisse dieser zwei Monate haben die Berliner für alle Zeit befestigt in ihrem Widerstandswillen gegen

Kurfürstendamm mit Ruine der Gedächtniskirche im Hintergrund rechts

Das Brandenburger Tor (1956)

Arbeiteraufstand in Ost-Berlin im Juni 1953

Kundgebung am 1. Mai 1959 auf dem Marx-Engels Platz in Ost-Berlin

Beim Kaffee auf den Wannsee-Terassen im Grunewald

Feier am 10. Jahrestag der Blockadeüberwindung auf dem Platz der Luftbrücke vorm Tempelhofer Flughafen

Freie Universität Berlin

den Osten und gegen den Kommunismus. Nach dem Einzug der Westmächte aber wurde Berlin in vier Sektoren aufgeteilt: einen englischen, amerikanischen, französichen und russischen.

Die Jahre 1945 bis 1948 waren für Deutschland und so auch für Berlin die „Hungerjahre“, aber als im Jahre 1948 die Währungsreform im Westen durchgeführt wurde, besserte sich die Lage in Westdeutschland fast von heute auf morgen. Die Westmächte hatten versucht, auch die Sowjets für diesen Plan zu gewinnen, aber als es klar wurde, daß es ein Teil der russischen Politik war, die chaotischen Zustände in Deutschland zu erhalten, machte der Westen die Reform ohne den Osten. Dies bedeutete, daß Berlin mehr denn je wirtschaftlich eine Insel im „Feindesland“ wurde. Mit einer anderen Währung als die des Ostens konnte Berlin keinen Handel mehr führen mit der Ostzone, die sein normales Hinterland war.

Nun begann der kalte Krieg im Ernst. Im Juni 1948 legte Rußland eine Blockade um Westberlin. Auf dem Wege der Eisenbahn und der Landstraße konnte nichts nach Berlin eingeführt werden. Der Zweck war, den Widerstandswillen der Stadt durch Aushungern und „Ausfrieren“ zu brechen.

Es war eine verzweifelte Lage, und ohne amerikanische Hilfe hätte Berlin nicht durchhalten können. Die amerikanische Regierung aber erklärte sich bereit, Westberlin auf dem Luftwege mit Lebensmitteln und auch mit Kohle zu versorgen.

Daß Amerika zu diesem Opfer bereit war, ist weitgehend auf den Einfluß eines einzigen Mannes zurückzuführen. Der Name Ernst Reuter, der damalige Oberbürgermeister von Berlin, ist unvergeßlich verbunden mit der Geschichte von Westberlins Kampf um seine Freiheit. Sehr bald hatte er das volle Vertrauen der leitenden Männer der amerikanischen Besatzung gewonnen. Nicht nur, daß er mit außerordentlichem Verständnis für die Realitäten der Lage und mit einer unerschöpflichen Energie die Verwaltung der Stadt leitete; er verstand es auch, die Westmächte von der großen Wichtigkeit Berlins als Widerstandspunkt gegen den Osten zu überzeugen. Und was ebenso wichtig war: sein unerschütterliches Vertrauen in Berlins Zukunft und sein persönlicher Mut, der oft genug ans Waghalsige grenzte, gab den Berlinern immer wieder Mut und ein Beispiel, dem sie mit Begeisterung folgten. Das Hervortreten einer Persönlichkeit wie die Ernst Reuters war einer der wenigen Lichtpunkte in diesen trüben Jahren gleich nach dem Krieg.

Wie beliebt Ernst Reuter bei den Berliner Bürgern war, sieht man aus dem Folgenden: Als 1952 Reuter den Vorschlag machte, daß die Berliner am Weihnachtsabend brennende Kerzen in ihre Fenster stellen sollten zum Zeichen, daß die vielen Menschen, die 5 immer noch in russischer Gefangenschaft waren (und zum Teil noch sind), nicht vergessen waren, antworteten die Bürger Berlins mit mehr als 130 000 Kerzen in ihren Fenstern. Als mehrere Monate später (September 1953) die Nachricht von Reuters plötzlichem Tod bekannt wurde, stellten die trauernden Bürger der Stadt wieder 10 Kerzen in die Fenster und ließen sie während der ganzen Trauertage brennen.

(*Fortsetzung folgt*)

ÜBUNGEN

A. Fragen

1. Wie reist man am besten von Westdeutschland nach Berlin? 2. Warum ist es nicht so praktisch, mit der Eisenbahn zu fahren? 3. Warum wird Berlin eine Insel genannt? 4. Wie heißt der Flughafen von Berlin? 5. Wie unterscheidet er sich von den meisten anderen Flughäfen der Welt? 6. Was steht auf dem Platz der Luftbrücke? 7. An wen soll uns das Denkmal erinnern? 8. Woran erinnert es uns auch? 9. Was war der entscheidende Wendepunkt in der Nachkriegsgeschichte Berlins? 10. Wie kann man am besten die Bedeutung dieses Wendepunktes verstehen? 11. Erklären Sie das Wort „größenwahnsinnig"! 12. Worauf bestand Hitler? 13. Was war die Folge davon? 14. Was war die Folge des russischen Terrors am Ende des Krieges? 15. Was geschah, als die Westmächte in Berlin eingezogen waren? 16. Wie ging es den Deutschen in der Zeit von 1945 bis 1948? 17. Wodurch besserte sich die Lage ganz plötzlich? 18. Warum wollten die Sowjets nicht an der Währungsreform teilnehmen? 19. Was bedeutete dies wirtschaftlich für Berlin? 20. Wie setzte Rußland im Juni 1948 den kalten Krieg fort? 21. Was hofften die Sowjets dadurch zu erreichen? 22. Was mußte die Bevölkerung Berlins haben, um nicht zu verhungern und zu erfrieren? 23. Wozu erklärte Amerika sich bereit? 24. Wer war Ernst Reuter? 25. Wie leitete er die Verwaltung der Stadt? 26. Wovon überzeugte er die Westmächte? 27. Warum folgten die

Berliner so gern seinem Beispiel? 28. Was geschah, als er 1953 starb?

B. Grammar Review: Subordinating Conjunctions, pp. 183–184. Special Problems, p. 210, paragraph 5, and p. 215, paragraph 23.

C. Machen Sie Sätze mit: als, wenn, wann, weil, während, da (*conj.*), seitdem, obwohl, nachdem, wo, wohin, da (*adv.*), dahin.

D. Gebrauchen Sie folgende Wörter in kurzen Sätzen!

1. bestehen
2. bestehen auf
3. bestehen aus
4. zu Ende
5. erhalten
6. die Wirtschaft
7. wirtschaftlich
8. einführen
9. überzeugen
10. vergleichen

E. Wortanalyse und Satzbildung

1. fliegen, der Flug, das Flugzeug, der Flughafen, der Flieger
2. halten, aufhalten, durchhalten, erhalten
3. denken, das Denkmal, der Gedanke, das Gedenken, das Andenken, das Gedächtnis
4. gleich, vergleichen
5. setzen, besetzen, die Besatzung
6. leben, das Erlebnis, das Lebensmittel
7. ziehen, einziehen, der Einzug
8. fest, befestigen
9. führen, durchführen, einführen
10. stehen, verstehen, das Verständnis, der Widerstand
11. liegen, die Lage
12. der Geist, geistig, die Begeisterung

F. Gespräche und Aufsätze

1. Ein Berliner erklärt einem Amerikaner die Bedeutung des Denkmals auf dem Platz der Luftbrücke.
2. Ein Berliner erzählt einem Amerikaner über Ernst Reuter.

G. Translate into German.

1. Every time (when) I came to Berlin I saw the monument at the airport. 2. I go there as often as possible, and while I am there

I almost forget its tragic history. 3. Where do you like to go best when you are there? 4. I like to go to the part of the city where the newest buildings are to be found. 5. Since Berlin had been almost completely demolished, it had to be rebuilt. 6. The economic conditions were desperate. 7. Ernst Reuter, however, was convinced that the population must help itself. 8. America supplied the city with foodstuffs although the Soviets placed a blockade around it. 9. After the blockade had been broken it was again possible to import foodstuffs. 10. The Berliners followed their mayor with enthusiasm even though he was sometimes reckless.

VOCABULARY

ab·stürzen crash *(of a plane)*
auf·halten, hielt auf, aufgehalten detain
die Begeisterung enthusiasm
bereit ready
die Besatzung, –en occupation
bestehen, bestand, bestanden exist; **bestehen auf** *(acc.)* insist on
brennen, brannte, gebrannt burn
der Bürger, – citizen
damalig *(adj.)* then, at that time
das Denkmal, ⸚er monument
der Einfluß, ⸚sse influence
ein·führen import, introduce
der Einzug, ⸚e entrance, marching in
entscheidend decisive
erfolgreich successful
das Erlebnis, –se experience
errichten erect
der Feind, –e enemy
fliegen, flog, ist geflogen fly
das Flugzeug, –e airplane
das Gedenken: zum Gedenken in memory
die Gefangenschaft imprisonment
größenwahnsinnig megalomaniac
heute today; **von heute auf morgen** from one day to the next
die Insel, –n island
der Kampf, ⸚e battle, fight
kämpfen fight
die Kerze, –n candle
der Kommunismus communism
die Lage, –n situation
das Lebensmittel, – foodstuff
die Luftbrücke, –n air-lift
das Meer, –e sea, ocean
das Mittel, – means
der Mut courage
die Nachricht, –en news
der Oberbürgermeister, – mayor
oberflächlich superficial
das Opfer, – sacrifice
der Plan, ⸚e plan
die Politik policy, politics
der Punkt, –e point
die Regierung, –en government
der Sektor, –en sector
der Teil, –e part; **zum Teil** in part
der Tod, –e death
trauern mourn
trüb gloomy, dreary, unclear
überzeugen convince
unerschöpflich inexhaustible
verbinden, verband, verbunden connect, bandage
vergleichen, verglich, verglichen compare
versorgen provide, supply
das Verständnis understanding
das Vertrauen confidence, trust

verzweifelt desperate
der Vorschlag, ¨e suggestion
waghalsig reckless
die Währung, –en currency
der Wendepunkt, –e turning point
der Widerstand, ¨e resistance
zertrümmern shatter, demolish
die Zukunft future
der Zustand, ¨e condition
der Zweck, –e purpose

KAPITEL XII

Berlin

(Fortsetzung)

Es begann nun die große „Aktion Luftbrücke". Fast ein Jahr lang landeten jeden Tag die großen amerikanischen Transportflugzeuge, die den Berlinern das Nötigste zur nackten Existenz brachten. Das Leben in dieser Zeit war nicht gerade behaglich, aber die 5 Bevölkerung ist nicht verhungert und nicht erfroren. Das Resultat der Zusammenarbeit der Amerikaner und Berliner war ein großer moralischer Sieg für den Westen. Nach fast einem Jahr, im Mai 1949, mußten die Russen einsehen, daß sie ihren Zweck nicht erreichen würden, und die Blockade wurde wieder aufgehoben.

10 Auch politisch bedeutete es einen Sieg für den Westen, aber wirtschaftlich war die Stadt völlig erschöpft, und es war auch klar geworden, daß Westberlin finanzielle Hilfe vom Westen haben müßte, wenn es weiter als freie Stadt bestehen sollte.

Im Jahre 1949 lag Berlin immer noch größtenteils in Trümmern, 15 weil man einfach keine Mittel hatte, weder zur Enttrümmerung noch zum Aufbau. Fast alle Industrieanlagen waren entweder zerstört oder nach dem Krieg von den Siegern demontiert worden. In Westberlin allein lagen 45 Millionen Kubikmeter Trümmer.

Aber jetzt, nachdem es klar geworden war, daß Westberlin nicht 20 unter sowjetische Herrschaft kommen würde, war das Vertrauen des Westens gewonnen. Die Stadt erhielt große Summen von den Marshall-Plan Geldern und auch allerlei finanzielle Hilfe von Westdeutschland sowie auch vor allem amerikanische Kredite. Berlin galt von nun an als ein unzertrennbarer Teil des Westens. Nun 25 konnte der Aufbau der zertrümmerten Stadt beginnen.

Das Wiederaufbauen war für jede deutsche Stadt eine enorme Arbeit, aber die besondere Lage Berlins vergrößerte noch alle Schwierigkeiten, die es auch anderswo gab. Um hier nur ein Problem zu erwähnen, das auch heute noch aktuell ist: das Prob- 30 lem der Flüchtlinge und Vertriebenen. Sobald der Krieg zu Ende war, begannen die Menschen zu Millionen aus dem russisch besetzten Gebiet zu strömen. Teils waren sie aus ihrer Heimat vertrieben worden, teils flohen sie. Mehr und mehr bildete Westberlin, das nun endgültig (wie man jedenfalls hoffen durfte) zum Westen gehörte, das Haupttor vom Osten in den Westen. Mit der Zeit wurde die Kontrolle der Zonengrenze anderswo immer schärfer, so daß Berlin fast die einzige Möglichkeit bot hinüberzukommen. Aus irgendeinem Grund haben die Sowjets diese Grenze noch nicht so wasserdicht abgeschlossen wie sonst überall.

Die Straßenbahnen und Busse fahren allerdings auf jeder Seite nur bis zur Grenze, und da besteht immer die Gefahr einer Kontrolle. Die Stadtbahn aber, obwohl sie unter russischer Verwaltung steht, fährt durch die ganze Stadt hindurch, auch über die Grenze. Es ist also verhältnismäßig leicht, über Berlin von der Ost- in die Westzone zu kommen. Je mehr also die Grenzkontrolle anderswo verschärft wurde, und je schwerer die Menschen in der Ostzone unterdrückt wurden, desto größer wurde der Zustrom nach Berlin. Im März 1953, zum Beispiel, erreichte die Zahl der registrierten Flüchtlinge in Berlin die Rekordhöhe von 58 605 Personen. (Es war im Juni desselben Jahres, daß der Arbeiteraufstand in der Ostzone und in Ostberlin stattfand.) Die Welle der ankommenden Flüchtlinge steigt und fällt mit dem Grad der politischen und sozialen Unterdrückung im Osten, aber ein Ende des Stroms ist auch heute noch nicht in Sicht.

Westberlin kann natürlich nicht alle diese Flüchtlinge unterbringen. Aber alle müssen durch ein Lager gehen, wo sie gesiebt werden, um festzustellen, ob sie das Recht zum legalen Flüchtlingsstatus haben. Jeder Flüchtling muß vor ein Komitee kommen, wo er ausgefragt wird über die Gründe, warum er den Osten verlassen hat. Dies ist auch deswegen besonders wichtig, weil natürlich ab und zu ein Spion, ein kommunistischer Aufwiegler oder auch ein Krimineller versucht, auf diese Weise in den Westen zu kommen.

Ein solches Durchgangslager bietet ein trauriges Bild. Männer und Frauen mit verschlossenen und verbitterten Gesichtern sitzen wartend herum auf Holzbänken oder an den langen Holztischen, wo sie ihr einfaches Mahl aus einer Blechschüssel essen. Der einzige wirklich erfreuliche Anblick in dem Hauptdurchgangslager Berlins ist ein schönes und blitzsauberes Kinderheim, ein Geschenk der Amerikaner. Hier spielen die älteren Kinder der neuangekommenen Flüchtlinge draußen auf dem Rasen, während die Säuglinge aufs beste von Kinderschwestern gepflegt und versorgt werden.

Nur wenn ein Flüchtling beweisen kann, daß er in Gefahr war oder politisch verfolgt wurde oder auch in russischer Gefangenschaft war, bekommt er legalen Flüchtlingsstatus und damit Arbeitsberechtigung. Solche Maßnahmen sind nötig, weil Westdeutschland 5 sonst die Flüchtlinge einfach nicht alle unterbringen könnte. Die meisten der Zugelassenen werden dann per Flugzeug nach Westdeutschland gebracht, wo es ihnen gewöhnlich gelingt, Arbeit zu finden. Kein Flüchtling wird gezwungen, in die russische Zone zurückzugehen. Die wenigen, die keinen legalen Status erhalten, 10 kommen in permanente Lager, wo sie ein recht elendes Dasein führen. Einige ziehen es dann vor, in die Ostzone zurückzukehren.

(*Fortsetzung folgt*)

ÜBUNGEN

A. Fragen

1. Wie lange dauerte die „Aktion Luftbrücke"? 2. Was mußten die Sowjets endlich einsehen? 3. Wie war Berlins wirtschaftliche Lage am Ende der Blockade? 4. Warum hatte man vor 1949 die Stadt nicht wieder aufbauen können? 5. Was mar mit den meisten Industrieanlagen geschehen? 6. Warum hatte der Westen jetzt mehr Vertrauen zu Berlin? 7. Was für Hilfe bekam die Stadt jetzt? 8. Was ist der Unterschied zwischen einem Flüchtling und einem Vertriebenen? 9. Warum hat Berlin mehr Flüchtlinge und Vertriebene als andere deutsche Städte? 10. Warum ist es einem ostdeutschen Flüchtling leichter, mit der Stadtbahn als mit der Straßenbahn oder mit dem Bus nach Westberlin zu kommen? 11. Warum wurde der Flüchtlingsstrom nach Westberlin immer größer mit der Zeit? 12. Warum kamen im März 1953 so außerordentlich viele Flüchtlinge aus dem Osten nach Berlin? 13. Was muß jeder Flüchtling tun, der nach Berlin kommt? 14. Worüber fragt das Komitee ihn aus? 15. Warum ist die Arbeit dieses Komitees so wichtig? 16. Was sieht man im Durchgangslager? 17. Was muß ein Flüchtling beweisen, um legalen Flüchtlingsstatus zu bekommen? 18. Warum ist dieser legale Status so wichtig für ihn? 19. Was gelingt den meisten legalen Flüchtlingen? 20. Was wird aus den Flüchtlingen, denen es nicht gelingt, legalen Status zu bekommen?

B. Grammar Review: Comparison of Adjectives and Adverbs, pp. 154–156.

C. Bilden Sie Sätze, in denen die folgenden Wörter zuerst im Komparativ und dann im Superlativ benutzt werden!

1. groß
2. scharf
3. viel
4. alt
5. nahe
6. jung
7. hoch
8. erfreulich
9. arm
10. gern

D. Bilden Sie Sätze mit folgenden Wörtern!

1. weder . . . noch
2. entweder . . . oder
3. nachher
4. nachdem
5. sobald (*conj.*)
6. teils
7. bilden
8. gehören
9. überall
10. anderswo
11. gelingen
12. je . . . desto
13. stattfinden
14. draußen
15. beweisen
16. vorziehen

E. Wortanalyse und Satzbildung

1. der Hunger, verhungern
2. frieren, erfrieren
3. die Trümmer, enttrümmern, die Enttrümmerung, zertrümmern
4. bauen, aufbauen, der Bau
5. groß, vergrößern
6. fliehen, die Flucht, der Flüchtling
7. treiben, vertreiben, der Vertriebene
8. scharf, verschärfen
9. drücken, unterdrücken
10. stehen, aufstehen, der Aufstand
11. schließen, abschließen, verschlossen (*past participle*)
12. schenken, das Geschenk
13. recht, die Berechtigung
14. folgen, verfolgen
15. ziehen, vorziehen

F. Gespräche und Aufsätze

1. Beschreiben Sie die Lage Berlins am Ende der Blockade!
2. Ein Flüchtling, der gerade aus der Ostzone gekommen ist, wird vom Komitee befragt.

G. Translate into German.

1. The American transport planes succeeded in providing Berlin with foodstuffs. 2. During the time of the airlift the Berliners did not have a very comfortable life. 3. But the Russian government did not succeed in achieving its purpose. 4. After the blockade had been lifted life in Berlin became somewhat more pleasant. 5. There were more refugees and expellees in Berlin than in any other German city. 6. The more difficult life became in the East Zone, the more refugees came to Berlin. 7. These refugees could reach Berlin more easily than other German cities. 8. The number of the refugees who came to Berlin was highest in the year of the workers' uprising.

VOCABULARY

die Aktion, –en operation, action
aktuell of present interest or importance
die Arbeitsberechtigung right to work
der Aufbau reconstruction
auf·heben, hob auf, aufgehoben lift
der Aufstand, ⸚e uprising
der Aufwiegler, – inciter
aus·fragen question
behaglich comfortable
beweisen, bewies, bewiesen prove
bieten, bot, geboten offer
die Blechschüssel, –n tin bowl
der Bus, –se bus
das Dasein existence
desto: je . . . desto the . . . the
das Ende: zu Ende at an end
endgültig conclusive, once and for all
erfrieren, erfror, ist erfroren freeze to death
erreichen achieve, reach
erschöpft exhausted
erwähnen mention
fliehen, floh, ist geflohen flee
der Flüchtling, –e refugee
gehören belong
das Geld, –er money
gelingen, gelang, ist gelungen succeed; **es gelingt mir** I succeed
gelten, galt, gegolten be considered
das Geschenk, –e gift
gewöhnlich usually
der Grad, –e degree
der Grund, ⸚e reason
die Heimat, –en home, homeland
die Hilfe help
die Höhe, –n height
das Kinderheim, –e nursery
die Kinderschwester, –n children's nurse
der Kredit, –e credit
das Lager, – camp
das Mahl, –e meal
die Maßnahme, –n measure
pflegen take care of, nurse
das Problem, –e problem
der Rasen, – lawn
das Resultat, –e result
der Säugling, –e infant
die Sicht, –en sight
sieben screen
der Spion, –e spy
die Stadtbahn, –en city and suburban railway
der Status status
steigen, stieg, ist gestiegen climb

die Straßenbahn, –en street railway
der Strom, ⸚e stream
die Summe, –n sum
teils in part
die Trümmer *(plural only)* ruins, rubble
unterdrücken oppress
verfolgen persecute, pursue
verhungern starve to death
verschärfen intensify
verschlossen reserved, expressionless
vertreiben, vertrieb, vertrieben expel
vor·ziehen, zog vor, vorgezogen prefer
die Welle, –n wave
zerstören destroy
zu·lassen, ließ zu, zugelassen admit

KAPITEL XIII

Berlin

(Fortsetzung)

Als Berlin nach Ende der Blockade die nötigen Gelder und Kredite erhalten hatte, ging man sofort an die riesige Arbeit des Aufbaus. Die erste Aufgabe war, die Wirtschaft wieder in Gang zu bringen und Arbeit für die mehreren hunderttausend Arbeitslosen 5 zu finden. So standen in der ersten Zeit nach der Blockade die Notstandsprogramme im Vordergrund. Der Westberliner Senat, zum Beispiel, setzte viele Männer und Frauen ein zum Fortchaffen der Trümmer, um Platz zu machen für neue Gebäude, für Parks und Gärten. Zum großen Teil wurden aus diesen Trümmern dann 10 später neue Bausteine gemacht, die für Neubauten verwendet werden konnten.

Als die wirtschaftlichen Verhältnisse sich etwas gebessert hatten, fing man mit dem Wohnungsbau an. Die fast totale Zerstörung großer Gebiete der Stadt hatte ein Gutes an sich. Man konnte sehr 15 weitgehend einen völlig neuen Stadtplan machen — nach modernen, vernünftigen und zweckmäßigen Grundsätzen. Die Verwalter Berlins haben einen weiteren Blick und bedeutend mehr Phantasie gezeigt als manche andere Stadtverwaltung von ebenso stark zerstörten Städten. Die Stadt selber hat den Wohnungsbau über- 20 nommen, damit die alten Fehler früherer Generationen nicht wiederholt würden. Vor allem sollten die alten riesigen Mietskasernen mit den lichtlosen Zimmern und Hinterhöfen nicht wieder auferstehen, und Wohn- und Industriegebiete sollten grundsätzlich getrennt sein.

25 Man machte genaue und strenge Vorschriften für jeden Neubau. Das Resultat ist, daß Berlin heute weit schönere und gesündere Wohngegenden hat als je zuvor in seiner Geschichte. In den neuen Siedlungen, die überall in der Stadt entstanden sind, steht jedes Mietshaus frei auf einem großen Rasenplatz und gewöhnlich etwas 30 entfernt von der großen Hauptverkehrsstraße, um von dem Straßenlärm befreit zu sein. Alles macht einen hellen, freundlichen

Eindruck. Jede Wohnung hat einen Balkon, auf dem im Sommer ein Blumenkasten und oft auch ein bunter Schirm zu sehen sind. Wichtig ist auch, daß jedes große Haus einen Spielplatz für Kinder hat mit Sandkasten für die Kleinen.

Auch das Innere der Wohnungen ist nach modernen Grundsätzen ausgestattet. Heute findet man in den meisten modernen Wohnsiedlungen alles, was zum bequemen und behaglichen Leben gehört. Das Wohnzimmer mit seinen großen Fenstern ist geschmackvoll möbliert mit Sofa, Kaffeetisch, bequemen Sesseln und Radio — und oft auch schon mit einem Fernsehapparat. Das Badezimmer, das früher in vielen Wohnungen noch als Luxus angesehen wurde, ist heute eine Selbstverständlichkeit — und zwar mit Badewanne und Brause, neben Waschbecken und W.C. Die zentrale Warmwasserversorgungsanlage im Keller oder, wenn es die nicht gibt, das Warmwasserbereitungsgerät im Badezimmer selbst sorgen für genügend warmes Wasser. In der Küche findet man neben Spülstein, Küchenschrank, elektrischen Herd und Tisch, auch oft genug einen Kühlschrank. Eine Hilfe für die ordnungsliebende Hausfrau ist der Abstellraum für Besen, Bürsten, Straubsauger und dergleichen.

Früher wurden die meisten Wohnungen durch Kachel- oder Eisenöfen in den einzelnen Zimmern geheizt. Heute wird Zentralheizung immer mehr das Übliche, und man sieht in jedem Zimmer die nötigen Heizkörper. Eine Klimaanlage ist noch eine Seltenheit, aber ab und zu findet man auch die schon. Übrigens ist sie in Berlin nicht so wichtig wie in New York, weil es in Deutschland selten so heiß und schwül wird wie in Amerika. Noch andere Bequemlichkeiten, die früher fast unbekannt waren, sind der Fahrstuhl in jedem höheren Haus und die Krafwageneinstellplätze.

(*Fortsetzung folgt*)

ÜBUNGEN

A. Fragen

1. Was war die erste Arbeit, an die sich die Berliner nach der Blockade machten? 2. Was war das wichtigste Notstandsprogramm? 3. Was entstand an den Stellen, wo die Trümmer gelegen hatten? 4. Wozu benutzte man einen großen Teil der Trümmer? 5. Wieso war es möglich, einen ganz neuen Stadtplan zu machen? 6. Nach

was für Grundsätzen wurde der Plan gemacht? 7. Warum überließ die Stadtverwaltung den Wohnungsbau nicht Privatleuten? 8. Was für Wohnungen durften nicht gebaut werden? 9. Inwiefern ist die Lage der neuen Mietshäuser gesünder als die der alten? 10. Was für einen Eindruck macht solch ein neues Haus? 11. Was zeigt uns, daß die Berliner gern draußen in der frischen Luft sitzen? 12. Wo spielen die kleinen Kinder gern? 13. Nach was für Grundsätzen hat man das Innere der Wohnungen ausgestattet? 14. Beschreiben Sie die Ausstattung eines Wohnzimmers! 15. Was findet man im Badezimmer? 16. Was ist der Unterschied zwischen einer Warmwasserversorgungsanlage und einem Warmwasserbereitungsgerät? 17. Beschreiben Sie die Küche! 18. Wozu ist der Abstellraum neben der Küche da? 19. Wie heizte man früher die Wohnungen? 20. Wie heizt man sie heute? 21. Warum ist eine Klimaanlage weniger wichtig in Deutschland als in Amerika? 22. Wie kommen die Hausbewohner vom unteren Stockwerk in die oberen?

B. Grammar Review: Modal Auxiliaries, pp. 169–173.

C. Bilden Sie Sätze aus folgenden Wörtern, zuerst im Präsens, dann im Imperfekt und im Perfekt!

1. man, Trümmer, müssen
2. aus den Trümmern, können
3. jede Wohnung, sollen
4. ein Kind, dürfen
5. die Stadtverwaltung, wollen
6. die kleineren Kinder, Sandkasten, gern, mögen

D. Bilden Sie Sätze mit folgenden Wörtern!

1. der Grundsatz, aufbauen
2. grundsätzlich, wiederholen
3. entstehen, überall (see Grammar, p. 205)
4. jede Wohnung, eigen (see Grammar, p. 203)
5. Bequemlichkeiten, einige

E. Wortanalyse und Satzbildung

1. geben, die Aufgabe
2. die Arbeit, arbeitslos
3. die Not, der Notstand
4. der Grund, der Vordergrund, der Hintergrund, der Grundsatz, grundsätzlich

5. stehen, aufstehen
6. drücken, der Eindruck, unterdrücken
7. verstehen, selbstverständlich, die Selbstverständlichkeit
8. heiß, heizen, die Zentralheizung, der Heizkörper
9. anlegen, die Klimaanlage
10. fahren, der Fahrstuhl
11. das Haus, das Mietshaus
12. der Zweck, zweckmäßig

F. Aufsätze

1. Beschreiben Sie die verschiedenen Zimmer in einer modernen Berliner Wohnung!
2. Beschreiben Sie die Zimmer in Ihrem Elternhaus!

G. Translate into German.

1. Every large apartment house should have an elevator. 2. A good bathroom must have a bathtub and a shower. 3. My mother wants a television set, but my father would like to have (an) air conditioning for the living room. 4. Today one is not allowed to build an apartment house without the comforts of (the) modern life. 5. Because of the rain the children had not been able to play outdoors in their sand box. 6. So they have had to play in the living room. 7. It may be that they can play outdoors tomorrow.

VOCABULARY

ab: ab und zu now and then
der Abstellraum, ⸚e closet
die Aufgabe, –n task
aus·statten furnish
die Badewanne, –n bath tub
der Balkon, –e balcony
bequem comfortable
der Besen, – broom
die Brause, –n shower bath
die Bürste, –n brush
der Eindruck, ⸚e impression
der Eisenofen, ⸚ iron stove
der Fahrstuhl, ⸚e elevator
der Fehler, – mistake
der Fernsehapparat, –e television set
fort·schaffen take away, carry away, remove
das Gebäude, – building
genügend sufficient
geschmackvoll tasteful
der Grundsatz, ⸚e principle
grundsätzlich on principle
der Heizkörper, – radiator
der Herd, –e kitchen stove
der Kachelofen, ⸚ tile stove
der Kasten, ⸚ box
die Klimaanlage, –n air conditioning
der Kraftwageneinstellplatz, ⸚e enclosed parking space
die Küche, –n kitchen

der Kühlschrank, ⸚e refrigerator
der Luxus luxury
das Mietshaus, ⸚er apartment house
die Not, ⸚e need, distress
der Notstand, ⸚e state of emergency
der Park, –s park
die Phantasie imagination
das Programm, –e program
das Radio, –s radio
der Sandkasten, ⸚ sand box
der Schirm, –e umbrella
der Schrank, ⸚e cabinet, wardrobe
schwül sultry
der Senat senate
der Sessel, – easy chair
das Sofa, –s couch
der Spülstein, –e sink
der Staub dust
der Staubsauger, – vacuum cleaner
streng strict
das Verhältnis, –se relation, relationship
vernünftig sensible
verwenden make use of
der Vordergrund, ⸚e foreground
das Warmwasserbereitungsgerät, –e bathroom water heater
die Warmwasserversorgungsanlage, –n central water heater
das W.C. water closet, toilet
die Wirtschaft, –en economy
das Wohnzimmer, – living room
zweckmäßig suitable, fitted for the purpose

KAPITEL XIV

Berlin

(Fortsetzung)

Auch auf anderen Gebieten als dem Wohnungsbau ist in den letzten paar Jahren Außerordentliches geleistet worden. Obwohl Berlin eine „Insel" ist, ist der Verkehr schon so stark, daß man den Autofernverkehr nach dem Stadtrand verlegt hat. Und eben weil es eine Insel ist und die Menschen keine Möglichkeit haben, 5 am Wochenende aufs Land zu gehen, sind möglichst viele Parks und Gärten besonders wichtig für die Bevölkerung. Man hat deswegen alles getan, um die im Krieg zerstörten oder vernachlässigten Parks wieder herzustellen und dazu neue Parks einzurichten.

Auch auf diesem Gebiet haben die Berliner aus der Not eine 10 Tugend gemacht. Um die großen Massen der Trümmer (so weit sie nicht zu Bausteinen verwendet wurden) aus dem Wege zu schaffen, hat man sie zu Bergen aufgehäuft, mit Erde bedeckt und dann mit Gras und Blumen besät. So sind eine Menge Kinderspielplätze, Sportfelder und schöne neue Parks entstanden. 15

Der höchste dieser Parks, der einen weiten Blick auf die Stadt bietet und eigentlich der „Insulaner" heißt, wird von den Berlinern „Monte Clamotte" genannt. („Klamotten" ist ein deutsches Wort, das nach dem Wörterbuch zerbrochene Ziegelsteine bedeutet, aber im Volksmund heißt es ungefähr dasselbe wie englisch „junk".) 20 Daß die Berliner diesen Klamottenberg italienisch gemacht haben, kommt wohl daher, daß Italien immer das beliebteste Ferienland der Deutschen war. Diese Art Humor ist charakteristisch für die Berliner und zeigt ihre Fähigkeit, auch dem Tragischen eine komische Seite abzugewinnen. Diese Fähigkeit hat ihnen sicher sehr 25 geholfen, auch in den schwersten Zeiten den Kopf hochzuhalten. Der Berliner läßt sich nicht so leicht klein kriegen.

Der berühmteste und größte Park im Vorkriegsberlin war der Tiergarten mit seinen herrlichen alten Bäumen und breiten Fußwegen. Er liegt in der Nähe der ebenso berühmten Straße „Unter 30 den Linden", wo das kaiserliche Schloß stand und von wo aus

Kaiser Wilhelm II. gern in den Tiergarten spazieren fuhr. Nach dem Krieg war dieser Park nur noch eine Wüste, zerpflügt von Panzern und voll Bomben- und Granatlöchern. Die wenigen Bäume, die nicht zerbombt waren, hatten die Berliner selbst 5 abgeschlagen und als Brennholz benutzt, um in dem ersten Nachkriegswinter nicht zu erfrieren. Die pompösen Standbilder von Fürsten und Kurfürsten aus Deutschlands Glanzzeit waren zum Teil zerstört, was dem Park, besonders bei Nacht, ein ganz unheimliches Aussehen gab. Ganz allmählich wurde der Tiergarten 10 restauriert. Noch während der Blockade hat Oberbürgermeister Reuter den ersten Baum gepflanzt. Durch finanzielle Hilfe von England, besonders auch von der königlichen Familie, konnte man dann weiter gehen mit der Restaurierung. Daher wird der Park oft der Englische Garten genannt. Nachdem Anthony Eden, der 15 damalige Außenminister von England, 1952 den Garten offiziell eröffnet hatte, haben die Berliner schnell einen neuen Namen dafür gefunden: den Garten Eden.

Das „Inselleben" wird den Westberlinern dadurch etwas erleichtert, daß der westliche Rand der Stadt fast gänzlich aus einem 20 Waldgebiet besteht, durch das die breite Havel fließt, deren Arme sich hier und da zu schönen Seen erweitern. Der beliebteste dieser Seen ist der Wannsee, wo man baden, segeln oder kanufahren kann, und auf den Wannseeterrassen kann man beim Nachmittagskaffee oder beim Abendessen hinunterschauen auf die hübschen weißen 25 Segel, die sich langsam auf dem blauen Wasser dahinbewegen. Der Grunewald, der sich mit seinen schlanken Tannen und Kiefern an der Havel entlangstreckt, ist auch ein beliebter Sonntagsausflug der Berliner Bevölkerung. Ohne ihre Wälder und Seen wären die Berliner wirklich wie Gefangene in ihrer Stadt, und die Stadtverwaltung 30 achtet darauf, daß auch hier alles in Ordnung gehalten wird.

(Fortsetzung folgt)

ÜBUNGEN

A. Fragen

1. Warum sind die Parks und Gärten noch wichtiger in Westberlin als in anderen Städten? 2. Was war während des Krieges aus den Parks geworden? 3. Auf welche Weise hat man in Berlin aus

der Not eine Tugend gemacht? 4. Was ist der „Monte Clamotte"? 5. Wohin sind die Deutschen immer gern in den Ferien gefahren? 6. Was können Sie über den Charakter der Berliner sagen? 7. Beschreiben Sie den Tiergarten, wie er vor dem Krieg war! 8. Wie sah er nach dem Krieg aus? 9. Was war aus den schönen großen Bäumen geworden? 10. Was fing man schon während der Blockade an zu tun? 11. Warum nennt man den Tiergarten manchmal den „Englischen Garten"? 12. Warum wurde er auch „Garten Eden" genannt? 13. Was für eine Landschaft findet man im Westen von Berlin? 14. Beschreiben Sie die Havel! 15. Was tun die Berliner gern am Wochenende? 16. Was tut man auf den Wannseeterrassen? 17. Was sieht man von dort? 18. Beschreiben Sie den Grunewald!

B. Grammar Review: Relative Pronouns, pp. 149–151.

C. Unterstreichen Sie alle Relativpronomina in diesem Kapitel!

D. Bilden Sie Relativsätze aus folgenden Wörtergruppen!
1. Der Monte Clamotte, dem, Blick
2. Der Tiergarten, der, zerpflügt
3. Der Kaiser, dessen, Schloß, spazierenfahren
4. Der See, den, die Berliner, gern haben
5. Die Berliner, deren, Stadt, Insel
6. Das Waldgebiet, das, liegen, schön
7. Manche Parks, in denen, spielen

E. Beantworten Sie folgende Fragen mit Relativsätzen!
1. Wer war Ernst Reuter?
2. Was ist eine Küche?
3. Was ist ein Mietshaus?
4. Was ist der Monte Clamotte?
5. Was ist die Havel?

F. Wortanalyse und Satzbildung
1. legen, verlegen
2. lassen, vernachlässigen
3. stellen, herstellen
4. pflügen, zerpflügen
5. schlagen, abschlagen

6. leicht, erleichtern
7. weit, erweitern

G. Gespräche und Aufsätze
1. Ein Amerikaner geht mit einem Berliner durch den Tiergarten.
2. Zwei Amerikaner beim Nachmittagskaffee auf den Wannsee-terrassen.
3. Beschreiben Sie den schönsten Park, den Sie kennen!

H. Translate into German.

1. The parks of Berlin which had been neglected during the war have now been restored. 2. The Tiergarten which was the largest park in Berlin looked like a wasteland. 3. Unter den Linden is the street on (in) which the imperial palace stood. 4. Kaiser Wilhelm II, whose palace was near the Tiergarten, often went there. 5. The stones out of which the Monte Clamotte was built had been removed from the streets of Berlin. 6. Anthony Eden is a man whom the Berliners will not quickly forget. 7. He is the man from whom the Tiergarten got a new name. 8. My room, which is in an apartment house not far from the Tiergarten and from which I can see the trees of the park, is very pleasant. 9. The family in whose apartment I have a room is very friendly.

VOCABULARY

ab·schlagen, schlug ab, abgeschlagen cut down
achten auf pay attention to, look out for
allmählich gradually
auf·häufen heap up
der Außenminister, – foreign secretary
außerordentlich extraordinary
benutzen use, make use of
der Berg, –e mountain, hill
deswegen for that reason
ein·richten establish, furnish
die Fähigkeit, –en ability, capacity
die Ferien *(pl.)* vacation
der Fürst, –en, –en prince
der Gefangen- prisoner
die Granate, –n grenade
die Havel *name of a river*
her·stellen (*with* **wieder**) restore
der Humor humor
klein: klein kriegen get down
leisten accomplish
das Loch, ¨–er hole
die Masse, –n mass
die Menge, –n crowd, large quantity, a lot
der Panzer, – military tank
pflanzen plant
schauen look, see
das Schloß, ¨–sser palace
der See, –n lake
das Segel, – sail
segeln sail
spazieren fahren go for a drive

das Standbild, –er statue
die Tugend, –en virtue
unheimlich uncanny, eerie, weird
unterstreichen, unterstrich, unterstrichen underline
verlegen transfer
vernachlässigen neglect
das Wörterbuch, ¨er dictionary
die Wüste, –n desert, wasteland
zerpflügen plow up
der Ziegelstein, –e brick

KAPITEL XV

Berlin

(Fortsetzung)

Zehn Jahre nach der Blockade ist Berlin kaum wieder zu erkennen. Es hat schon wieder viel von der Atmosphäre einer Weltmetropole. Der Kurfürstendamm, neben „Unter den Linden" die berühmteste Straße Berlins, wimmelt wieder von Leben. Die neuaufgebauten 5 Geschäfte zeigen die schönsten Waren in den Schaufenstern. Elegante Hotels bieten ihren Gästen (besonders Ausländern) jede Bequemlichkeit. Die Berliner Moden, die wieder weltbekannt geworden sind, sieht man nicht nur in den Schaufenstern. Die Damen und Herren, die in den vielen offenen Kaffees und Restaurants an 10 beiden Seiten der Straße sitzen, sind gut und oft elegant angezogen. Wenn man selber in einem solchen Kaffeehaus sitzt, weiß man nicht, ob man sich auf das gute Essen konzentrieren soll, das man fast überall bekommt, oder ob man auf den bunten Zug der Menschen auf dem Bürgersteig sehen soll. Besonders zur Zeit des 15 alljährlichen Internationalen Filmfestspiels oder irgendeines Kongresses ist das Schauspiel auf dem Kurfürstendamm außerordentlich bunt und lebhaft.

Bei Nacht glänzt die Lichtreklame der Kinos und der Geschäfte ebenso vielfarbig wie in New York, nur daß es irgendwie gemüt- 20 licher und lange nicht so überwältigend ist wie in der amerikanischen Metropole. Der „Kudamm", wie die Berliner gern ihre berühmte Straße nennen, ist zu einer Art Symbol geworden für den Lebenswillen und die Lebensfreudigkeit der Berliner, die in so kurzer Zeit ihre fast tote Stadt wieder ins Leben gerufen 25 haben.

Eine Erinnerung an die schlimme Zeit ist aber den Fußgängern und Autofahrern auf dem Kudamm immer noch vor Augen. Der Turm der Kaiser Wilhelm Gedächtniskirche am Ende des Kurfürstendamms ist während des Krieges von einem Volltreffer stark 30 beschädigt worden und steht jetzt als imposante Ruine über dem treibenden Leben der Straße. Diese Ruine soll auch in Zukunft stehen bleiben zur dauernden Erinnerung an die schwerste Zeit in der ganzen langen Geschichte der Stadt.

Die Gegend des Kurfürstendamms ist nicht die einzige, wo man gut kaufen und sich gut unterhalten kann. Es gibt zum Beispiel das große Kaufhaus des Westens, „Ka-de-we" genannt, wo alles zu haben ist, und es gibt ein billigeres Kaufhaus, von den Berlinern „Groschenmoschee" getauft, weil sein gerundetes Dach an eine türkische Moschee erinnert. Im Sommer bekommen diese Geschäftsgegenden noch eine besonders freundliche und farbige Note durch die vielen Blumen- und Obststände, wo man schon für 50 Pfennige einen hübschen Strauß bekommt.

Auch als Theaterstadt hat Berlin wieder den glänzenden Ruf, den es in der Vorkriegszeit hatte. Während der Saison spielen acht verschiedene Theater, von denen das Schillertheater wohl das bekannteste ist. Dazu kommt die städtische Oper und die Waldarena, wo man an Sommerabenden Musik oder Theater im Freien genießen kann. Nicht zu vergessen sind die politischen Kabarette, wo, meistens in kleinen Kellerräumen, die Tagespolitik mit viel Witz und Humor kritisiert wird. Außerdem gibt es Nachtlokale von allen Graden der Eleganz: von denen, wo der wohlhabende Ausländer im Frack tanzen und mit Leichtigkeit sein Geld loswerden kann, bis zu den kleinen Jazzlokalen, wo die Berliner Jugend die Nacht durchtanzt. Und wenn man „Berlin bei Nacht" gesehen und vielleicht allzu gründlich genossen hat, soll man am frühen Morgen auf dem Weg nach Hause in einem der kleinen Restaurants, die sich darauf spezialisieren, einen großen Teller Hühnersuppe oder eine Schüssel Borscht zu sich nehmen.

Man darf nur nicht vergessen, wenn man die eleganten Lokale besucht oder in die modischen Schaufenster sieht, daß das nicht das eigentliche Berlin der Berliner darstellt. Die wenigsten von ihnen können sich die schönen Sachen in den Schaufenstern kaufen oder in den teuren Lokalen essen. Der durchschnittliche Bürger Berlins arbeitet schwer und lebt ziemlich einfach. Daß das Geschäft in seiner Stadt so blüht, bedeutet für ihn, daß er Arbeit hat und sich ernähren kann.

(Schluß folgt)

ÜBUNGEN

A. Fragen

1. Nennen Sie die zwei berühmtesten Straßen Berlins! 2. Warum ist es angenehm, in einem Hotel am Kurfürstendamm zu wohnen? 3. Was sieht man in den Schaufenstern der Geschäfte? 4. Was sieht man, wenn man in einem Kaffee am Kurfürstendamm sitzt? 5. Was für ein Festspiel wird alljährlich in Berlin gehalten? 6. Was macht eine Stadt wie Berlin oder New York so hell in der Nacht? 7. Wie nennt man den Kurfürstendamm gern in Berlin? 8. Zu was für einem Symbol ist diese Straße geworden? 9. Was ist während des Krieges mit der Kaiser Wilhelm Gedächtniskirche geschehen? 10. Warum will man den Kirchturm nicht wieder aufbauen? 11. Was ist das „Ka-de-we"? 12. Was ist die „Groschenmoschee", und warum heißt sie so? 13. Woher wissen Sie, daß die Berliner Blumen gern haben? 14. Nennen Sie einige der bekanntesten Theater Berlins! 15. Was ist ein politisches Kabarett? 16. Was für Nachtlokale gibt es in Berlin? 17. Was ißt ein Berliner gern, nachdem er eine Nacht durchfeiert hat? 18. Was bedeutet das blühende Geschäft in der Stadt für den durchschnittlichen Berliner? 19. Wie leben die meisten Berliner?

B. Grammar Review: Adjectives, pp. 152–155.

C. Beantworten Sie folgende Fragen unter Benutzung von Adjektiven!

1. Was für eine Straße ist der Kurfürstendamm?
2. Was für Kleider tragen die Leute in den Kaffees?
3. Was für Waren sieht man in den Schaufenstern der Geschäfte?
4. Was für ein Essen bekommt man in den meisten Kaffees?
5. Was für eine Lichtreklame hat Berlin? New York?
6. Was für eine Zeit waren die Kriegsjahre für Berlin?
7. Was für eine Ruine ist die Gedächtniskirche?
8. Was für ein Kaufhaus ist das „Ka-de-we"? die „Groschenmoschee"?
9. Was für ein Dach hat die „Groschenmoschee"?
10. Was für eine Oper hat Berlin?

11. Was für Kabarette findet man in Berlin?
12. Was für Ausländer kommen oft nach Berlin?
13. In was für einem Lokal ißt der Ausländer gern?
14. In was für einem Lokal ißt der durchschnittliche Berliner?

D. Bilden Sie Sätze mit folgenden Ausdrücken!

1. loswerden 2. sich spezialisieren auf 3. sich konzentrieren auf 4. sich unterhalten

E. Wortanalyse und Satzbildung

1. bequem, die Bequemlichkeit
2. der Bürger, der Bürgersteig
3. das Jahr, alljährlich
4. leben, lebhaft
5. gehen, der Gang, der Fußgänger
6. treffen, der Volltreffer
7. rufen, der Ruf
8. wohl, wohlhabend
9. das Land, das Ausland, der Ausländer
10. der Grund, gründlich
11. stellen, darstellen
12. schneiden, der Durchschnitt, durchschnittlich

F. Gespräche und Aufsätze

1. Zwei Amerikaner sitzen im Kaffee am Kurfürstendamm und unterhalten sich über das, was sie sehen.
2. Möglichkeiten der Unterhaltung in Berlin und New York.

G. Translate into German.

1. New York and Chicago are the two largest cities in America. 2. My family and I have lived in Chicago for more than ten years. 3. There are many interesting night clubs in our city. 4. Our most famous department store is Marshall Field's. 5. Not far from the lake is an elegant street with expensive hotels and other imposing places of business. 6. Every expensive shop has huge show windows. 7. These big windows are filled with colorful and expensive wares. 8. The tourists who come to Chicago like to drive along our beautiful big lake. 9. On a fine summer day one can see many white sails on the blue water. 10. We Chicagoans are very proud of our big, flourishing city.

VOCABULARY

alljährlich annual
das Auge, –n eye
der Ausländer, – foreigner
beschädigen damage
blühen blossom, flourish
der Borscht Russian beet soup
der Bürgersteig, –e sidewalk
dar·stellen represent
durchschnittlich average
die Eleganz elegance
ernähren nourish; **sich ernähren** make a living
der Frack, ⸚e formal dress suit
der Fußgänger, – pedestrian
der Groschen, – ten-Pfennig piece
die Hühnersuppe, –n chicken soup
das Kabarett, –e cabaret
das Kaffee, –e café
das Kaufhaus, ⸚er department store
der Kongreß, –sse convention
sich konzentrieren auf (*with acc.*) concentrate on
die Lichtreklame, –n neon lights (*for advertising*)
das Lokal, –e eating or drinking place
los·werden get rid of
die Metropole, –n metropolis
die Mode, –n fashion
die Moschee, –n mosque
das Nachtlokal, –e night club
die Note, –n note
das Obst fruit
die Oper, –n opera
der Pfennig, –e "penny"; one one-hundredth of a Mark
die Reklame, –n advertising
das Restaurant, –s restaurant
der Ruf, –e reputation
die Ruine, –n ruin
die Saison, –s season
das Schauspiel, –e play
spezialisieren: sich spezialisieren auf (*with acc.*) specialize in
der Stand, ⸚e stand
das Symbol, –e symbol
taufen christen
überwältigen overwhelm
der Volltreffer, – direct hit
die Ware, –n ware
der Wille, –ns (*gen.*) will
der Witz, –e wit, joke

KAPITEL XVI

Berlin

(Schluß)

Wenn man sich im pulsenden Leben Westberlins verliert, kann man leicht vergessen, daß Berlin eine getrennte Stadt ist, aber man braucht sich nur ein kleines Stück vom Kurfürstendamm zu entfernen, um diese tragische Tatsache wieder vor Augen zu haben. Die schöne breite Straße, die im Westen am Ernst Reuter Platz 5 beginnt und durch den Tiergarten führt, heißt jetzt die Straße des 17. Juni in Erinnerung an den erfolglosen Arbeiteraufstand in der Ostzone an diesem Datum im Jahre 1953. Am östlichen Ende dieser Straße stößt man auf ein großes Schild, worauf in vier Sprachen, Englisch, Russisch, Französisch und Deutsch, zu lesen ist: SIE VER- 10 LASSEN DEN AMERIKANISCHEN SEKTOR.

Dahinter liegt eine andere Welt. Man sieht zwischen den klassischen Säulen des Brandenburger Tors hindurch auf die Straße, die in der Zeit des Kaiserreichs das Zentrum von Berlin war: Unter den Linden. In der Mitte standen die langen Reihen der Lindenbäume, 15 die der Straße ihren Namen gaben, und an den Seiten das kaiserliche Schloß, die Oper, die Staatsbibliothek, die Universität und viele andere imposante Gebäude. In der Nähe waren auch das Reichstagsgebäude und andere Regierungsgebäude sowohl wie die Botschaften fremder Nationen. 20

Heute sieht man große offene Plätze und auch noch einige Trümmer zwischen den Fassaden halbzerstörter Gebäude und den wenigen, die stehengeblieben sind. Das kaiserliche Schloß ist nach Kriegsende von den Sowjets zerstört worden, weil es als Symbol einer imperialistischen und kapitalistischen Zeit galt. Der Raum, 25 wo es stand, ist zu einem Teil des riesigen Marx-Engels Platzes geworden, wo die kommunistische Regierung von Zeit zu Zeit ihre großen Kundgebungen abhält.

Wenn man auch nur ein wenig in Ostberlin herumgeht, fühlt man sofort, wie sehr dies eine andere Welt ist. Der erste Eindruck, den 30 man hat und der einen auch nicht wieder verläßt, ist der von grauer

Trostlosigkeit. Alles scheint grau und staubig zu sein mit höchstens hier und da einem schmutzigen Braun. Wenn man die stillen Straßen sieht, in denen es nur wenig Autoverkehr gibt und auch nicht einmal sehr viele Fußgänger, ist es schwer zu glauben, daß nur ein paar Minuten entfernt das wimmelnde Leben von Westberlin sich abspielt. Während in Westberlin die Schaufenster von bunten Waren gefüllt sind, sind die wenigen Sachen, die man hier in den Schaufenstern sieht, farb- und freudlos. Nicht einmal die kleinen Gemüseläden haben ein freundliches Aussehen. Es liegen da höchstens, neben den unvermeidlichen Kartoffeln, ein paar traurige Köpfe Blumenkohl und einige welke Gurken.

Die Trümmer sind größtenteils entfernt worden, und hier und da steht ein neues Gebäude, meistens ein Regierungsgebäude, aber im Vergleich mit Westberlin ist hier so gut wie nichts aufgebaut worden. Nur an einer einzigen Straße, der früheren Frankfurter Allee, die jetzt Stalinallee heißt, stehen lauter neue Gebäude. Es sind hohe Häuser im Stil des 19. Jahrhunderts mit wenig Fenstern in den weißen Fronten, die schon nach ein paar Jahren anfingen, schäbig auszusehen. Die Wohnungen in diesen Häusern sind aber reserviert für zuverlässige „Volksdemokraten".

Was man nicht wieder vergessen kann, wenn man in Ostberlin war, sind die Menschen, die man in den Straßen sieht. Es ist nicht nur, daß sie schäbig und ärmlich gekleidet sind. Es sind vor allem ihre Gesichter, die einen ahnen lassen, was es bedeutet, jahrelang als unfreie Menschen leben zu müssen. Die Gesichter sind hart und verschlossen, und es ist, als ob sie vergessen hätten, wie man lächelt. Nicht einmal die Kinder haben wirkliche Kindergesichter. Nie habe ich so böse und unglückliche Kindergesichter gesehen wie bei einer Gruppe Schuljungen, die von ihrem Lehrer durch den großen russischen Friedhof geführt wurden, wo die russischen Soldaten, die im Kampf um Berlin gefallen sind, begraben liegen.

Wenn man über den Potsdamer Platz nach dem Westen zurückgeht, fühlt man vielleicht noch deutlicher als am Brandenburger Tor, wie sehr man hier zwischen zwei Welten steht. Dieser Platz, der früher einer der belebtesten ganz Berlins war, ist heute still und leer, weil jeder Verkehr an der Grenze halten muß. Wo früher der nächtliche Himmel über dem Platz von bunter Lichtreklame leuchtete, ist jetzt die einzige Beleuchtung die Buntlichtwanderschrift der „Freien Presse" Berlins, die den Einwohnern Ostberlins die neuesten Westnachrichten bringt.

Was dieser kleine Lichtstrahl symbolisiert, kann man vielleicht am besten ausdrücken, indem man ein paar Sätze aus einem Heft des US Informationsdienstes zitiert: „Die wichtigste Rolle West-Berlins besteht vielleicht in seiner Ausstrahlung nach der gesamten Ostzone Deutschlands. Die kommunistische Herrschaft in der Sowjetzone ist nicht so vollständig wie in anderen, osteuropäischen Satellitenstaaten. Die Russen haben eine völlige Schließung der Grenzen zwischen West-Berlin und seiner Umbebung offenbar nicht für angebracht oder zweckmäßig erachtet, und so findet die Bevölkerung der Sowjetzone nach wie vor in West-Berlin eine sichere Zuflucht. Die Sowjetzonenbewohner konnten über Berlin den Kontakt mit ihren Landsleuten und der freien Welt aufrechterhalten, so daß das Gefühl der Einheit des ganzen Volkes nicht verlorenging. Die Stadt wird sicher auch in Zukunft einen wichtigen Beitrag zu den Bemühungen des Westens um die Wiedervereiningung Deutschlands leisten.*

Westberlin als Beispiel eines erfolgreichen geistigen Widerstandes gegen die Tyrannei der östlichen Diktatur bildet ein kleines Licht der Hoffnung für Ostdeutschland und vielleicht auch darüber hinaus für andere unterdrückte Völker. In dem Rathaus von Schöneberg, einem der zwölf Bezirke Westberlins, hängt die Freiheitsglocke, ein Geschenk des amerikanischen Volkes und gegossen nach dem Muster der Freiheitsglocke in Philadelphia. Jeden Tag zur Mittagsstunde tönt ihr voller, tiefer Klang durch die Stadt. Der Berliner mit seinem Arbeitswillen, seiner Zähigkeit, seinem unzerstörbaren Optimismus und ebenso unzerstörbaren Humor hält fest an der Hoffnung, daß eines Tages die Töne dieser Glocke auch tief in den Osten hineindringen werden.

ÜBUNGEN

A. Fragen

1. Welche tragische Tatsache soll man nicht vergessen? 2. Wie heißt die Straße zwischen dem Tiergarten und dem Ernst Reuter Platz? 3. Woher hat die Straße ihren Namen? 4. Warum ist das Schild am östlichen Ende der Straße in vier Sprachen? 5. Beschrei-

* DEUTSCH-AMERIKANISCHE ZUSAMMENARBEIT IN WEST-BERLIN, Seite 41. (Herausgegeben vom US Informationsdienst, Bad Godesberg.)

ben Sie die Straße Unter den Linden, wie sie vorm Krieg aussah! 6. Wie sieht sie jetzt aus? 7. Warum hat man das kaiserliche Schloß zerstört? 8. Wozu wird der jetzige Marx-Engels Platz benutzt? 9. Was für einen Eindruck macht Ostberlin auf den Besucher aus dem Westen? 10. Wie sehen die Straßen aus? 11. Wie sehen die Schaufenster aus? 12. Was für Gemüse sieht man in den Gemüseläden? 13. Wie hieß die Stalinallee früher? 14. Beschreiben Sie die Gebäude in der Stalinallee! 15. Wer wohnt in den Häusern? 16. Wie sind die Menschen in den Straßen angezogen? 17. Warum machen ihre Gesichter einen so tiefen Eindruck auf den Besucher? 18. Wer ist in dem großen Friedhof in Ostberlin begraben? 19. Welcher Unterschied besteht zwischen dem Potsdamer Platz von früher und dem von heute? 20. Wozu dient die Buntlichtwanderschrift am Potsdamer Platz? 21. Was ist vielleicht die wichtigste Rolle Westberlins? 22. Wie kann Westberlin helfen, den Kontakt zwischen Osten und Westen am Leben zu erhalten? 23. Was ist Schöneberg? 24. Was hört man jeden Mittag in Schöneberg? 25. Was hofft jeder Westberliner?

B. Grammar Review: Coordinating Conjunctions, p. 182; Prepositions, pp. 157–158.

C. Benutzen Sie folgende Wörter in Sätzen, in denen Sie etwas über Ostberlin erzählen!

1. aber 2. denn 3. oder 4. sondern 5. und

D. Bilden Sie kurze Sätze, einen für jede Präposition! Für die Liste III machen Sie je einen mit dem Dativ und einen mit dem Akkusativ!

E. Wortanalyse und Satzbildung

1. spielen, sich abspielen, das Schauspiel
2. schauen, das Schaufenster
3. die Blume, der Blumenkohl
4. leben, belebt
5. drücken, ausdrücken, der Eindruck, der Ausdruck
6. der Strahl, die Ausstrahlung
7. voll, vollständig
8. fliehen, die Zuflucht
9. tragen, der Beitrag

10. der Ton, ertönen
11. die Einheit, die Vereinigung

F. Gespräche und Aufsätze

1. Ein Spaziergang durch Ostberlin.
2. Ein Westberliner, ein Ostberliner und ein Amerikaner sitzen in einem Lokal in Westberlin und unterhalten sich.

G. Translate into German

1. The parents of one of my oldest friends now live in East Berlin, but they would like to come to West Berlin, for they are not very happy where they now are. 2. They live in an industrial section and when they step out of their small gray house they can see only the dusty brown façade of a huge factory. 3. In the small store around the corner they cannot buy fresh vegetables but only potatoes and wilted cauliflower. 4. Behind the shabby houses on their street are small courtyards. 5. There is a good theatre not far from them, but my friends are too poor (in order) to be able to go there often.

VOCABULARY

sich ab·spielen be played, take place
ahnen have a feeling of, suspect
angebracht appropriate, practical
aus·drücken express
die Ausstrahlung, –en radiation
begraben, begrub, begraben bury
der Beitrag, ⸚e contribution
belebt animated
die Beleuchtung, –en illumination
die Bemühung, –en effort
der Bezirk, –e borough, district
die Bibliothek, –en library
der Blumenkohl cauliflower
böse angry, evil
die Botschaft, –en embassy
die Buntlichtwanderschrift, –en news strip in electric lights
das Datum, Daten date
die Diktatur, –en dictatorship
die Einheit, –en unity, unit
erachten consider
die Fassade, –n façade
die Front, –en front, façade
das Gefühl, –e feeling
gesamt entire
gießen, goß, gegossen pour, cast in a mold
die Gurke, –n cucumber
das Heft, –e pamphlet, notebook
hinein·dringen, drang hinein, ist hineingedrungen penetrate
höchstens at most
die Kundgebung, –en rally
der Laden, ⸚ store, shop
der Landsmann, ⸚er compatriot
offenbar obvious
das Rathaus, ⸚er city hall
der Reichstag, –e legislature
die Reihe, –n row
die Rolle, –n role
die Säule, –n pillar
schäbig shabby
der Soldat, –en, –en soldier
die Sprache, –n language

der Staat, –en state
staubig dusty
der Stil, –e style
stoßen, stieß, gestoßen (auf) come upon
die Tatsache, –n fact
die Trostlosigkeit hopelessness
die Tyrannei tyranny
unvermeidlich inevitable
die Vereinigung unification
der Vergleich, –e comparison
vielleicht perhaps
vollständig complete
welk withered
Zähigkeit toughness, perseverance
die Zuflucht refuge
zuverlässig dependable

KAPITEL XVII

Erlebnisse in Bayern

Es war gegen sechs Uhr abends, als wir, unterwegs zur berühmten Kirche in der Wies, in dem kleinen Dorf Steingaden in Bayern ankamen. Als wir auf den ziemlich großen Dorfplatz fuhren, sahen wir gleich zur Linken das Hotel zur Post, und Helene schlug vor, daß wir hier übernachten sollten. 5

„Geh du doch 'rein", sagte sie zu Toni, „und frag' mal an, ob wir hier Zimmer kriegen können." Toni parkte also den Wagen vorm Hotel, stieg aus und ging hinein. Nach ein paar Minuten kam er zurück und sagte: „Kinder, haben wir Glück! Nicht nur, daß wir hier ein paar nette Doppelzimmer bekommen können — und auch 10 gar nicht teuer — wir kriegen heute abend auch was zu sehen, was man nicht alle Tage sieht. Eine wandernde Seiltänzergruppe führt ihre Künste auf, und zwar hier auf dem Dorfplatz."

„Nein! Tatsächlich!" rief ich, „das ist ja großartig. Ich wußte nicht, daß es so was überhaupt noch gibt — außer im Zirkus." 15 „Doch, hier in Steingaden gibt es so was", sagte Toni so stolz, als ob er die Sache selbst erfunden hätte. „Na, dann man 'raus!" sagte ich, „worauf warten wir denn noch?"

Alle stiegen aus, und in kürzester Zeit hatte die Magd uns unsere Zimmer gezeigt und das Gepäck heraufgebracht. Helene und ich 20 bekamen ein großes und sehr sauberes Zimmer, das auf den Dorfplatz hinaussah, und nachdem wir uns schnell ein bißchen zurechtgemacht hatten, gingen wir hinunter.

„Auspacken können wir nachher," sagte ich, „jetzt ist die Hauptsache, daß wir erst mal was zu essen kriegen, damit wir fertig sind, 25 wenn die Vorstellung losgeht."

Die Gaststube unten war ein ziemlich großer Raum mit langen, blankgescheuerten Holztischen, an denen mehrere Bauern und auch einige Reisende beim Bier saßen. Aber da wir zu Abend essen wollten, nahmen wir Platz an einem kleineren Tisch, der mit einem 30 blau- und weißkarierten Tuch bedeckt war.

An einem der langen Tische in der Mitte des Zimmers saß eine Gruppe Männer und Frauen, die irgendwie fremd aussahen. Ihre Gesichtszüge hatten etwas Südliches, vielleicht Italienisches. „Kinder", sagte Toni mit leiser Stimme, „was wollt ihr wetten, daß das
5 unsere Artisten sind?"

In dem Augenblick kam ein hübscher kleiner Junge von etwa neun Jahren herein und setzte sich auch an den Tisch. Mit seinem vollen Schopf von dunklem, lockigem Haar sah er noch italienischer aus als die anderen. „Recht hast du", sagte Helene, „das ist bestimmt
10 die Seiltänzertruppe. Und sogar Mignon * ist dabei! Der kleine Junge, der da eben hereingekommen ist, ist doch die leibhaftige Mignon — nur daß es eben ein Junge ist und kein Mädchen." „Ob die ihn wohl auch gestohlen und mitgenommen haben?" sagte ich. „Er sieht allerdings nicht danach aus. Er sieht mir recht fidel und
15 lustig aus."

Der Junge hatte in der Tat nichts Bedrücktes oder Unkindliches an sich. Er war vielleicht etwas weniger gut erzogen als die meisten deutschen Kinder es gewöhnlich sind, denn während die Erwachsenen noch beim Essen waren, verließ er manchmal den Tisch und
20 spielte mit einem drolligen Hündchen, das im Zimmer herumlief. Einmal verließ er sogar das Zimmer und kam nach ein paar Minuten in einer Art Matrosenanzug zurück. Dieser bestand aus einer langen weißen Hose und einer weißen Jacke mit blauem Kragen. Es war offenbar der Anzug, in dem er später bei der Vorstellung auftreten
25 würde.

Als wir noch am Tisch saßen, hörten wir auf einmal von draußen eine männliche Stimme, die offenbar durch einen Lautsprecher kam, und gleichzeitig bemerkten wir auch, daß unsere Seiltänzerleute verschwunden waren. Wir aßen schnell unseren Nachtisch auf und
30 gingen dann auch hinaus.

(Fortsetzung folgt)

* Mignon, eine Figur in Goethes Roman „Wilhelm Meisters Lehrjahre", ist ein junges Mädchen, das als Kind von einer wandernden Theatertruppe aus Italien entführt wurde. Ihr bekanntes Lied „Kennst du das Land, wo die Zitronen blühn?" drückt ihre Sehnsucht nach ihrem Heimatlande aus.

ÜBUNGEN

A. Fragen

1. Wohin wollten die Freunde fahren? 2. Wann kamen sie in Steingaden an? 3. Welchen Vorschlag machte Helene? 4. Was sollte Toni tun? 5. Was hat er getan? (*Answer in present perfect tense.*) 6. Wieso hatten die Freunde Glück? 7. Was tat die Magd? 8. Was konnten Helene und Ingrid von ihrem Zimmer sehen? 9. Was taten die beiden, bevor sie hinuntergingen? 10. Wann wollten sie auspacken? 11. Was stand in der Gaststube? 12. Was für Leute saßen in der Gaststube? 13. Was wollten die Freunde gleich tun? 14. Was lag auf dem Tisch? 15. Wie sah die Gruppe am Tisch in der Mitte des Zimmers aus? 16. Was waren diese Leute wahrscheinlich? 17. Was tat der kleine Junge, der jetzt hereinkam? 18. Wie alt war er? 19. Was für Haar hatte er? 20. An wen erinnerte er Helene? 21. Was ist mit Mignon geschehen? 22. Wie sah der Junge aus? 23. Wie zeigte es sich, daß er nicht besonders gut erzogen war? 24. Was hatte er an, als er ins Zimmer zurückkam? 25. Woher kam die Stimme, die man jetzt hörte?

B. Grammar Review: Subjunctive Mood, pp. 162 and 164–167.

C. Change all the direct quotations in the text to indirect statements, questions or commands, as the case may be.

D. Wortanalyse und Satzbildung

1. tanzen, der Seiltänzer
2. führen, aufführen, entführen
3. die Art, großartig
4. finden, erfinden
5. recht, zurecht
6. die Sache, die Hauptsache
7. stellen, die Vorstellung
8. reisen, der Reisende
9. der Leib, leibhaftig
10. drücken, bedrückt
11. wachsen, der Erwachsene

12. treten, auftreten
13. der Tisch, der Nachtisch
14. ziehen, erziehen

E. Gespräche und Aufsätze
1. Aufsatz in indirekter Rede: Ingrid erzählt einer Freundin über ihre Ankunft in Steingaden.
2. Gespräch zwischen Toni und dem Wirt des Hotels zur Post.

F. Translate into German.

1. The innkeeper told us that a troupe of tightrope walkers would give a performance on the village square. 2. He said that they came to Steingaden every year. 3. He also told me that it was a famous troupe, which traveled from village to village. 4. Later we talked to a traveling salesman, who told us that he had already seen these acrobats in another village. 5. We asked the innkeeper whether the performance would start soon. 6. He suggested that we should now eat supper, as the performance would not begin until half past eight. 7. While we were eating our dessert we heard a voice on (in) the loudspeaker saying that the performance had already begun. 8. So we quickly got up from the table and went out to the village square.

VOCABULARY

der Abend: zu Abend essen eat supper
der Artist, –en, –en acrobat
auf·führen present, perform
auf·treten, trat auf, ist aufgetreten appear (*in a theatrical performance*)
das Bayern Bavaria
bedrückt depressed
bemerken notice
blank shiny
entführen kidnap
erfinden, erfand, erfunden invent
erwachsen grown up
erziehen, erzog, erzogen bring up
fidel jolly
die Hauptsache, –n main thing
das Hotel, –s hotel
der Hund, –e dog
die Jacke, –n jacket
kariert checked, plaid
die Kunst, ⸚e art
der Lautsprecher, – loud speaker
das Lehrjahr, –e year of apprenticeship
leibhaftig in the flesh
lockig curly
los·gehen, ging los, ist losgegangen get going, get started
lustig gay
die Magd, ⸚e maid
der Matrose, –n, –n sailor
nachher afterwards
der Nachtisch, –e dessert
der Reisend- traveler, traveling salesman
der Roman, –e novel
scheuern scrub

der Schopf, ⸚e head of hair
sehen: es sieht nicht danach aus it does not look like it
die Sehnsucht longing
der Seiltänzer, – tightrope walker
stehlen, stahl, gestohlen steal
stolz proud
südlich southern
die Truppe, –n troupe
überhaupt at all *(For further meanings see p. 202.)*
verschwinden, verschwand, ist verschwunden disappear
die Vorstellung, –en show, performance
wetten bet, wager
der Zirkus, –se circus
die Zitrone, –n lemon
zurecht in order; **sich zurecht·machen** put oneself in order *(face, hands, clothes, etc.)*

KAPITEL XVIII

Erlebnisse in Bayern

(Fortsetzung)

Als wir vor die Haustür traten, sahen wir, daß der ganze Dorfplatz von Menschen umringt war, und auch aus den Fenstern des Gasthauses hingen mehrere Köpfe. Am Giebel des höchsten Hauses am Platz war das eine Ende des Seils befestigt, das sich dann über 5 den ganzen langen Markt hinstreckte, und dessen anderes Ende an einem hohen Metallgestell befestigt war, das die Truppe offenbar mit sich führte.

„Um Gottes willen", sagte Helene, „das ist ja grausig, seht euch das nur an — wie hoch das Seil gespannt ist! Und darunter der 10 steinerne Platz ohne Netz oder sonst was! Wenn einer da herunterfällt, ist es aber endgültig aus mit ihm!" „Ach was", sagte Toni, „die werden schon nicht fallen." „Guck, guck mal", rief Helene im lauten Flüsterton, „da steigt einer aus dem Fenster — und mit verbundenen Augen! Ogott, ich mag gar nicht hingucken."

15 Tatsächlich stieg in diesem Augenblick ein schlanker, weißgekleideter Mann mit außerordentlich langsamen und vorsichtigen Bewegungen aus dem Giebelfenster, in dem das Seil befestigt war. Mit verbundenen Augen tastete er sich aufs Seil hinauf, und dann sahen wir ihn auf einmal aufrecht auf dem Seil stehen. In den ausgestreckten 20 Händen hielt er eine lange Stange horizontal vor sich, um das Gleichgewicht zu bewahren. Langsam, aber ohne jemals einen Augenblick zu zögern, schritt er auf dem Seil entlang, bis er das andere Ende erreicht hatte. Es herrschte währenddessen eine vollkommene Stille auf dem Platz, und wir fühlten, daß die übrigen Zuschauer genau so 25 atemlos dastanden wie wir. Als der Mann glücklich angekommen war, brach die Menge in lauten Beifall aus und gleichzeitig ertönte ein großer Tusch aus dem Lautsprecher.

Dann hörten wir wieder eine kräftige Stimme aus dem Lautsprecher: „Und jetzt die Sensation des Abends! Der kleine Fidelio, 30 der jüngste Artist Deutschlands wird Ihnen jetzt sein eigenstes Kunststück vorführen. Mit der Geschwindigkeit des Windes wird er, aller Gefahr des Abgrundes trotzend, kopfunten das Seil hinuntergleiten."

„Ogottogott!" jammerte Helene, „das ist sicher unser Mignon!"

Und dann sahen wir ihn auch schon oben im Fenster in seinem weißen Matrosenanzug, und ehe wir es eigentlich gewahr wurden, sahen wir, wie er wirklich mit Windeseile das Seil, das jetzt ein wenig schräg gespannt war, hinunterrutschte. An einer Schlaufe aus Metall oder Leder, die an eine Art Kragen um seinen linken Knöchel befestigt war, rutschte er mit dem Kopf nach unten bis zum Ende des Seils. Es war wohl in Wirklichkeit nicht sehr gefährlich, aber es sah doch im wörtlichsten Sinne haarsträubend aus, denn sein volles, dunkles Haar hing dabei senkrecht herunter. Auch er bekam einen Tusch aus dem Lautsprecher und enormen Beifall von den Zuschauern.

„Bravo, bravo, Fidelio!" schrien Helene und ich, während wir mächtig klatschten.

Es kamen noch einige weitere Kunststücke auf dem Seil, währenddessen ein Mitglied der Seiltänzertruppe mit einem Teller unter den Zuschauern herumging und Münzen sammelte. Als Schluß und Höhepunkt fuhr ein behelmter Mann auf einem mächtig knatternden Motorrad bis zur Mitte des Seils, machte dort vor den atemlosen Zuschauern ein paar vollständige Saltos und fuhr ebenso knatternd zu seinem Ausgangspunkt zurück.

Während alles noch wild Beifall klatschte, sah ich den kleinen Fidelio, der ganz in unserer Nähe unter den Zuschauern stand und in größter Seelenruhe ein Tellerchen mit gemischtem Erdbeer- und Vanilleeis auslöffelte. Es schien ihm recht gut zu schmecken.

Nach der Vorstellung, als die Leute sich allmählich zerstreuten, gingen wir noch ein wenig auf dem Dorfplatz umher und sahen zu, wie die Männer der Truppe ihre Geräte auf einem Lastwagen zusammenpackten, während die Frauen sich in einen kleinen Wohnwagen zurückzogen, in dem sie offenbar durchs Land reisten.

Nach einer Weile aber sagte ich: „So, Kinder, ich gehe jetzt schlafen. So viel Aufregung ermüdet. Ich hab beinahe das Gefühl, als ob ich selbst auf dem Seil getanzt hätte. Mir ist ganz schwindlig." Die anderen meinten auch, es wäre genug für einen Tag, und wir verließen den Dorfplatz, der inzwischen still und dunkel geworden war, und gingen auf unsere Zimmer.

(*Fortsetzung folgt*)

ÜBUNGEN

A. Fragen

1. Wo waren die Leute, die die Künste der Seiltänzer sehen wollten? 2. Wo waren die beiden Enden des Seils befestigt? 3. Woher kam das Metallgestell? 4. Warum fand Helene die Einrichtung so grausig? 5. Was, meinte sie, würde geschehen, wenn einer da herunterfiele? 6. Was für einen Anzug hatte der Mann mit verbundenen Augen an? 7. Wie bewegte er sich? 8. Warum trug er die Stange vor sich? 9. Warum standen die Leute atemlos da? 10. Was haben sie getan, als er am anderen Ende des Seils angekommen war? 11. Was für eine Stimme ertönte aus dem Lautsprecher? 12. Wer war, nach dieser Stimme, der kleine Fidelio? 13. Was sollte er jetzt tun? 14. Wo war er? 15. Was trug er? 16. Was tat er nun? 17. Warum sah es so haarsträubend aus? 18. Was tat ein Mitglied der Truppe? 19. Was für ein Motorrad hatte der behelmte Mann? 20. Was machte er damit? 21. Wo war währenddessen Fidelio? 22. Was tat er? 23. Was tat die Menge gleich nach der Vorstellung? 24. Was haben Ingrid und ihre Freunde getan? (*Answer in present perfect.*) 25. Was taten die Männer der Truppe? 26. Was taten die Frauen? 27. Wie fühlte sich Ingrid? 28. Wohin gingen die Freunde?

B. Grammar Review: Subjunctive, pp. 162–164.

C. Vollenden Sie die folgenden Sätze!

1. Wenn das Seil nicht so hoch gespannt wäre, . . .
2. Der Seiltänzer könnte sich ein Bein brechen, wenn . . .
3. Wenn er die Stange nicht vor sich hätte, . . .
4. Wenn er beim Gehen gezögert hätte, . . .
5. Wenn Fidelio nicht so jung gewesen wäre, . . .
6. Die Leute würden nichts für die Vorstellung bezahlen, wenn . . .
7. Wenn die Gruppe keinen Wohnwagen hätte, . . .
8. Ich würde selber gern Seiltänzer werden, wenn . . .
9. Wenn ich einen Wohnwagen hätte, . . .
10. Ich hätte die Vorstellung in Steingaden gern mitangesehen, wenn . . .
11. Ihr war so schwindlig, als ob sie . . .

12. Es sah aus, als ob der Mann auf dem Seil . . .
13. Ich war so müde, als ob . . .

D. Using the following groups of words, write unreal conditional sentences, first in present tense, then in past.

1. Steingaden, kommen; Vorstellung, sehen
2. Seiltänzer, schwindlig; können
3. Fidelio, erzogen; Tisch, verlassen
4. Studenten, arbeiten, müssen; konnen
5. Zirkus, kommen; wir, gehen

E. Wortanalyse und Satzbildung:

1. stellen, das Gestell
2. binden, verbinden
3. das Gewicht, das Gleichgewicht
4. schauen, der Zuschauer
5. trotz, trotzen
6. voll, vollkommen, vollständig
7. ziehen, sich zurückziehen
8. offen, offenbar
9. müde, ermüden
10. recht, senkrecht
11. das Wort, wörtlich

F. Gespräche und Aufsätze

1. Ingrid unterhält sich mit Fidelio.
2. Was ich tun würde, wenn ich im Sommer nach Deutschland fahren könnte.
3. Was ich getan hätte, wenn ich im letzten Sommer nach Deutschland hätte fahren können.

G. Translate into German.

1. If the tightrope walker lost his (the) balance, he would certainly fall. 2. If he did not hold a long pole in his hands, he would not be able to maintain his (the) balance. 3. If I had stood among the spectators on the village square, I would probably have been just as breathless as the others. 4. If I ever go to Steingaden, I will probably not have the good fortune to see such a performance. 5. If little Fidelio had been a better brought up child, he would not have left the table while his parents were still eating. 6. While we were watch-

ing the performance the little boy stood beside us. 7. He had apparently completely forgotten his hair-raising experience. 8. If we had not had to drive on the next morning we would not have gone to bed so early.

VOCABULARY

atemlos breathless
die Aufregung excitement
aus·löffeln spoon up
behelmt helmeted
der Beifall applause
beinahe almost
bewahren keep, maintain
eigen own
die Eile haste, speed
das Eis ice cream, ice
ermüden make tired, tire
flüstern whisper
das Gerät, –e apparatus, implement
die Geschwindigkeit, –en speed
gewahr werden become aware of
das Gewicht, –e weight
der Giebel, – gable
das Gleichgewicht balance
gleiten, glitt, ist geglitten slide, glide
grausig horrible
herrschen reign, prevail
jemals ever
klatschen clap
knattern clatter, rattle
der Knöchel, – ankle
das Leder, – leather
meinen mean, think, be of the opinion, remark
das Mitglied, –er member
das Motorrad, ¨–er motorcycle
die Münze, –n coin
rutschen slide, slip
der Salto, –s somersault
sammeln collect
schlank slender
die Schlaufe, –n loop
schräg slanting, at a slant
schwindlig dizzy; **mir ist schwindlig** I feel dizzy
die Seelenruhe peace of mind, calmness
das Seil, –e rope
senkrecht perpendicular, vertical
die Stange, –n pole
tasten grope; **sich tasten** grope one's way
der Ton, ¨–e tone
trotzen defy
der Tusch, –e flourish, fanfare
der Wind, –e wind
der Wohnwagen, – house trailer
wörtlich literal
zerstreuen scatter
zögern hesitate
der Zuschauer, – spectator
zu·sehen, sah zu, zugesehen watch (*dat.*)

KAPITEL XIX

Erlebnisse in Bayern

(Fortsetzung)

Als Helene und ich am nächsten Morgen vor der Hoteltür standen und auf die beiden Jungens warteten, die eigentlich den Wagen vom Hotelhof holen sollten, sahen wir sie statt dessen aus einem kleinen Laden gegenüber auf uns zukommen.

„Hört mal", sagte Toni, als die beiden uns erreicht hatten, „wir können hier noch nicht weg. Wir sind eben in den Laden drüben gegangen, um ein paar Ansichtskarten zu kaufen, und der Mann da hat uns erzählt, daß hier heute ein großes Bauernbegräbnis stattfindet. Ein alter und wohlhabender Bauer aus dieser Gegend ist gestorben, und heute wird die Beerdigung gefeiert. Ein bayerisches Bauernbegräbnis ist doch etwas Besonderes, und ich finde, wir sollten uns die Sache ansehen."

Alle stimmten damit überein, und wir wanderten wartend ein wenig auf dem Dorfplatz umher. Es dauerte aber gar nicht lange, bis die Leute anfingen, sich zu versammeln. Die ersten, die wir sahen, waren eine Gruppe von sechs oder sieben Frauen in sehr schönen grünen Trachten mit schwarzen Schals um die Schultern und mit den für diese Gegend charakteristischen Gemsbärten an den Hüten.

„Da kommt der Trachtenverein!" sagte Fritz im Unterton. „Was heißt ‚Trachtenverein'?" erwiderte Helene. „Warum sollen die Bäuerinnen hier nicht ebensogut in Trachten gehen wie im Schwarzwald?" „Ja, ich weiß nur, was der Inhaber des Ladens uns erzählt hat. Die Frauen in dieser Gegend tragen kaum noch Trachten, und so hat man in vielen Dörfern einen Trachtenverein gebildet, damit wenigstens die Erinnerung an die schönen alten Trachten lebendig bleibt. Hier sind es, wie es scheint, die Männer, die an ihren alten Trachten festhalten. Seht mal da, die alten Männer in ihren kurzen Lederhosen!"

Während wir uns unterhielten, waren allmählich immer mehr Leute auf den Dorfplatz gekommen. Außer den Bauern in ihren

Lederhosen versammelte sich nach und nach vor dem Hotel eine Gruppe Männer mit Musikinstrumenten. Sie trugen Pumphosen aus dunkelgrauem Wildleder und leuchtend blaue Jacken, die offenstanden und weinrote Westen mit einer Reihe Silberknöpfe sehen 5 ließen. Ihre schwarzen Velourhüte waren von einer blau und weißen Kordel umschlungen.

Neben ihnen standen drei oder vier Männer in Schwarz oder auch in moosgrünen Tiroler Jacken zum schwarzen Beinkleid, die sich gegenseitig breite Schärpen über eine Schulter legten und 10 dann auf der Hüfte festbanden. Das waren wohl die Bannerträger verschiedener Vereine, wie zum Beispiel des Kriegervereins. Ihre Banner standen zusammengerollt gegen die Hotelmauer gelehnt, so daß man nur ihre schweren goldenen Fransen sehen konnte.

15 Nach einer Weile trat ein älterer Mann aus einer Gruppe Bauern hervor, stellte sich nicht weit von der Mitte des Platzes auf und rief kurze und klare Befehle aus, genau wie beim Militär. Die Leute wußten offenbar auch genau, was sie zu tun hatten, denn in ein paar Minuten hatte sich ein langer, geordneter Zug gebildet. 20 Manche von den alten Bauern, die gekommen waren, um ihrem verstorbenen Freund die letzte Ehre zu erweisen, waren ganz in Schwarz gekleidet, aber viele trugen auch das hellgraue oder dunkelgrüne Tiroler Jäckchen, das üblich in dieser Gegend ist. Es waren wunderbare „Charakterköpfe“ darunter: einfache aber kräftig ge- 25 prägte Gesichter mit tiefen Furchen und manchmal mit einem vollen weißen Schnurrbart. Ein sehr kleiner aber drahtiger Mann mit einer großen roten Nase hinkte möglichst würdig daher, aber die wirklich imposante Figur war ein sehr großer Bauer in Tirolerjäckchen und Lederhose, dessen langer weißer Bart ihm bis auf 30 die Brust reichte. Die Mitglieder der Kapelle mit ihren leuchtend blauen Jacken und glänzenden Musikinstrumenten und die Bannerträger mit ihren prächtigen goldbefransten Bannern gaben dem Zug eine festliche und fast freudige Note. Hinter den alten Männern kamen die jüngeren Männer und zum Schluß die Frauen, 35 hier auch die alten zuerst und dann die jungen.

Der Zug bewegte sich langsam zur Kirche hin, und wir folgten ihm in respektvoller Entfernung. Unmittelbar vor der Kirche bog er ab nach links durch ein Steintor in den Friedhof hinein, der direkt neben der Kirche lag. Als wir ankamen, standen die Leute 40 vor einer kleinen offenen Kapelle, wo der Priester im schwarzgoldenen Ornat über dem Sarg eine kurze Predigt hielt. Die Blechmusik hatte inzwischen Stellung genommen vor dem fast lebensgroßen Kruzifix in einem zweiten offenen Kapellchen, das an einer Seite des ummauerten Friedhofs stand.

Nun sahen wir, wie der Sarg von sechs Männern zu der Stelle 5 getragen wurde, wo das Grab bereit war. Der Zug folgte ihm, und alle standen um das Grab, während der Priester in schönen und lobenden Worten die Lebensgeschichte des Verstorbenen erzählte. Danach kamen noch zwei kurze aber kräftige Reden, offenbar von Vertretern der Vereine, denen der Tote angehört 10 hatte. Die Redner hielten große Kränze vor sich, während sie sprachen und legten diese zum Schluß auf den Sarg. Einer von diesen Kränzen war vom Kriegerverein, denn der Verstorbene hatte im ersten Weltkrieg mitgekämpft. Vielleicht war es auch deswegen, daß die Kapelle jetzt in gedämpften Tönen das bekannte 15 Soldatenlied „Ich hatt' einen Kameraden" spielte. Wir schraken richtig zusammen, als gleich darauf drei kräftige Böllerschüsse ertönten. „Das muß ein angesehener Mann gewesen sein", flüsterte Fritz mir zu, „der Böllerschüsse zu seinem Begräbnis bekommt."

Damit war die Feier auf dem Friedhof eigentlich zu Ende. Die 20 Gäste gingen jetzt in die Kirche zur Totenmesse, und jeder, als er an dem Sarg vorbeikam, hielt einen Augenblick davor und spritzte mit einem kleinen Tannenzweig ein wenig Weihwasser darauf.

Als der letzte des Zuges durch die Kirchentür getreten war, gingen auch wir hinein und nahmen in einem Seitengang Platz. Die volle, 25 ernste Musik der Totenmesse machte einen tiefen Eindruck auf uns in der herrlich und reich geschmückten Kirche. An einem bestimmten Punkt in der Messe verließen die Gäste, einer nach dem anderen, ihre Plätze, gingen nach vorne und brachten ihr „Totenopfer": jeder warf eine Münze in den Opferkasten. 30

(*Fortsetzung folgt*)

ÜBUNGEN

A. Fragen

1. Woher kamen Fritz und Toni? 2. Was hatten sie da gewollt? 3. Was sollte an diesem Tage in Steingaden stattfinden? 4. Wessen Begräbnis war es? 5. Warum, meinte Toni, sollten sich die Freunde

das Begräbnis ansehen? 6. Was haben die anderen dazu gesagt? (*Answer in present perfect.*) 7. Was für Leute versammelten sich zuerst? 8. Warum wollte Helene zuerst nicht glauben, daß dies ein Trachtenverein war? 9. Woher wußte Fritz, daß es ein Trachtenverein war? 10. Nennen Sie einen Unterschied zwischen Bayern und dem Schwarzwald! 11. Warum hatte man hier einen Trachtenverein gebildet? 12. Was trugen manche von den alten Männern? 13. Was hatten die Bannerträger an? 14. Wo waren die Banner? 15. Was für Befehle gab der Führer des Zuges? 16. Was taten die Leute, die zum Begräbnis gekommen waren? 17. Beschreiben Sie einige der alten Bauern! 18. Was für Jacken trugen die Mitglieder der Kapelle? 19. Was für Instrumente hatten sie? 20. Was für Banner sah man im Zug? 21. Wo gingen die jüngeren Männer? 22. Wer bildete den Schluß des Zuges? 23. Wohin bewegte sich der Zug? 24. Wo stand der Priester? 25. Wohin stellte sich die Blechmusik? 26. Von wem wurden Reden am Grab gehalten? 27. Woher wußte man, daß der Verstorbene Mitglied eines Kriegervereins gewesen war? 28. Wer durfte diesem Verein angehören? 29. Was bedeuteten die Böllerschüsse? 30. Was geschah in der Kirche?

B. Grammar Review: Idioms, pp. 187–191.

D. Schreiben Sie Sätze, in denen Sie folgende Wörter benutzen: Benutzen Sie dabei folgende Redensarten: pp. 187–191 — A 4, 6; B 1, 2, 4, 7, 9, 10, 12, 16; D 1, 2; E 1; J 1, 2, 5; K 1, 5.

D. Schreiben Sie Sätze, in denen Sie folgende Wörter benutzen:
1. zuerst 2. erst 3. erstens 4. sich bewegen 5. sich bilden 6. sich versammeln 7. sich etwas ansehen 8. mitkämpfen 9. mitbringen 10. mitsingen 11. mitkommen

E. Wortanalyse und Satzbildung
1. sehen, die Ansicht, die Ansichtskarte, angesehen
2. begraben, das Begräbnis
3. die Erde, die Beerdigung
4. haben, der Inhaber
5. ein, einig, der Verein
6. leben, lebendig, lebensgroß
7. gegen, gegenwärtig
8. reichen, erreichen

9. fern, sich entfernen, die Entfernung
10. treten, vertreten, der Vertreter
11. weihen, das Weihwasser

F. Gespräche und Aufsätze

1. Gespräch zwischen zwei Bauern über ihren verstorbenen Freund.
2. Eine kurze Beschreibung eines bayrischen Bauernbegräbnisses.

G. Translate into German.

1. I belong to a club and I wish to take part in the work of this club because I am interested in it. 2. I have got used to listening to the long speeches of the other members of the club. 3. But I do not always pay attention to everything that is said. 4. We are hoping for a better day tomorrow but, of course, everything depends on the weather. 5. I want to start out at 3 o'clock and would like to be sure that I can depend on you. 6. Would you like to eat lunch in a restaurant? For supper I will have to be home again. 7. Look, who is the tall man who is coming toward us? 8. I don't know who he is, but I am afraid of him, and I suggest that you look out for him too.

VOCABULARY

an·gehören belong to, be a member of
angesehen respected
die Ansichtskarte, –n picture postcard
der Bart, ⸚e beard
die Beerdigung, –en funeral
der Befehl, –e command, order
das Begräbnis, –se funeral
das Beinkleid, –er trousers
der Böllerschuß, ⸚sse salute (*with mortar or cannon*)
die Brust, ⸚e chest, breast
damit so that
dämpfen muffle
drahtig wiry
drüben over there
die Ehre, –n honor
erweisen, erwies, erwiesen show; **die letzte Ehre erweisen** pay the last respects
die Feier, –n celebration
die Franse, –n fringe
die Furche, –n furrow
gegenseitig mutual, to or for each other
der Gemsbart, ⸚e chamois beard
das Grab, ⸚er grave
heißen: was heißt . . . ? what do you mean . . . ?
hinken limp
die Hüfte, –n hip
der Inhaber, – proprietor
der Knopf, ⸚e button
die Kordel, –n cord
der Kriegerverein, –e veterans' club
das Kruzifix, –e crucifix
die Nase, –n nose
das Opfer, – sacrifice, offering
prägen stamp, imprint, mark
die Predigt, –en sermon

die Pumphose, –n knickerbockers
die Rede, –n speech
die Redensart, –en idiom
der Redner, – speaker
die Richtung, –en direction
der Sarg, ⸚e coffin
der Schal, –s shawl
die Schärpe, –n sash
schmücken decorate, adorn
schrecken, schrak, ist geschrocken: zusammenschrecken start in surprise
spritzen sprinkle, spurt
die Stelle, –n place
die Stellung, –en position
die Totenmesse, –n mass for the dead
unmittelbar direct
der Verein, –e club, society
verstorben deceased
der Vertreter, – representative, deputy
weihen dedicate
das Weihwasser holy water
das Wildleder, – suede leather
wohlhabend wealthy

Dorfplatz in Steingaden mit Kirche im Hintergrund rechts

Die Kirche in der Wies

Kirche in der Wies innen

Altes bayrisches Ehepaar

In Bayern tragen die Männer gern die kurze Lederhose

Auf dem Weg zur Kirche

KAPITEL XX

Erlebnisse in Bayern

(Fortsetzung)

Wir warteten nicht bis zum Ende der Totenmesse, sondern gingen leise hinaus und traten wieder auf den sonnigen aber jetzt fast leeren Dorfplatz, noch etwas benommen von all dem, was wir hier so unerwartet gesehen hatten. „In so einem Ort wie diesem", sagte Fritz, „hat der Dorfplatz doch noch wirklich viel von seiner früheren Bedeutung behalten. Er ist doch immer noch der Mittelpunkt des dörflichen Lebens. Das Einzige, was hier aus alter Zeit fehlt, ist der Brunnen, wo die Frauen und Mägde ihr Wasser für den Haushalt holen und sich dabei alle Neuigkeiten des Dorfes erzählen." „Die finden schon andere Gelegenheiten, den Dorfklatsch zu verbreiten", antwortete Toni. „Ich für meine Person bin froh, daß wir fließendes Wasser in unseren Zimmern haben, und ich denke, die Mägde werden auch ganz zufrieden sein, daß sie nicht mehr mit den schweren Wassereimern treppauf, treppab zu laufen brauchen."

„Ehe wir weiterfahren", sagte ich, „möchte ich mal in dieses kleine Geschäft hier gehen und sehen, was es da gibt. Wir müssen doch ein Reiseandenken aus Steingaden mitbringen."

In dem hübschen kleinen Laden, der das Hauptgeschäft des Dorfes zu sein schien, konnte man allerlei kaufen: Stoffe, Spielzeug, Ansichtskarten und Kurzwaren jeder Art. Die einzigen Ladendiener waren der noch ziemlich junge Inhaber und seine Frau. Beide begrüßten uns mit freundlichem Lächeln, und während der Mann sich mit unseren beiden jungen Herren beschäftigte, bediente die Frau uns Mädchen auf die netteste Art. Wir sahen uns allerlei Sachen an, besonders eine ganze Auswahl von hübschen Borten mit blau und roter Stickerei auf weißem Grund. Die Muster waren alle bayrisch oder tirolisch: Bauern und Bäuerinnen in Tracht, Bauernhäuser oder auch springende Hirsche. Es war natürlich keine Handarbeit, sondern Maschinenarbeit aus irgendeiner Fabrik, aber es sah doch sehr lustig und nett aus.

Nachdem wir uns eine ganze Reihe von Borten angesehen hatten, und die Frau uns sehr freundlich und geduldig allerlei Ratschläge gegeben hatte, wie man sie verwenden könnte, trafen wir unsere Auswahl und jede nahm ein paar Meter von verschiedenen Borten. 5 Fritz und Toni waren übrigens nicht ganz so geduldig. Ich merkte, wie sie ein paarmal vom anderen Ende des Ladens zu uns herübergeschaut hatten. Als sie sahen, daß die junge Frau unsere Einkäufe einwickelte und wir nun also endlich fertig waren, kamen sie zu uns herüber, und Toni sagte lächelnd: „Diese Frauen! 10 Man darf sie doch nicht durch eine Ladentür gehen lassen. Wenn sie mal drin sind, kommen sie nicht so bald wieder heraus!"

Als wir aus der Tür des Ladens herausgetreten waren, sagte Toni: „Während ihr Materialisten euch mit Kurzwaren und dergleichen beschäftigt habt, haben wir Männer, idealistisch wie wir sind, 15 uns mit Fragen der Kunst beschäftigt. Wir haben von dem übrigens sehr netten und aufgeweckten jungen Inhaber da drinnen erfahren, daß es hier in Steingaden noch die Reste eines Klosterganges aus dem Mittelalter gibt. Er hat mir auch genau erklärt, wie wir dahinkommen. Er liegt nämlich versteckt, und alleine hätten wir ihn 20 bestimmt nie gefunden. Also, mir nach, meine Damen, wenn ich bitten darf!"

Wir folgten ihm nun auf einem schmalen Fußweg rechts von der Kirche, bis wir an eine kleine Gartenpforte kamen. Als wir durch die Pforte getreten waren, befanden wir uns in einem 25 kleinen vernachlässigten und verwilderten Garten mit hohem Gras und hier und da einer einsamen Blume oder einem verstümmelten Bäumchen. Am anderen Ende des Gärtchens sahen wir die steinernen Pfeiler und romanischen Rundbögen des Kreuzganges. Als wir eintraten, hatten wir das Gefühl, als ob wir völlig abgetrennt wären 30 von der übrigen Welt. Das gotische Gewölbe und die einfachen, harmonischen Linien des Ganzen standen im starken Gegensatz zu dem prunkvollen Innern der Kirche, in der wir so kürzlich gewesen waren, und man fühlte deutlich, daß dieser Kreuzgang aus einer sehr alten und tief religiösen Zeit stammte. Der Eindruck 35 von Vergessenheit und Verlassenheit wurde sehr gestärkt durch den Blick auf den sonnengetränkten, verlassenen Garten. Wir gingen ein wenig auf und ab, ohne viel zu reden, aber endlich sagte Fritz: „Ich glaube, wir sollten uns nun aber auf den Weg machen, sonst wird die Zeit etwas knapp für die Kirche in der Wies, die 40 doch unser ursprüngliches Ziel war."

(*Schluß folgt*)

ÜBUNGEN

A. Fragen

1. Was hatten die Freunde so unerwartet in Steingaden gesehen? 2. Welche Bedeutung hatte der Hauptplatz eines Dorfes in alten Zeiten? 3. Was fehlte auf dem Dorfplatz in Steingaden? 4. Warum gingen die Frauen gern zum Brunnen? 5. Welche schwere Arbeit hatten die Hotelmägde früher? 6. Warum wollte Ingrid in den kleinen Laden gehen? 7. Was wurde da verkauft? 8. Was sind Kurzwaren? 9. Wie wurden die Freunde im Laden begrüßt? 10. Wie wurden die Mädchen bedient? 11. Was für Muster fand man auf den Borten? 12. Wo waren die Borten gemacht worden? 13. Was für Ratschläge gab die Frau den Mädchen? 14. Was ist der Unterschied zwischen Handarbeit und Maschinenarbeit? 15. Wie sahen die Borten aus? 16. Was tat die Frau, nachdem die Mädchen ihre Auswahl getroffen hatten? 17. Wie zeigten Fritz und Toni ihre Ungeduld? 18. Warum darf man Frauen nicht in einen Laden gehen lassen? 19. Wofür interessierten sich Toni und Fritz? 20. Was für ein Mann war der Inhaber des Ladens? 21. Wovon hatte er den jungen Männern erzählt? 22. Warum war der Klostergang schwer zu finden? 23. Was für ein Weg führte dahin? 24. Was für einen Garten sah man hinter der Pforte? 25. Was war darin? 26. Was für Pfeiler und was für Bögen hatte der Kreuzgang? 27. Was für ein Gefühl hatten die Freunde, als sie eintraten? 28. Was für ein Gewölbe sahen sie? 29. Was für Linien hatte das Ganze? 30. Was wollten die Freunde tun, nachdem sie ein wenig auf und ab gegangen waren?

B. Grammar Review: Idioms, pp. 187–191.

C. Schreiben Sie 19 Sätze über Steingaden. Benutzen Sie dabei folgende Redensarten: pp. 187–191 — A 1, 2, 5; B 3, 8, 11, 14; C 1, 2; F 1; G; H; I 1; J 4; K 2, 4, 6, 8.

D. Wortanalyse und Satzbildung

1. nehmen, benommen
2. warten, erwarten
3. breit, verbreiten

4. die Ware, die Kurzwaren
5. stecken, verstecken
6. wild, verwildert
7. fühlen, das Gefühl
8. gegen, der Gegensatz
9. springen, der Ursprung, ursprünglich

E. Gespräche und Aufsätze
1. Beim Einkauf in einem deutschen Laden.
2. Beim Einkauf in einem amerikanischen Laden.
3. Einige Frauen unterhalten sich am Brunnen auf dem Dorfplatz.

F. Translate into German.

1. A week ago I returned from a trip to Germany. 2. While I was there I thought of you very often, although I did not have an opportunity to write to you. 3. I had been looking forward to this trip for a whole year. 4. Now I am going to tell you a little about a small village where we had a chance to see all kinds of interesting things. 5. Immediately after our arrival, we met an old farmer in leather pants and asked him for information. 6. We wanted to see the remnants of an old cloister and he answered our questions very politely. 7. It was Sunday and he was on the way to church. 8. We had to go to the cloister on foot. 9. I will always remember this beautiful old cloister. 10. It was partly Gothic and partly Romanesque. 11. It was entirely of stone. 12. Later we also saw the church which, in contrast to the cloister, is very magnificent, and then I understood for the first time why the people here are so proud of their church.

VOCABULARY

die Auswahl, –en choice; **eine Auswahl treffen** make a choice
benommen dazed, confused
die Borte, –n border, braid
der Eimer, – pail
erwarten expect; **unerwartet** unexpected
die Fabrik, –en factory
fehlen be lacking
die Frage, –n question
froh glad
geduldig patient
die Gelegenheit, –en opportunity
das Gewölbe, – vaulting
der Haushalt, ⸚er household
der Hirsch, –e stag
das Inner- interior
der Klatsch gossip
der Klostergang, ⸚e cloister

knapp scanty, brief, tight
der **Kreuzgang, ⸚e** cloister
die **Kurzwaren** (*pl.*) notions
der **Ladendiener, –** sales clerk
das **Mittelalter** Middle Ages
die **Person, –en: ich für meine Person** as far as I am concerned
die **Pforte, –n** gate
prunkvoll highly decorative, magnificent
der **Ratschlag, ⸚e** piece of advice
der **Rest, –e** remnant
der **Rundbogen, ⸚** Roman arch
stammen originate, be derived
stellen place, put
die **Stickerei, –en** embroidery
der **Stoff, –e** material, cloth
die **Treppe, –n** stairway; **treppauf, treppab** up and down the stairs
ursprünglich original
verbreiten spread
verstecken hide, conceal
verstümmeln cripple
verwildern grow wild, run to seed
das **Ziel, –e** goal, object

KAPITEL XXI

Erlebnisse in Bayern

(Schluß)

Als wir dann ein paar Minuten später im Auto saßen und durch die wunderschöne grüne Hügellandschaft fuhren, sagte Fritz: „Wißt ihr, daß wir eine richtige Entdeckung gemacht haben? Die Kirche in Steingaden wird ‚das Bilderbuch der Kunstgeschichte‘ 5 genannt.“ „Was soll das heißen?“ erwiderte Toni schnell, „Und woher hast du übrigens deine Weisheit?“ „Nur nicht so frech“, antwortete Fritz. „Während du dich mit dem Mann in dem Laden unterhieltest, habe ich in einem Buch geblättert, das da ausgestellt war, und da hab’ ich gelesen, daß die Steingadener Kirche aus sehr 10 alter Zeit stammt, aber im Laufe der Jahrhunderte viele Änderungen erfahren hat, so daß man heute noch viele verschiedene Elemente darin finden kann: spät Romanisches, früheste Gotik, Anfänge der Renaissance und höchstes Rokoko.“

„Wie interessant“, rief Helene, „und wie schade, daß wir das 15 nicht vorher gewußt haben. Dann hätten wir doch alles mit viel mehr Verständnis angesehen.“

„Aber es stimmt, was Fritz sagt“, rief ich. „Erinnert ihr euch nicht, wie verschieden die Eindrücke von dem Blick auf den Altar und dem auf die Orgelempore waren? Sogar ich, obwohl ich 20 beinahe nichts von Architektur verstehe, fühlte, daß diese leichte Konstruktion der Orgelempore aus Weiß und Gold reinstes Rokoko war und richtig zwischen Himmel und Erde zu schweben schien, während Altar und Chor einen viel schwereren Eindruck machten.“

„Ja“, sagte Toni, „im Chor sind noch Elemente der Renaissance. 25 Und dann ist da ja auch noch der Klostergang mit seinen schlichten romanischen Bögen und dem gotischen Deckengewölbe. Es stimmt, was du gesagt hast, Fritz. Die Steingadener Kirche ist wirklich ein Bilderbuch der Kunstgeschichte.“

Bei dieser Unterhaltung hatten wir, fast ehe wir es gewahr wur- 30 den, die Straßenkreuzung erreicht, an der wir nach rechts abbiegen mußten, und dann sahen wir auch schon unser Ziel: die berühmte

Kirche in der Wies, die im achtzehnten Jahrhundert als Wallfahrtskirche gebaut wurde. Sie stand da auf offener Wiese fern von jeder Ortschaft. Der schöne gelb und weiße Turm ragte in den blauen, leicht bewölkten Himmel hinein, und rund herum standen einige Bäume: Tannen und auch Laubbäume. 5

Da die Wieskirche sehr viel von Fremden besucht wird, gibt es ein paar Gastwirtschaften ganz in der Nähe und auch einen Parkplatz, wo wir unseren Wagen abstellten und dann das letzte Stückchen bis zum Kircheneingang zu Fuß gingen. Wir traten zuerst in eine kleine Vorhalle und dann in den Hauptraum der Kirche — und 10 blieben alle still stehen, überwältigt von der leuchtenden und farbigen Herrlichkeit vor unseren Augen. Die Sonne strömte durch die hochgelegenen Fenster und ließ den ganzen ovalen Raum wie in Regenbogenfarben schillern. Es war eine große Farben- und Formenharmonie. Gleichzeitig war der Raum von Orgelmusik 15 erfüllt, und auch die feierlich jubelnden Töne wurden aufgenommen in die Harmonie des Ganzen.

Nachdem wir einige Augenblicke ganz still dagestanden hatten, fingen wir an, uns umzusehen, um die Eizelheiten, die diese wunderbare Harmonie bildeten, in uns aufzunehmen. Vor dem außeror- 20 dentlich prächtigen Altar mit seinen rosa Säulen und dem Altarbild mit breitem, reich geschmücktem Goldrahmen fand gerade eine Trauung statt, und Braut und Bräutigam knieten vor den brennenden Kerzen, sie in weißem Kleid und Schleier, er in feierlichem Schwarz. Weder das Brautpaar noch der Priester kümmerten sich 25 um die vielen Fremden, die zur Besichtigung der Kirche da waren. Wir hielten uns in den Seitengängen auf, bis die Trauung zu Ende war und das junge Paar, gefolgt von der kleinen Gruppe der Hochzeitsgäste, durch den Mittelgang hinausgegangen war. Dann wanderten auch wir genau wie alle die anderen Fremden in der Kirche 30 umher und bewunderten die Einzelheiten des Raumes. Wo man auch stand, ob in der Mitte unter dem ovalen Deckengemälde oder in einem Seitengang zwischen den schneeweißen Säulen mit ihren goldbeschnörkelten Kapitellen, immer hatte man einen märchenhaft schönen Blick. 35

Als wir endlich wieder hinaustraten, sagte ich: „Ich hätte nie gedacht, daß eine Kunst von solcher Eleganz und scheinbar übertriebenen Ornamentik einen solchen Eindruck von echtem religiösem Gefühl hervorrufen könnte. Es bleibt doch wahr, daß jede Kunstform, wenn sie echt und ehrlich gewachsen ist, schön ist auf ihre 40 eigene Art. Ob sie schlicht und einfach ist wie das Romanische oder wie zum Beispiel die Architektur von heute, oder ob sie sich so hemmungslos wie hier der Ornamentik hingibt, scheint keine Rolle dabei zu spielen."

5 Die Kirche in der Wies war Höhepunkt und Ende unserer kleinen Ferienreise, und wir fuhren nun zurück in unsere Heimatstadt in Norddeutschland, wo der Alltag und die Arbeit uns wie immer erwarteten.

ÜBUNGEN

A. Fragen

1. Durch was für eine Landschaft fuhren die Freunde jetzt? 2. Wie nennt man manchmal die Steingadener Kirche? 3. Woher hatte Fritz seine Weisheit? 4. Warum nennt man die Kirche ein „Bilderbuch der Kunstgeschichte"? 5. Was hätte Helene getan, wenn sie das früher gewußt hätte? 6. Woran erinnerte sich Ingrid jetzt? 7. Wie viel versteht sie von der Architektur? 8. Welche Farben sah man an der Orgelempore? 9. Was für Elemente konnte man im Chor feststellen? 10. Was für Bögen hatte der Klostergang? 11. Was für ein Deckengewölbe hatte er? 12. Wo mußten die Freunde nach rechts abbiegen? 13. Zu welchem Zweck ist die Kirche in der Wies gebaut worden? 14. Wo steht sie? 15. Wie konnte man gleich feststellen, daß die Kirche viel von Fremden besucht wird? 16. Was taten die Freunde mit ihrem Auto? 17. Warum blieben sie stehen, als sie in den Hauptraum der Kirche eingetreten waren? 18. Von welcher Form war dieser Raum? 19. Was für Töne hörten sie, als sie eintraten? 20. Was taten sie nach einigen Augenblicken? 21. Warum wollten sie sich umsehen? 22. Was für einen Altar hatte die Kirche? 23. Was für einen Rahmen hatte das Altarbild? 24. Was für ein Kleid trug die Braut bei der Trauung? 25. Was für einen Anzug trug der Bräutigam? 26. Was haben die Freunde während der Trauung getan? 27. Wer folgte dem jungen Paar beim Verlassen der Kirche? 28. Nennen Sie einige Einzelheiten aus dem Innern der Kirche! 29. Was für einen Eindruck hatte das Ganze auf die jungen Leute gemacht? 30. Wohin mußten sie jetzt zurück?

B. Grammar Review: Idioms, pp. 187–191, 193–194.

C. Schreiben Sie 17 Sätze über die letzten beiden Kapitel von Steingaden! Benutzen Sie dabei folgende Redensarten: pp. 187–191 — A 1; B 2, 3; C 1, 2; D 1, 2; E; F 2; G 3; H 2; I; K b; pp. 193–194 — III 1, 5, 8, 9.

D. Wortanalyse und Satzbildung
1. decken, die Decke, entdecken, die Entdeckung
2. das Blatt, blättern
3. stellen, ausstellen
4. ander-, anders, die Änderung
5. halten, sich unterhalten, die Unterhaltung
6. der Ort, die Ortschaft
7. die Wolke, bewölkt
8. gehen, eingehen, der Eingang
9. ein, einzeln, die Einzelheit
10. nehmen, aufnehmen
11. die Braut, der Bräutigam
12. wahr, gewahr

E. Gespräche und Aufsätze
1. Ingrid spricht mit ihren Eltern oder mit Freunden zu Hause über die Steingadener Kirche und die Kirche in der Wies.
2. Beschreiben Sie die Kirche, die Sie am besten kennen, und vergleichen Sie sie mit der Kirche in der Wies!
3. Toni, Fritz, Helene und Ingrid sprechen auf dem Weg nach Hause über alles, was sie in Steingaden gesehen und erlebt haben.

F. Translate into German.

1. While the wedding ceremony was taking place in front of the altar, Ingrid and Toni seated themselves on a bench. 2. Ingrid said, "It really annoys me that so many of the tourists are still walking around." 3. Toni answered, "But don't you see that neither the bride nor the groom is paying any attention to them?" 4. "You are right, but I am surprised that the people don't wait until the wedding ceremony is over (at an end)." 5. Before the bridal couple left the church, they stopped for a moment in front of the altar and Ingrid said, "Oh, I can tell by looking at the bride that she is very happy." 6. "Of course she is happy," replied Toni, "but what do you think of her dress?" 7. "I consider it one of the prettiest

dresses that I have ever seen; it must consist of very expensive material." 8. The friends were very glad that they had seen the wedding ceremony, but they were sorry that they could not stay (*sich aufhalten*) longer in the church.

VOCABULARY

die Architektur, –en architecture
sich auf·halten stay, linger
beschnörkelt adorned with flourishes and scrolls
die Besichtigung, –en viewing, seeing
die Braut, ⸚e bride
der Bräutigam, –e bridegroom
die Decke, –n ceiling
echt genuine
die Einzelheit, –en detail
das Element, –e element
die Entdeckung, –en discovery
erfahren, erfuhr, erfahren experience
frech impudent, "fresh"
das Gemälde, – painting
die Hemmung, –en inhibition; **hemmungslos** uninhibited
der Himmel, – sky, heaven
die Hochzeit, –en wedding
jubeln rejoice
das Kapitell, –e capital (*of a pillar*)
sich kümmern um concern oneself about, pay attention to
der Laubbaum, ⸚e tree with green foliage
märchenhaft fabulous, fantastic
die Orgel, –n organ
die Orgelempore, –n organ gallery
die Ortschaft, –en town
ragen jut
der Rahmen, – frame
schade too bad
scheinbar seemingly, apparently
schillern gleam in a variety of colors
der Schleier, – veil
schlicht unadorned, plain
schweben float
stimmen be correct, be right
die Trauung, –en wedding ceremony
übertreiben, übertrieb, übertrieben exaggerate
die Vorhalle, –n vestibule
wahr true
die Wallfahrt, –en pilgrimage
die Wiese, –n meadow
wo . . . auch wherever

KAPITEL XXII

Die Gründung der Freien Universität Berlin

„Die Freie Universität Berlin ist Deutschlands jüngste Universität.“ Mit diesen Worten beginnt „Die Gründungsgeschichte unserer Universität“, wie sie in dem „Studienführer“ der Freien Universität Berlin 1957 erschien. Dieser Bericht interessiert uns nicht nur als ein Stück jüngster Geschichte, sondern noch viel mehr als ein Beispiel von der Tatkraft und dem Mut junger Menschen, die sich mit Erfolg gegen eine staatliche Tyrannei aufgelehnt haben.

Als der zweite Weltkrieg im Jahre 1945 zu Ende war, lag Berlin in Trümmern. Auch die Hauptgebäude der berühmten Berliner Universität, die im Jahre 1810 von Wilhelm von Humboldt gegründet worden war, waren fast vollständig zerstört. Da die Universität im sowjetischen Sektor Berlins lag, und da die Westmächte in den ersten Monaten nach Kriegsende kein besonderes Interesse an ihrem Schicksal zeigten, wurde sie von der sowjetischen Militärregierung der Zentralverwaltung ihrer eigenen Besatzungszone unterstellt. Dies war der Anfang einer tragischen Entwicklung, denn damit verlor der Westen allen Einfluß auf die Universität, auch für die Zukunft. Gleich darauf wurde ein neuer Rektor eingesetzt, der sich sehr bald als ein williges Werkzeug der östlichen Machthaber zeigte.

Materiell wurde viel für den Aufbau der Universität getan, so daß sie schon gegen Ende Januar 1946 offiziell eröffnet werden konnte. Ideel aber sah die Sache anders aus. Von der akademischen Freiheit, wie man sie seit Jahrhunderten in Deutschland gewohnt war, war nicht mehr viel zu merken. Es gab genaue Lehrpläne für Dozenten wie für Studenten. Und außerdem gab es „Pflichtvorlesungen allgemeinverbindlichen Charakters“, die als „Einführung in das politische und soziale Verständnis der Gegenwart" angekündigt waren.

Die Studenten waren zuerst glücklich über die Gelegenheit, allgemeine politische Vorlesungen zu hören. Alle hatten den furcht-
5 baren Zusammenbruch ihres Landes miterlebt und glaubten, daß die politische Unkenntnis so vieler gebildeter Deutscher viel dazu beigetragen hatte. Sie selbst wollten nicht den gleichen Fehler machen und waren gern bereit, sich politisch unterrichten zu lassen. Wie enttäuscht waren sie daher, als es sich bald herausstellte, daß
10 diese sogenannten allgemeinen politischen Vorlesungen nichts anderes waren als kommunistische Schulungskurse. War es nicht derselbe Zwang wie unter den Nazis?

Noch ein anderes Moment kam hinzu, worüber die Studenten sich schwer beklagten. Es handelte sich um die Methoden, die bei
15 der Zulassung der Studenten angewandt wurden. Offiziell wurde die Auswahl zwar von unabhängigen Kommissionen getroffen, aber jeder wußte, daß die wirkliche Entscheidung bei der kommunistischen Behörde lag. Da viel mehr junge Leute sich zum Studium meldeten als zugelassen werden konnten, war die Frage der Aus-
20 wahl außerordentlich wichtig. Natürlich waren alle diejenigen ausgeschlossen, die irgend etwas mit der nationalsozialistischen Partei zu tun gehabt hatten, auch solche, die der Hitlerjugend angehört hatten. Zugelassen wurden als erste alle, die der kommunistischen Partei oder einer ihrer Hilfsorganisationen angehörten, was
25 dazu führte, daß viele Studienbewerber dieser Partei beitraten, nur um zum Studium zugelassen zu werden. Außerdem ließ man junge Leute zu, die nicht die normale Vorbildung (Abitur) hatten, sondern stattdessen in einer kommunistischen „Vorstudienanstalt" kurz geschult worden waren. Die Absicht der Behörde war dabei
30 natürlich, daß Kommunisten die Mehrzahl der Studentenschaft bilden sollten.

(Fortstetzung folgt)

ÜBUNGEN

A. Fragen

1. Warum interessiert uns die Geschichte von der Gründung der Freien Universität Berlin? 2. Was war während des zweiten Welt-

krieges aus der Berliner Universität geworden? 3. Wieso gelang es der sowjetischen Militärregierung, Gewalt über die Universität zu bekommen? 4. Was bedeutete das für die Entwicklung der Universität? 5. Als was zeigte sich der neue Rektor? 6. Wie half die Sowjetregierung der Universität? 7. Woran war man seit Jahrhunderten an deutschen Universitäten gewöhnt? 8. Welche grundsätzlichen Änderungen wurden jetzt gemacht? 9. Was ist eine Pflichtvorlesung? 10. Was erhofften die Studenten von den politischen Vorlesungen? 11. Wozu waren sie gern bereit? 12. Warum waren sie so sehr enttäuscht von diesen Vorlesungen? 13. Woran erinnerte sie all dies? 14. Worüber beklagten sich die Studenten? 15. Was war der Unterschied zwischen der offiziellen und der wirklichen Zulassungsmethode? 16. Warum war die Frage der Auswahl der Studenten so wichtig? 17. Welche Studienbewerber schloß man grundsätzlich aus? 18. Welche wurden natürlich zugelassen? 19. Wozu führte eine solche Politik bei den jungen Leuten? 20. Welche Absicht hatte die kommunistische Behörde dabei?

B. Benutzen Sie folgende Wörter in Sätzen!

1. allgemein, Schicksal
2. angehören, Partei
3. gehören, Gebäude
4. beitragen, Geld
5. sich beklagen, Pflichtvorlesung
6. enttäuschen, Erwartung, Mehrzahl
7. handeln, müssen, Studenten
8. es handelt sich um, Freiheit
9. sich herausstellen, Absicht, Behörde
10. zulassen, Mitglieder

C. Machen Sie eine Liste von allen Wörtern in diesem Kapitel, die mit dem Studium zu tun haben! Wissen Sie noch andere?

D. Wortanalyse und Satzbildung

1. die Tat, die Tatkraft
2. lehnen, sich auflehnen
3. der Grund, gründen, die Gründung
4. schicken, das Schicksal
5. lesen, die Vorlesung
6. stellen, sich herausstellen

7. zwingen, der Zwang
8. lassen, zulassen, die Zulassung
9. wenden, anwenden, verwenden
10. hängen, abhängig, unabhängig
11. schließen, ausschließen
12. treten, beitreten
13. bilden, die Bildung, die Vorbildung
14. zählen, die Zahl, die Mehrzahl

E. Aufsätze und Gespräche

1. Ein Berliner Student, der im zweiten Weltkrieg gekämpft hat, beschreibt die Verhältnisse in der Universität.
2. Zwei Berliner Studenten unterhalten sich über die Lage in der Universität.

F. Translate into German.

1. We should all be interested in the history of the founding of the Free University. 2. During the Nazi time many young Germans had been forced to join the Hitler Youth. 3. These young people were of course not admitted to the university. 4. It was too bad, for it was just these young men who now wanted a good general education. 5. Hence they were very disappointed when they were excluded from the university. 6. In these first years the governing board succeeded in excluding many applicants. 7. Many students who were finally admitted complained about the required lectures. 8. Little by little more and more students rebelled against the compulsion under which they had to live. 9. It soon became clear that the majority of the student body did not wish to belong to the Communist Party.

VOCABULARY

das Abitur final comprehensive secondary school examination
allgemein general
allgemeinverbindlich required of all
an·kündigen announce
an·wenden, wandte an, angewandt make use of, apply
sich auf·lehnen rebel
aus·schließen, schloß aus, ausgeschlossen exclude
die Behörde, –n governing board, governmental authority
bei·tragen, trug bei, beigetragen contribute
bei·treten, trat bei, ist beigetreten join
beklagen pity, deplore; **sich beklagen** complain
der Bericht, –e report
berichten report
bilden educate

die Bildung education
daher hence
der Dozent, –en, –en university instructor
die Einführung, –en introduction
die Entscheidung, –en decision
enttäuschen disappoint
der Erfolg, –e success
die Gegenwart present time
gewohnt accustomed to
gründen found
die Gründung founding
handeln act; **es handelt sich um** it is a question of, it is about
sich heraus·stellen become apparent
die Hitler Jugend Hitler Youth, the schoolboys' organization under the National Socialist regime
das Interesse, –n interest
der Kurs, –e course
der Lehrplan, ⸚e course of study
die Mehrzahl, –en majority
sich melden announce oneself, apply
die Methode, –n method
das Moment, –e consideration, point
der Monat, –e month
die Partei, –en party
die Pflicht, –en duty
die Pflichtvorlesung, –en required lecture
der Rektor, –en university president
das Schicksal, –e fate
die Studentenschaft, –en student body
der Studienbewerber, – applicant for admission to a university
der Studienführer, – university bulletin
die Tatkraft energy
unabhängig independent
die Unkenntnis ignorance, lack of knowledge
unterrichten teach
die Vorstudienanstalt, –en institution set up to prepare applicants for university study
das Werkzeug, –e tool
zu·lassen, ließ zu, zugelassen admit, grant admission
die Zulassung admission
der Zusammenbruch, ⸚e collapse
der Zwang force, compulsion

KAPITEL XXIII

Die Gründung der Freien Universität Berlin

(Fortsetzung)

Es ist ein großes Verdienst der Studenten, daß sie sehr früh die Gefahr erkannten, die all dies für die Universität bedeutete, denn man muß bedenken, daß das meiste nicht in der Öffentlichkeit sondern hinter den Kulissen geschah. Und die westliche Welt hatte 5 damals durchaus noch nicht erkannt, was die kommunistische Diktatur, mit deren Hilfe man die nationalsozialistische Diktatur besiegt hatte, bedeuten sollte. Die Studenten erkannten, daß die erste wichtige Aufgabe der Universität die war, das Zulassungswesen in die eigene Hand zu bekommen. Zwar haben einzelne Professoren 10 versucht, etwas in der Sache zu tun, aber alle solche Bemühungen waren vergebens, und es blieb der Studentenschaft überlassen, den Kampf durchzuführen.

Gerade weil die Studenten, von denen manche aus dem Krieg oder aus nazistischen Konzentrationslagern kamen, in ihren Er- 15 wartungen so bitter enttäuscht worden waren, waren sie es, die den Kampf gegen die neue Diktatur mit der größten Zähigkeit aufnahmen. Es war ihnen sehr früh klar geworden, daß die Universität nicht ein freies Bildungsinstitut, sondern eine parteipolitsch gelenkte Fachschule werden sollte. Schon im November 1945 war 20 der demokratisch gesinnte Zentralausschuß der Berliner Studentenschaft durch die vorwiegend kommunistische „Studentische Arbeitsgemeinschaft" ersetzt worden. Diese sollte als Werkzeug der kommunistischen Behörde dienen. Aus Tarnungsgründen aber setzte man nicht einen Kommunisten als Vorsitzenden ein, sondern 25 einen kürzlich aus dem Konzentrationslager befreiten Studenten der Medizin namens Georg Wradzilow. Dieser jedoch enttäuschte die Behörde, indem er sich nicht als Werkzeug benutzen ließ, sondern wirklich Politik trieb und die Arbeitsgemeinschaft in überparteilich-demokratischem Sinne führte.

Die Folge war natürlich, daß Wradzilow sehr bald abgesetzt wurde. Da die Zentralverwaltung aber die Hoffnung noch nicht aufgegeben hatte, die Studenten für sich zu gewinnnen, erlaubte sie 5 ihnen, den neuen Vorsitzenden selbst zu wählen. Das Resultat: es wurde ein Nicht-Kommunist gewählt, dem es gelang, mit Hilfe anderer demokratischer Studenten die Bolschewisierung der Universität zu verlangsamen. Die schamlosen Manipulationen in der Zulassungspolitik wurden enthüllt, was zu einem solchen öffent- 10 lichen Skandal führte, daß die Verwaltung das Versprechen gab, mit dieser Art Politik Schluß zu machen. Dieses Versprechen wurde jedoch nicht eingehalten.

Nachdem die Verwaltung noch einige völlig erfolglose Versuche gemacht hatte, durch Wahlen kommunistische Studenten in führende 15 Stellungen einzusetzen, griff sie zum Mittel des Terrors. Im März 1947 wurden Wradzilow und einige andere Studenten verhaftet und wegen „geheimer faschistischer Tätigkeit" zu langen Zuchthausstrafen verurteilt. (Nach fast zehnjähriger Gefangenschaft wurden diese Studenten „begnadigt" und freigelassen!) 20

Die Berliner Studenten aber ließen sich nicht durch diesen Terrorakt einschüchtern. Sie bestanden weiter auf ihre Rechte, und es gelang ihnen, die Aufmerksamkeit eines größeren Publikums, auch im Auslande, auf die Lage in Berlin zu lenken. Schon seit längerer Zeit hatten sich verschiedene Stimmen erhoben für die Gründung 25 einer freien Universität im westlichen Sektor Berlins.

Mitte April 1948 geschah etwas, das wie eine explosive Kraft wirkte und schließlich zur entscheidenden Tat führte. Drei führende Studenten wurden ohne Rechtsverfahren relegiert. Zwei von ihnen waren Herausgeber des „Colloquiums", einer Studentenzeitschrift, 30 die im amerikanischen Sektor lizensiert war. Da das „Colloquium" sehr gut informiert war über die Zustände in der Sowjetzone und in Ostberlin, konnte es einem großen Leserkreise die Wahrheit darüber berichten. Es ist klar, daß dies der Sowjetverwaltung höchst unangenehm war, und es gelang ihnen natürlich auch, einen Vor- 35 wand zu finden, die „Friedensstörer" zu relegieren.

(Schluß folgt)

ÜBUNGEN

A. Fragen

1. Warum waren die Absichten der Sowjetregierung zuerst so schwer zu erkennen? 2. Warum waren die Westmächte zuerst gewillt, freundlich gegen die Sowjets zu sein? 3. Was war die erste wichtige Aufgabe der Universität? 4. Warum mußten die Studenten selber den Kampf um diese Sache führen? 5. Was für Erlebnisse hatten manche Studenten hinter sich? 6. Was wollten die Sowjets aus der Universität machen? 7. Was war der Unterschied zwischen dem „Zentralausschuß der Studentenschaft" und der „studentischen Arbeitsgemeinschaft"? 8. Was erhoffte die Behörde von der „Arbeitsgemeinschaft"? 9. Wen setzte man als Vorsitzenden ein? 10. Warum nahm man keinen Kommunisten für diesen Posten? 11. Was tat Wradzilow gegen Erwartung der Behörde? 12. Warum erlaubte man den Studenten, selbst einen neuen Vorsitzenden zu wählen? 13. Was gelang dem neuen Vorsitzenden? 14. Was war die Folge von der Enthüllung der Manipulationen in der Zulassungspolitik? 15. Was versuchte man durch Wahlen zu erreichen? 16. Was für ein Terrorakt fand im März 1947 statt? 17. Wie lange wurden die Studenten im Zuchthaus festgehalten? 18. Worauf bestanden die Studenten trotz des Terrors? 19. Wovon hatte man schon seit längerer Zeit gesprochen? 20. Welche Tat war es, die 1948 wie eine explosive Kraft wirkte? 21. Was war das „Colloquium"? 22. Wieso hatte das „Colloquium" die Möglichkeit, eine entscheidende Rolle zu spielen?

B. Benutzen Sie folgende Wörter in Sätzen!

1. absetzen, Vorwand
2. ersetzen, Führer
3. bedenken, Gefahr
4. eigen, Politik
5. einige, Studenten
6. Verdienst, Ernst Reuter
7. Zeitschrift, herausgeben
8. Zeitung, wöchentlich
9. Ausland, enthüllen
10. vergebens, einschüchtern

C. Wortanalyse und Satzbildung

1. dienen, das Verdienst
2. denken, bedenken
3. offen, öffentlich, die Öffentlichkeit
4. das Werk, das Werkzeug
5. sitzen, der Vorsitzende
6. setzen, absetzen, ersetzen
7. langsam, verlangsamen
8. merken, die Aufmerksamkeit
9. scheiden, sich entscheiden, entscheidend
10. die Schrift, die Zeitschrift
11. stehen, der Zustand
12. die Gnade, begnadigen
13. wenden, der Vorwand

D. Gespräche und Aufsätze

1. Die zwei Herausgeber des „Colloquiums" unterhalten sich über einen Artikel, den sie für ihre Zeitschrift schreiben wollen.
2. Ein Artikel für das „Colloquium."

E. Translate into German.

1. The Berlin students fought long and hard for their freedom, but it is not my intention to tell you all details of this battle. 2. After all promises of the governing board had been broken, the students decided to take (the) things into their own hands. 3. They had got thoroughly acquainted with the policy of the governing board, and it was not easy to intimidate them. 4. The new chairman of the communistic study group was to be a tool of the government. 5. When he did not let himself be intimidated, he was immediately dismissed. 6. Under the pretext that they had taken part in fascist activity, several students were expelled. 7. The editors of the "Colloquium" reported all these things in their magazine.

VOCABULARY

ab·setzen dismiss
angenehm pleasant
die Arbeitsgemeinschaft, –en study group
die Aufmerksamkeit attention
das Ausland foreign countries
der Ausschuß, ⸚sse committee, board
bedenken, bedachte, bedacht consider

begnadigen pardon
die Bemühung, –en endeavor, effort
besiegen conquer
dienen serve
durchaus completely; **durchaus nicht** by no means
ein·schüchtern intimidate
enthüllen uncover
erlauben allow
ersetzen replace
die Fachschule, –n training school
die Folge, –n result
der Friedensstörer, – disturber of the peace
geheim secret
geschehen, geschah, ist geschehen happen
gesinnt minded
greifen, griff, gegriffen seize
der Herausgeber, – editor
die Kraft, ⸚e power, strength
die Kulisse, –n stage scenery
lenken direct, lead
parteipolitisch according to party politics
das Rechtsverfahren, – legal proceedings
der Schluß, ⸚sse end; **Schluß machen mit** make an end of
der Sinn, –e sense
der Skandal, –e scandal
die Strafe, –n punishment
die Tarnung camouflage; **aus Tarnungsgründen** for reasons of camouflage
der Terror terror
treiben, trieb, getrieben carry on
das Verdienst, –e merit; **es ist ein großes Verdienst** it is greatly to the credit
verhaften arrest
das Versprechen, – promise
verurteilen condemn
der Vorsitzend- chairman
der Vorwand, ⸚e pretext
vorwiegend predominantly
die Wahl, –en election
wählen elect
die Zähigkeit tenacity
die Zeitschrift, –en periodical, magazine
das Zuchthaus, ⸚er penitentiary
das Zulassungswesen matters dealing with admission of students

KAPITEL XXIV

Die Gründung der Freien Universität Berlin

(Schluß)

Am 23. April 1948 hielten die Studenten eine große Kundgebung in einem Hotel im britischen Sektor ganz nahe an der Sowjetgrenze. Unter brausendem Beifall forderte der Geschichtsstudent Otto Stolz die Errichtung einer Freien Universität. Dies war der Anfang. All die verschiedenen kleineren Gruppen, die sich schon seit längerer Zeit für die Idee einer neuen Universität interessiert hatten, taten sich nun zusammen und arbeiteten mit großer Energie auf ihr Ziel zu. Der erste und wichtigste Schritt war, daß man das Einverständnis der Westmächte gewinnen mußte. Es war in erster Linie das Verdienst eines amerikanischen Journalisten, daß General Clay, der amerikanische Oberbefehlshaber, für die Sache gewonnen wurde.

Nun handelte es sich darum, die sehr großen praktischen Schwierigkeiten zu überwinden. Nicht nur, daß man in der zerstörten Stadt Räume finden mußte. Im Juni war die Sowjetblockade Berlins schon in vollem Gang. Und woher sollte man Lehrkräfte nehmen? Fast alle Berliner Gelehrten waren an der Ostuniversität angestellt, und man konnte kaum von ihnen erwarten, daß sie in dieser Hungerzeit einen sicheren Lebensunterhalt für sich und ihre Familien aufgeben würden, um zu der gänzlich ungesicherten neuen Universität überzutreten. Amtlich konnte die Stadt Berlin nichts tun, denn sie wurde ja von den vier Besatzungsmächten regiert, und es war klar, daß die russische Macht von ihrem Vetorecht Gebrauch machen würde, sobald die Sache zur Wahl kam.

Nur durch private Initiative konnte man etwas tun. Man wählte einen Ausschuß von bedeutenden Persönlichkeiten, der die äußerst schwierige und komplizierte organisatorische Arbeit leistete. An der Spitze standen der Oberbürgermeister Ernst Reuter und sein Vertreter Edwin Redslob. Die übrigen Mitglieder des Ausschusses waren führende Politiker der demokratischen Parteien, Professoren, Beamte der Stadt und einige Studenten. Irgendwie überwanden diese tatkräftigen Männer alle Schwierigkeiten, sogar Währungsreform und Blockade, so daß schon im November die ersten Vorlesungen gehalten werden konnten. Die feierliche Eröffnung aber fand am 4. Dezember 1948 statt, so daß dieses Datum als der offizielle Geburtstag der neuen Freien Universität angesehen werden kann.

Weil es an Raum fehlte, und auch an Lehrkräften, konnte am Anfang nicht einmal die Hälfte der rund 5000 Bewerber zugelassen werden. Aber die Lage änderte sich mit erstaunlicher Schnelligkeit. Zu den Gelehrten in Westberlin kamen bedrohte Wissenschaftler und Gelehrte aus der Ostzone, und diese bildeten den Kern der wichtigsten Fakultäten. Von Amerika kam großzügige finanzielle Hilfe, ohne die der rasche Aufbau der Universität kaum möglich gewesen wäre. So entstanden eine Mensa und vor allem das schöne Hauptgebäude mit dem Auditorium Maximum und eine moderne Bibliothek, die beiden letzteren als Geschenk der Ford-Stiftung.

So konnten im Laufe der Jahre immer mehr Studenten aufgenommen werden, besonders solche aus der Sowjetzone, die man dort abgelehnt hatte oder die in ihrer Sicherheit bedroht waren. Zehn Jahre nach Gründung der Universität stammte rund ein Drittel der Studentenschaft aus dem sowjetischen Machtbereich. Dadurch bildete die Freie Universität eine außerordentlich wichtige Brücke zwischen den beiden Teilen Deutschlands.

Was aber die Freie Universität von allen anderen deutschen Universitäten unterscheidet, ist die Tatsache, daß sie der lebendige Ausdruck des zähen Willens ihrer ersten Studenten ist. Die Studenten waren es, die zuerst die Gründung einer Universität verlangten, an der sie wirklich frei studieren könnten. Studenten haben in dem Gründungsausschuß mitgearbeitet, und mit ihrer Hilfe wurde hier eine in Deutschland gänzlich unbekannte Form der studentischen Selbst- und Mitverwaltung verwirklicht.

Die Schwierigkeiten, mit denen die Freie Universität zu kämpfen hat, sind auch heute noch nicht alle überwunden, denn ihr außerordentlich rasches Wachstum bringt weitere neue Probleme mit sich, aber es ist ihr gelungen, auf eigenen Füßen zu stehen und in den kurzen Jahren seit ihrer Gründung einen wohlverdienten Weltruf aufzubauen.

ÜBUNGEN

A. Fragen

1. Wo fand die große Kundgebung am 23. April 1948 statt? 2. Was forderte ein Geschichtsstudent? 3. Was mußte man tun, bevor man mit der Gründung einer neuen Universität anfangen konnte? 4. Wie hieß der damalige amerikanische Oberbefehlshaber? 5. Welche praktischen Schwierigkeiten mußten zuerst überwunden werden? 6. Warum war es für Gelehrte aus Ostberlin nicht leicht, zum Westen überzutreten? 7. Warum konnte die Stadt Berlin selber nichts tun? 8. Was für Leute wählte man in den neuen Ausschuß? 9. Mit welchen Schwierigkeiten hatten diese Männer zu kämpfen? 10. Wann wurde die Freie Universität offiziell eröffnet? 11. Warum konnte man am Anfang nicht einmal die Hälfte der Bewerber annehmen? 12. Warum kamen die Wissenschaftler und Gelehrten aus der Ostzone? 13. Was waren die wichtigsten neuen Gebäude, die sehr bald gebaut wurden? 14. Warum kamen die Studenten aus der Ostzone? 15. Wieso kann man die Freie Universität eine „Brücke" nennen? 16. Welche Rolle haben die Studenten bei der Gründung gespielt? 17. Warum hat die Universität auch heute noch große Schwierigkeiten?

B. Benutzen Sie folgende Wörter in Sätzen!

1. ablehnen, Behörde
2. ein Beamter, bedrohen
3. Einverständnis, Politik
4. ein Gelehrter, verhaften, bedeutend
5. sich interessieren für, durchaus nicht
6. in erster Linie, sich interessieren für
7. überwinden, Schwierigkeit, tatkräftig
8. Lebensunterhalt, verdienen
9. verlangen, Bildung
10. Wissenschaftler, Weltruf

C. Wortanalyse und Satzbildung

1. verstehen, das Verständnis, das Einverständnis
2. lehren, die Lehrkraft, der Gelehrte
3. feiern, feierlich

4. wissen, die Wissenschaft, der Wissenschaftler
5. groß, großartig
6. laufen, der Lauf
7. scheiden, unterscheiden, der Unterschied, verschieden
8. die Tat, die Tatsche, tatsächlich
9. wirklich, die Wirklichkeit, verwirklichen
10. lehnen, ablehnen
11. dienen, bedienen, verdienen, das Verdienst

D. Gespräche und Aufsätze

1. Ein Berliner Student von heute zeigt einem amerikanischen Besucher die Mensa, die Bibliothek und das Hauptgebäude der Universität und erzählt ihm einiges von ihrer Gründung.
2. Eine kurze Zusammenfassung von der Gründungsgeschichte der Universität.

E. Translate into German.

1. Today there are many distinguished scholars and scientists at the Free University of Berlin. 2. Without the generous help of the Ford Foundation it would not have been possible to build up the university so fast. 3. The energetic mayor of Berlin succeeded in overcoming many of the greatest difficulties. 4. In the course of the years many students came from the East Zone in order to enjoy the academic freedom of the new university. 5. It is the academic freedom of the teachers as well as of the students which differentiates the Free University from the university in East Berlin. 6. The students had long worked toward this goal and they were very happy when they finally achieved it.

VOCABULARY

ab·lehnen refuse
amtlich official
an·stellen employ
der Ausdruck, ⸚e expression
äußerst exceedingly
der Beamt- official
bedeutend distinguished
bedrohen threaten
brausen roar
die Brücke, –n bridge
das Einverständnis agreement
die Errichtung setting up
die Fakultät, –en faculty; school of a university
fehlen lack; **fehlen an** (*dat.*) be lacking in
fordern demand
der Gelehrt- scholar
großzügig generous
sich interessieren für be interested in
der Kern, –e kernel, center

der Lauf, ¨-e course
der Lebensunterhalt subsistence, livelihood
die Lehrkraft, ¨-e faculty member, teacher
die Linie, -n line; **in erster Linie** first and foremost
die Macht, ¨-e power
die Mensa, Mensen university dining hall
der Oberbefehlshaber, – commander-in-chief
regieren rule
die Stiftung, -en foundation
tatkräftig energetic
überwinden, überwand, überwunden conquer, overcome
unterscheiden, unterschied, unterschieden differentiate, distinguish
verdienen earn, deserve
verlangen demand, require
verwirklichen make real, realize
der Weltruf world-wide reputation
die Wissenschaft, -en science
der Wissenschaftler, – scientist
zäh tenacious, tough

Summary of

GERMAN GRAMMAR

PART TWO

Sentence Structure and Word Order

The best way to acquire a thorough and practicable understanding of German sentence structure is by reading and hearing a great deal of German. But this "natural" method takes a good deal of time, and you can speed up the process by observing a few so-called rules of word order. In reality, of course, such "rules," like all grammar rules, are not arbitrarily made, but are simply the conclusions drawn by grammarians from the study of German sentence structure as it occurs in actual practice. There are certain basic differences in the way German and English sentences are put together, and as you continue your study of German, you should try to get the "feel" of a German sentence and to think as a German thinks when he speaks or writes.

I. Aids in Reading

First of all, try to read in terms of sentences or thought groups, not in terms of individual words. Read a sentence through, preferably aloud, look up the important words that you do not know, and then read it through at least once again. A fairly simple sentence should yield to this kind of approach, but if you are faced with a long and complicated structure (such as one often encounters in scientific or even literary German), a careful analysis will be helpful. You must first of all find the skeleton of the sentence. The order in which you take the following steps is very important, if you want to avoid getting confused or making mistakes.

A. Divide the sentence into its clauses; a semicolon or more often a comma will indicate the end of the clause.
B. Find the verb of the main clause (it is nearly always the second element) and note its ending, so that you will know whether the subject is singular or plural and first, second or third person. It is important for you to find the subject from among the many nouns and pronouns that may be present. It is equally important to remem-

ber that the main clause may be interrupted by one or more subordinate clauses.

C. Look at the end of the clause to see what you can find. Sometimes the verb is complete in itself and you will find nothing of special interest, but very often you will find a word or phrase that decisively influences the meaning of the verb. Among the most common of such elements are the separable prefixes, past participles and infinitives (we will call these *complements*). You now have the skeleton of the clause and can fit the remaining elements around it.

D. Follow the same procedure for each subordinate clause, remembering that the verb will generally be at the end.

E. For a detailed analysis of special difficulties within the skeleton, see "Constructions requiring special attention," pp. 205–207.

F. After you have "taken apart" a sentence in this way, it is essential that you "put it together" again by reading it through as a whole at least once more.

Example:
Diese Theorie, die schon seit Jahrzehnten von den erfahrensten Wissenschaftlern bevorzugt wird und sich auch heute noch in den meisten Fällen bewährt, wird jedoch seit der Entdeckung einiger neuen, aus meheren Bestandteilen zusammengesetzten Stoffe von manchen jüngeren Forschern beanstandet.

Skeleton of main clause: **Diese Theorie . . . wird . . . beanstandet.**
subject — verb — complement

Extended attribute construction (see pp. 207–208): **einiger . . . Stoffe**

Skeleton of subordinate clause:

die . . . bevorzugt wurde und . . . bewahrt
subject — complement — verb — verb

II. Aids in Speaking and Writing

You should from the beginning try consistently to think in German, that is, in terms of phrases or sentences that you have heard or read. By doing this, you will gradually develop your *Sprachgefühl*, so that you will not have to think consciously about sentence structure or word order. But until your *Sprachgefühl* is fully reliable, the directions given below should help you in learning how to write a natural sounding German sentence.

A. Simple sentences and main clauses

1. The first element is whatever seems important to the speaker or

whatever he wants at the beginning for the sake of euphony or sentence rhythm or any other good reason.

2. The second element is the verb.

3. Right after the verb come pronoun objects, since short, light words tend to precede long, heavy ones. If the subject was not at the beginning, it may be placed directly after the verb or after the pronoun object.

   Er gab **es** mir heute morgen.
   Heute morgen gab **er es** mir.

4. At the end of the clause stands the element that completes the meaning of the verb. This is often a separable prefix or an expression of place (i.e., the complement).

   Wir gingen langsam die Straße **entlang.**
   Er ist heute wahrscheinlich den ganzen Tag **zu Hause.**

5. **Nicht** ordinarily stands immediately before the complement. Exception: if it negates one particular word rather than the whole sentence, it stands directly before that word. More specific aids in determining the position of **nicht**: it always stands after pronoun objects and usually after noun objects. It stands after expressions of time and before expressions of place.

   Er hat mir die Sachen noch **nicht** ins Haus gebracht.
   Er bringt sie **nicht** heute, sondern erst morgen.

6. Noun objects and adverbs of time and of manner stand between pronoun objects and the complement. The relative order of direct and indirect objects is in general about the same as in English.

   Er bringt **mir** heute **die Sachen** ins Haus.
   Er bringt **sie mir** ganz bestimmt.

7. In compound tenses, the auxiliary is considered as the verb, and the infinitive or past participle stands at the end.

   Er wird mir die Sachen schon **bringen.**

8. An infinitive phrase with modifiers is usually tacked on at the end of the main part of the sentence, being separated from it by a comma.

Er wird heute wahrscheinlich kommen, **um mir die Sachen zu bringen.**

B. Subordinate clauses

All the above directions hold, except that the inflected part of the verb stands at the end. Exception: a "double infinitive" always stands at the very end, and the inflected part of the verb right before it.

Ich weiß ganz bestimmt, daß er mir die Sachen heute bringen **wird.**
Ich weiß, daß er sie gestern nicht **hat bringen können.**

C. Complex sentences

If the subordinate clause precedes the main clause, the verb stands first in the main clause: in other words, the verb is still the second element in the sentence.

Wenn er heute nachmittag kommt, **wird** er mir die Sachen bringen.

The Article and Related Words

In general both the definite and indefinite articles are used as in English. The chief exceptions are as follows:

A. The definite article is used:

1. When the noun is used in a very general or abstract sense.

Der Mensch ist schwach.	Man is weak.
Die Liebe ist blind.	Love is blind.

2. Before names when they are modified.

Kennen Sie **die kleine Marie Schmidt?**	Do you know little Mary Smith?
Das alte Nürnberg ist zerstört.	Old Nuremberg is destroyed.

3. Often before names of persons, when the name has been mentioned before, or when it is well known to both speaker and person spoken to.

Der Fritz und **die Lola** sind alte Freunde von mir.	Fritz and Lola are old friends of mine.

4. With the three countries that are feminine in gender.

die Schweiz **die Türkei** **die Tschechoslowakei**

5. With days of the week, months and seasons, and usually with meals.

Am Sonntag arbeiten wir nicht.	We don't work on Sunday.
Der Mai ist fast immer schön.	May is nearly always beautiful.
Das Abendessen ist immer um acht.	Supper is always at eight.

6. With parts of the body and clothing (instead of a possessive) if the ownership is clear.

Er hielt **die rechte Hand** in **der Tasche.**	He was holding his right hand in his pocket.

7. With names of streets and squares.

Wir wohnen in **der Albertstraße** unweit **vom Goetheplatz.**	We live on Albert Street not far from Goethe Square.

B. The indefinite article is often used before nouns of food and drink.

Ich nehme **eine Suppe** und später auch **einen Kaffee.**	I'll have some soup and later some coffee too.

(The idea here seems to be *an order of, a plate of,* or *a cup of.* We sometimes find the same thing in English: I'll have a beer!)

C. The indefinite article is omitted before unmodified predicate nouns indicating profession, class or nationality.

Er ist **Arzt.**	He is a doctor.
but	
Er ist **ein guter Arzt.**	

Note: **Ein** is sometimes used as an adjective after an article or a possessive adjective. When so used it is declined like a regular adjective: **Das eine Kind** war krank. The one child was sick. Er konnte es mit **der einen Hand.** He could do it with his one hand.

D. Demonstrative adjectives

By far the most important demonstrative adjective is **dieser.** Like **dieser** are declined: **jeder** each, every; **jener** that; **mancher** many a, some; **solcher** such; **welcher** which. Special points to be noted:

1. **Jener** is rarely used in spoken German. Instead, the definite article is used with emphasis: Diesen Mann kenne ich nicht, aber

der Mann da ist mein Vetter. This man I don't know, but that man over there is my cousin. **Jener** is, however, often encountered in reading, and you must be careful not to confuse it with **jeder** each, every.

2. **Mancher, solcher** and **welcher** are uninflected when used before **ein: manch ein** starker Mann; **solch eine** schöne Frau; **welch ein** dummes Kind.

For declensions of the articles and related words, see p. 221.

Nouns

I. Gender

We speak in German of three genders of nouns and pronouns: *masculine, feminine* and *neuter*; actually this is little more than a convention, for the genders have very little to do with natural sex. It is true that the names of most male beings, human and animal, are masculine, while the names of female beings are in general feminine. (When a diminutive ending is added these nouns, like all others, become neuter: **das Männlein, das Fräulein.**) But in the vast number of nouns referring to things, there is very little idea or feeling of sex involved.

The origin of gender or its relation to natural sex has never been clearly established. One theory is that in past ages, man's relation to the things about him was more intimate than it is today, so that he ascribed gender to them in the same way as he did to his fellow humans. We have a trace of that sort of thing when we speak of a ship, or sometimes a car, as "she." A less romantic but more probable theory is that the form of words was decisive in determining their gender: the idea of gender became attached to certain suffixes that regularly occurred on words denoting living masculine and feminine beings. When these suffixes were used on words denoting things, the idea of gender was transferred to these things as well. Neuter originally, of course, meant no gender at all but is now treated as a separate gender because of its difference in form from the two real ones.

Whatever its origin may be, as students of German you are faced with the phenomenon of conventional gender and the necessity of coping with it in a practical way. In general, the most useful advice that we can give you is: learn the article with each noun. There are, however, some aids in the determination and the learning of gender, especially in words of more than one syllable. Certain types of words are regularly:

A. Masculine

1. names of male beings: **der Mann, der Bär.**
2. nouns in **–er,** denoting a doer: **der Bäcker, der Lehrer.**
3. Days of the week, months, seasons and directions: **der Montag, der April, der Frühling, der Westen.**

4. Nouns in **–ich, –ig, –ing** and most in **–en** (except infinitives): **der Teppich, der König, der Jüngling, der Wagen.**
5. A very few commonly used nouns ending in **–e** or **–ee: der Gedanke, der Glaube, der Name, der Same, der Käse, der Kaffee, der Tee, der Schnee.**

B. Feminine

1. names of female beings: **die Tante, die Königin.**
2. nearly all nouns ending in **–e: die Rose, die Tinte** (see A 5 and C 4 for exceptions).
3. All nouns ending in **–ei, –heit, –keit, –ik, –ion, –schaft, –tät, –ung: die Bäckerei, die Schönheit, die Neuigkeit, die Fabrik, die Nation, die Landschaft, die Universität, die Zeitung.**
4. Most abstract nouns: **die Macht, die Tugend.**
5. Names of three countries: **die Schweiz, die Tschechoslowakei, die Türkei.**

C. Neuter

1. Nouns identical with infinitives: **das Leben.**
2. Names of most metals and minerals: **das Gold, das Silber** (chief exceptions: **der Stahl, die Bronze**).
3. Names of cities and countries (except as in B 5): **das Berlin, das Italien.**
4. Most nouns with prefix **Ge–: das Gebäude, das Gesicht** (important exceptions: **der Gedanke, die Geschichte**).
5. All diminutives: **das Fräulein, das Mädchen.**
6. Most nouns ending in **–nis, –sal, –tum.**

D. There are a few nouns with two different meanings and correspondingly different genders. The most important are:

der Band volume	**das Band** ribbon
der Leiter director, manager	**die Leiter** ladder
der Moment moment	**das Moment** point, consideration
der See lake	**die See** sea, ocean
der Tor fool	**das Tor** gateway, arch
der Kaffee coffee	**das Kaffee** café

E. Compound nouns have the gender of the last component part: **das Wirtshaus.**

II. Declension of Nouns, Singular and Plural

The formation of noun plurals is a bothersome matter, for rules of only limited usefulness can be given. The best procedure is, as far as possible, to memorize the plurals of the most frequently used nouns. Nouns are divided into four classes, according to the way the plural is formed:

	I	II	III	IV
	SING.	SING.	SING.	SING.
Nom.	–	–	–	–
Acc.	–	–	–	**–(e)n***
Dat.	–	**–(e)***	**–(e)***	**–(e)n***
Gen.	**–s***	**–(e)s***	**–(e)s***	**–(e)n***
	PLUR.	PLUR.	PLUR.	PLUR.
Nom.	–	**–e**	**–er**	**–(e)n****
Acc.	–	**–e**	**–er**	**–(e)n**
Dat.	**–n**	**–en**	**–ern**	**–(e)n**
Gen.	–	**–e**	**–er**	**–(e)n**
	Umlaut in plural: masc. often, fem. always, neut. never		Umlaut in plural: always	Umlaut in plural: never

* Except in feminine nouns, which never take an ending in the singular. The dative ending **–e** is optional and is usually dropped in conversational German.

** Feminine nouns in **–in** double the **–n** to form the plural: die **Studentinnen.**

A fifth class is made up of the fairly large number of adjectival nouns. Since these are really adjectives, or present or past participles used as nouns, they take regular adjective endings, weak or strong, as the situation requires (see Adjectives, pp. 152–153). Thus you will, for example, say: **der Deutsche, den Deutschen, ein Deutscher, die Deutschen; meine Verlobte** (fiancée), **mit meiner Verlobten; der Beamte, ein Beamter; der Reisende, ein Reisender; der Bekannte, ein Bekannter, alle meine Bekannten.** In the end vocabulary of this book, such nouns are listed in the following manner: **der Beamt–, der Bekannt–.**

In most cases there is no way of telling with absolute certainty, just by looking at a noun, to what class it belongs, but the following set of rules should be of considerable help to you (especially if you know the gender of the noun in question.)

A. To Class I belong:

1. Masculines and neuters in **–el, –en, –er.**
2. All diminutives.
3. Two feminines: **Mutter** and **Tochter**

B. To Class II belong:

1. Practically all monosyllabic masculines except those listed below in Classes III and IV.
2. Nouns in **–nis, –sal, –ich, –ig, –ing.**
3. About thirty feminines, of which the most frequently used are: **Angst, Bank, Frucht, Hand, Kraft, Kunst, Kuh, Magd, Macht, Nacht, Stadt, Wand, Nuß, Wurst.**
4. A number of monosyllabic neuters, the most commonly used being: **Boot, Brot, Ding, Fest, Haar, Jahr, Pferd, Recht, Meer, Schwein, Stück, Tier, Werk, Kreuz, Schiff, Spiel, Zelt, Ziel.**
5. A number of neuters with the prefix **Ge–**: **Gedicht, Gefühl, Gericht, Gesetz.**

C. To Class III belong:

1. Most monosyllabic neuters.
2. All nouns in **–tum.**
3. Eight common monosyllabic masculines: **Geist, Gott, Leib, Mann, Mund, Rand, Wald, Wurm.** No feminines at all in this class.

D. To Class IV belong:

1. All feminines except as mentioned in Classes I and II.
2. Many masculines denoting living beings:
   a. those with foreign endings, as **Philosoph, Patient,** etc.
   b. Those ending in **–e,** as **Jude, Knabe, Löwe, Sklave.**
   c. monosyllabics, as **Bär, Christ, Fürst, Held, Mensch, Narr.**

E. Irregularities in noun declensions

1. Masculines in **–or** and a few other very common masculines and neuters are Fourth Class in the plural but not in the singular, thus: **der Doktor, des Doktors, die Doktoren; der Professor, des Professors, die Professoren; der Bauer, des Bauers** (or **Bauern**), **die Bauern; der Nachbar, des Nachbars** (or **Nachbarn**), **die Nachbarn; der Schmerz, des Schmerzes, die Schmerzen; der Staat, des Staates, die Staaten; das Auge, des Auges, die Augen; das Bett, des Bettes, die Betten; das Ende, des Endes, die Enden; das Ohr, des Ohres, die Ohren.**
2. **Der Herr** is regular Fourth Class, but it takes **–n** in the singular and **–en** in the plural: **des Herrn, die Herren.**
3. **Das Herz** is regular Fourth Class in the plural, but the singular is as follows: **das Herz, das Herz, dem Herzen, des Herzens.**

4. Certain masculines in **–e** are regular Fourth Class except that in the genitive singular **–ns** is added. The most common of these are: **der Funke, des Funkens; der Gedanke, des Gedankens; der Glaube, des Glaubens; der Haufe(n), des Haufens; der Name, des Namens.**
5. A number of foreign nouns that have come into German fairly recently have a plural in **–s**, e.g., **die Autos, die Hotels, die Büros.**
6. **Das Wort** has two plural forms: **Worte** refers to words in context: **Die Worte** der Heiligen Schrift sind uns allen bekannt. **Wörter** refers to isolated words: Ich habe heute zehn neue deutsche **Wörter** gelernt.
7. Proper names take genitive **–s** if not preceded by the article: **Karls** Vater; but omit it if they are preceded by a modifier: der Vater **des kleinen Karl,** die Architektur **des modernen Berlin,** am Abend **des 2. August.**

You will undoubtedly not learn all the above rules at once, but the following summary should be memorized as a basis for "intelligent guessing" of noun plurals.

Class I is predominantly the class of masculines and neuters of more than one syllable. (Two feminines.)
Class II is predominantly the class of monosyllabic masculines and feminines.
Class III is predominantly the class of monosyllabic neuters with a very few common masculines. (No feminines.)
Class IV is predominantly the class of feminines with a number of masculines denoting living beings.

III. Use of Cases

A. The Nominative Case is used as subject of the sentence and as a predicate noun after the verb *to be* or similar verbs:

Er ist **ein guter Mann.**	He is a good man.
Er wird ein guter Arzt.	He will become (be) a good doctor.

B. The Accusative Case is used:

1. As a direct object:

Er sieht **den** Mann oft.	He often sees the man.

2. To express duration of time and definite time (without a preposition):

Er blieb **den ganzen Tag.**	He stayed all day.
Er kommt **jeden Morgen.**	He comes every morning.

3. To express extent of space:

Er wohnt nur **einen Schritt** von hier.	He lives just a step from here.

4. After certain prepositions. (See Prepositions, p. 157)

5. A very few words require two accusative objects:

Er **lehrt mich eine neue Sprache.**	He is teaching me a new language.
Er **hat mich eine dumme Gans genannt.**	He called me a dumb goose.

C. The Dative Case is used:

1. As an indirect object implying *to:*

Sie zeigte **der Mutter** ihr neues Kleid.	She showed her mother her new dress.

In English we are inconsistent in the usage of *to.* Sometimes we use it, sometimes not, but in German one never uses **zu** with verbs of giving or related verbs.

She gave me this book.	Sie gab **mir** dieses Buch.
I gave it back to her.	Ich gab es **ihr** zurück.

2. As a kind of "reverse indirect object" implying *from:*

Der Dieb **hat mir** meinen schönsten Schmuck **gestohlen.**	The thief stole (from me) my most beautiful jewelry.

This use of the dative is not particularly common in everyday German, but you are likely to encounter it fairly often in your reading, especially with verbs having the prefix **ent–.**

3. The dative of the reflexive pronoun is often used to express possession:

Ich wasche **mir** die Hände.	I wash my hands.
Er putzt **sich** die Zähne.	He is brushing his teeth.

4. With certain adjectives (where English generally uses *to* or some other preposition):

   a. **angenehm**

Das ist **mir** sehr **angenehm.**	That is very agreeable to me.

   b. **bekannt**

Er ist **uns allen bekannt.**	He is known to all of us.

   c. **dankbar**

Ich bin **ihm** dafür **dankbar.**	I am grateful to him for it.

   d. **fremd**

Das ist **mir fremd.**	That is new (strange) to me.

   e. **ähnlich**

Das Kind sieht **der Mutter ähnlich.**	The child resembles (is similar to) its mother.

5. With verbs of feeling or states of being:

Mir ist **kalt (warm) (schwindlig).**	I feel cold (warm) (dizzy).
Es **geht ihm** nicht sehr **gut.**	He is not feeling very well.

6. After certain verbs: **antworten, danken, dienen, folgen, helfen, schmeicheln.**

Ich sagte, er sollte **mir folgen,** aber er **antwortete mir** nicht.	I told him to follow me, but he did not answer me.

A few verbs take a dative object when it is a person and an accusative object when it is a thing. The most important are: **glauben, vergeben, verzeihen.**

Ich **glaube ihm** nicht immer.	I don't always believe him.
Ich **glaube kein Wort** davon.	I don't believe a word of it.
Ich **werde ihm** nie **verzeihen.**	I will never forgive him.
Das kann ich nicht **verzeihen.**	I can not forgive that.
Ich kann **es ihm** nicht **verzeihen.**	I can't forgive him for it.
Gott wird **ihm seine Sünden vergeben.**	God will forgive him his sins.

7. With certain prepositions. (See Prepositions, p. 157)

D. The Genitive Case is used:

1. To show possession.

Excepting with proper names and in poetical language, the genitive follows the noun to which it belongs:

Das Sommerhaus meiner Eltern ist auf dem Lande.	My parents' summer home is in the country.

but:

Marthas Freundin ist eben gekommen.	Martha's friend has just come.

Note that the apostrophe is not used as in English to express possession. It is used only to indicate the omission of a letter. Thus we find it after the genitive of a proper name that ends in an *s*-sound, to indicate the omission of the usual genitive ending:

Fritz' Vater konnte nicht kommen.	Fred's father could not come.

Another way of forming the genitive of such names is to add **–ens**: **Fritzens** Vater.

2. After certain prepositions. (See Prepositions, p. 157)

E. An appositive agrees in case with the noun to which it stands in apposition:

Ich reise mit Hans, meinem ältesten Freund.	I am traveling with Hans, my oldest friend.

Pronouns*

I. Personal and Demonstrative Pronouns

These pronouns may be divided into three groups according to their function.

A. Referring to people:

1. To males: **er, der, dieser, jener;** to females: **sie, die, diese, jene**

Er ist heute gekommen, aber **sie** ist noch nicht hier.	He came today, but she isn't here yet.

Dieser and **der** are used to point out one person in distinction to another.

Dieser ist mein Onkel, nicht **der** da.	This (one) is my uncle, not that one over there.

Der is also used to give special emphasis to the pronoun.

Es hat keinen Sinn, Peter zu fragen; **der** weiß es bestimmt nicht. Fragen Sie lieber Marie; **die** weiß alles.	There is no sense in asking Peter; he certainly does not know it. You had better ask Marie; she knows everything.

Jener is almost never used in conversation but is often encountered in reading.

Von den beiden oben erwähnten Wissenschaftlern ist **jener** der bekanntere.	Of the two scientists mentioned above, the former is the better known.

B. Identifying persons and objects, regardless of whether they are male or female, singular or plural, persons or things: **es, das, dies(es)**

* For declensions of pronouns, see pp. 221–222.

Es ist ein Junge!	It's a boy!
Dies ist meine Schwester, und **das** sind meine Eltern.	This is my sister, and those are my parents.

C. Substituting for a noun already mentioned and agreeing in number and gender with that noun: **er, sie, es, der, die, das, dieser, jener**

Wie gefällt dir mein neuer Hut? Ich habe **ihn** erst gestern gekauft. **Er** ist nicht besonders schön, aber **er** sieht doch besser aus als **dieser** hier.	How do you like my new hat? I just bought it yesterday. It is not especially pretty, but it does look better than this one here.

II. Ein-Words Used as Pronouns

Ein and the possessive adjectives (**mein, dein,** etc.) may also be used as pronouns. When so used they are declined like **dieser:**

Einer von den beiden muß es getan haben.	One of the two must have done it.
Mein Haus ist groß, aber **seines** ist noch größer.	My house is big, but his is still bigger.

Now and then you will find a pronominal **ein**-word used with the definite article. In such cases, it is declined like a weak adjective:

Ich habe zwei deutsche Freunde. **Der eine** ist in Bremen, **der andere** in Köln.	I have two German friends. One (the one) is in Bremen, the other in Cologne.
Manche Kinder spielen in der Straße, aber **die meinen** dürfen es nicht.	Some children play in the street, but mine are not allowed to.

Another fairly common form of the possessive adjective used as a pronoun is that ending in **–ig: der meinige, der deinige,** etc. This too is, of course, declined like a weak adjective:

Sie liebt **die ihrigen** über alles.	She loves her own people above everything.

III. Relative Pronouns

A. The most commonly used relative pronoun is **der, das, die.** You will notice that it is declined almost exactly like the definite article. Make a special note of all the genitive forms and of the dative plural.

B. **Welcher** (declined like **dieser**) is also used as a relative pronoun, especially in literary German. In everyday conversational German it seems to be gradually going out of use.

C. A relative pronoun, like any other pronoun, agrees in number and gender with the word to which it refers back, while its case is determined by its use in its own clause:

Die junge Frau, mit **der** ich sprach, ist meine Kusine.	The young woman with whom I was talking is my cousin.

D. When a relative pronoun referring to a thing is used with a preposition, you may, if you wish, substitute **wo** (like **da** for personal pronouns):

Hier ist das Buch, **wovon** ich dir gestern erzählte.	Here is the book that I was telling you about yesterday.

E. The indefinite relative pronoun, which is used only for very special purposes and must never be thought of as the regular relative, is **wer** for persons and **was** for things.

1. **Wer** is used only when there is no antecedent. It is usually translated as **he who** or **whoever:**

Wer Geld hat, hat Glück.	He who has money is lucky.

2. **Was** is used

a. when there is no antecedent:

Was ich nicht weiß, macht mich nicht heiß.	What you don't know won't hurt you.

b. when there is an indefinite antecedent such as,

1. an indefinite pronoun:

Das ist **alles, was** ich weiß.	That is all that I know.

2. a neuter adjective used as a noun:

Das war **das Schönste, was** ich je gesehen habe.	That was the most beautiful thing that I ever saw.

3. a clause:

Ich fand meinen alten Freund wieder, was mich sehr erfreute.	I found my old friend again, which made me very happy.

IV. Interrogative Pronouns

The chief pronouns used in asking questions are:

A. For persons: **Wer**

Wer ist da?	Who is there?
Wessen Bleistift ist das?	Whose pencil is that?

B. For things: **Was, Wo(r)-**

Was haben Sie da?	What have you there?

With prepositions, however, **was** is not ordinarily used. Instead one uses an adverb composed of **wo(r)–** plus the preposition.

Worüber sprechen die Leute?	What are the people talking about?

C. For persons or things to express *which* or *which one:* **welcher**

Welches von diesen beiden Hemden gefällt Ihnen am besten?	Which of these two shirts do you like best?

V. Indefinite Pronouns

The most common of such words, which, as their name implies, do not refer back to any specific person or thing, are:

alles everything	**jedermann** everybody
etwas something	**jemand** somebody
nichts nothing	**niemand** nobody
viel much	

Adjectives and Adverbs

I. Adjectives

There are two different types of words used to modify nouns, which must always be clearly differentiated.

A. Limiting words

1. The demonstratives **dieser, jener** and the interrogative **welcher.** Their endings are very nearly identical with those of the definite article.

2. The possessive adjectives **mein, dein, sein,** etc., whose endings are the same as those of **ein** (or, in the plural, of **kein**), and which we therefore call the **ein**-words.

   It is important to remember that the endings of all these limiting words are fixed; that is, they always remain the same for a given gender and case.

B. Descriptive adjectives

As in English, a descriptive adjective can be used in the predicate with no noun following (predicate adjective), or before a noun (attributive adjective).

1. A predicate adjective never takes an ending:

   Der Mann ist **alt,** aber die Frau ist **jung.**

2. An attributive adjective, however, always takes an ending. For the sake of convenience, we distinguish between two sets of endings: the weak and the strong declensions.

   a. The strong declension, except for the genitive singular forms, is exactly like the declension of **dieser.**

	MASC.	NEUT.	FEM.	PLUR.
NOM.	guter	gutes	gute	gute
ACC.	guten	gutes	gute	gute
DAT.	gutem	gutem	guter	guten
GEN.	guten	guten	guter	guter

b. The weak declension has **–en** in all but the cases in boldfaced type below.

	MASC.	NEUT.	FEM.	PLUR.
NOM.	**gute**	**gute**	**gute**	guten
ACC.	guten	**gute**	**gute**	guten
DAT.	guten	guten	guten	guten
GEN.	guten	guten	guten	guten

3. How to determine whether an adjective will be weak or strong:

a. When a definite article or a demonstrative precedes the adjective, always use the weak ending:

Der alte Mann wohnt in **dem** grossen Hause.

b. When nothing precedes the adjective, always use the strong ending:

Alt**e** Leute sind oft schwach.

c. When an **ein**-word precedes the adjective, follow this rule:

1) If the **ein**-word has an ending, use the weak declension:

Er hat **seine** neu**en** Hemden in **einem** groß**en** Warenhaus gekauft.

2) If the **ein**-word has no ending, use the strong declension:

Unser neu**es** Haus hat **ein** grün**es** Dach.

For sample declensions of adjectives with articles and nouns, see pp. 222–223.

Note: The adjectives **viel** and **wenig** are uninflected when they mean a large/small amount of, but are inflected when they mean a large/small number of:

Wir haben **viel** Zeit aber **wenig** Geld.
Viele Amerikaner fahren jedes Jahr nach Europa.

The comparative forms of **viel** and **wenig** are never inflected:

Er hat **mehr** Freunde und **weniger** Feinde als ich.	He has more friends and fewer enemies than I.

The adjective **ganz** is uninflected when used in a figurative or inexact sense:

Ich möchte **ganz** Deutschland bereisen.	I would like to travel over all Germany.

C. Interrogative adjectives

1. The interrogative **welcher** (*which, what*) is declined like **dieser:**

In **welcher** Stadt wohnt er?	In what city does he live?

2. An especially important interrogative is **was für ein** *what kind of.* The essential thing is to be clear about the fact that the case of the noun following **für** is determined by its use in the clause and is not affected by **für:**

Was für **ein** Mann ist er?	What kind of a man is he?
In was für **einem** Haus wohnt er?	In what kind of a house does he live?

With a plural noun **ein** is, of course, omitted.

Was für Äpfel sind das?	What kind of apples are those?

II. Comparison of Adjectives

A. The comparative is formed by adding **–er** to the stem.
Note the words for *as* and *than* in making comparisions:

Sie ist so groß **wie** ich.	She is as tall as I.
Er ist größer **als** ich.	He is taller than I.

B. The superlative is formed by adding **–st** to the stem, or **–est** if the adjective ends in a **t-** or an **s-**sound. There are two forms of the superlative: 1. with the definite article; 2. with **am.** The former is generally used when a comparison between two or more persons or things is implied: **Unser Garten ist der schönste in der Stadt.** The latter is generally used when something is compared with itself at different times or places or under different circumstances: **Unser Garten ist im Frühling am schönsten.**

C. Many monosyllabic adjectives take an umlaut in the comparative and superlative. The most common are: **alt, arm, grob, groß, jung, kalt, klug, krank, kurz, lang, rot, schmal, schwach, stark.**

Irregular comparisons: **groß, größer, größt–; gut, besser, best–; hoch, höher, höchst; nahe, näher, nächst–; viel, mehr, meist–.**

Note: Remember that there are no forms in German corresponding to the English comparative and superlative formed with *more* and *most.* No matter how long the adjective, you still add the endings **–er** or **–(e)st: interessanter, interessantest–.**

III. Adverbs

A. With very few exceptions, any adjective may be used as an adverb:

Sie haben uns sehr **freundlich** empfangen.	They received us in a very friendly way.

B. The comparison of adverbs is just like that of adjectives, except that in the superlative only the form with **am** is used: Wir arbeiten **am besten,** wenn das Wetter kalt ist.

C. **Gern**

Probably the most frequently used adverb in German is **gern.** Literally it means *gladly,* but it is usually to be translated *to like.* If you like to do something, you simply use **gern** with the verb concerned:

Wir **gehen gern** ins Kino.	We like to go to the movies.

If you like a thing, you use **gern** with **haben:**

Ich **habe** unseren neuen **Lehrer** sehr **gern.**	I like our new teacher very much.

Gern is compared irregularly as follows: **gern, lieber, am liebsten.**

Im Sommer gehe ich **gern** aufs Land, aber ich gehe **lieber an** die See, und **am liebsten** gehe ich ins Gebirge.	In the summer I like to go to the country, but I prefer going to the ocean, and best of all I like going to the mountains.

D. Interrogative adverbs

1. **Wann** is used for *when* in questions, both direct and indirect:

Wann wird er kommen?	When will he come?
Ich weiß nicht, **wann** er kommt.	I don't know when he is coming.

2. **Wo** means *where* in the sense of *in what place?*

Wo is das Kind?	Where is the child?

3. **Wohin** means *where* in the sense of *whereto* and must always be used with a verb showing motion from one place to another:

Wohin ist das Kind gegangen?	Where did the child go?

4. **Woher** means *from where:*

Woher kommt dieser Mann?	Where does this man come from?

Note: In everyday conversation **hin** und **her** are often separated from **wo** and put at the end:

Wo wollen wir **hin?**	Where shall we go to?
Wo kommt er **her?**	Where does he come from?

Prepositions

The most important prepositions are:

A. Those taking the accusative:

bis * until, up to
durch through
für for
gegen against, toward
ohne without (article usually omitted with following noun)
um around

* **Bis** is nearly always used with another preposition, e.g., **bis zu, bis an,** etc.

B. Those taking the dative:

aus out of, from
außer besides, except
bei next to, by (place where), with
mit with
nach to (with names of places); after; according to
seit since
von from, of; by (agent)
zu to

C. Those taking the accusative when motion toward the object is expressed or implied, and the dative when no such motion is expressed or implied:

an at, to; on (when vertical position is meant)
auf upon, on, to
hinter behind
in in, into
neben beside
über over, above, across; concerning
unter under, below; among
vor in front of, before; ago
zwischen between

D. Those taking the genitive:

anstatt, statt instead of
außerhalb outside of
innerhalb within, inside of
trotz in spite of
während during
wegen because of
um . . . willen for the sake of

Note: Where in English a preposition is used with a pronoun referring to a thing, the German nearly always requires **da(r)–:**

Ich habe eine neue Füllfeder, aber ich kann nicht gut **damit** schreiben.	I have a new fountain pen, but I can't write well with it.
Der Tisch ist klein, aber es liegen viele Dinge **darauf.**	The table is small, but there are many things lying on it.

E. Meanings of prepositions

The most difficult thing about prepositions is their meaning, for in addition to the basic meanings given above, most prepositions have other meanings as well. (This is, of course, true in English also. Note, for example, the different meanings of the prepositions in the following expressions: I am waiting *for* him. I am doing it *for* him. I have been waiting *for* hours. She was standing *by* the door. This book is *by* a famous author). The various meanings of the prepositions cannot be learned all at once, but if you make a habit of noting their use in reading, you will gradually learn to use them correctly. In the section on idioms involving prepositions, you will find many of the special uses of prepositions.

Verbs

I. The Indicative Mood

This mood is used to make statements and ask questions.

A. Formation of tenses

The indicative tenses are: *present, past, present perfect, past perfect, future, future perfect.* The principal parts of a verb are: *infinitive, 1st person past, past participle.* All other forms are derived from these. For the sake of convenience in terminology, we divide verbs into two classes: weak and strong. Verbs adding **t** to the stem in the past and past participle are called *weak:* **sagen, sagte, gesagt.** Those which change the stem vowel in the past and the past participle are called *strong:* **singen, sang, gesungen.**

The sample conjugations of weak and strong verbs in all tenses on pp. 223–230 will show how the various tenses are formed. In addition, the following points should be noted:

1. Besides the vowel changes in the past tenses, certain strong verbs undergo vowel changes in the 2nd and 3rd persons singular present: a becomes ä: **fahren, du fährst, er fährt; e** becomes **ie** or **i: sehen, du siehst, er sieht; nehmen, du nimmst, er nimmt.**

2. In the present perfect, past perfect and future perfect, the most commonly used auxiliary is **haben:**

   Er **hat** ihn heute noch nicht **gesehen.**
   Er **hatte** ihn heute noch nicht **gesehen.**
   Er **wird** ihn heute noch nicht **gesehen haben.**

   But with intransitive verbs showing motion from one place to another, or a change of condition, the auxiliary **sein** is used. **Sein** is also used with the following verbs: **bleiben, gelingen, geschehen, sein.**

   Er **ist** wohl nocht nicht **gekommen.**
   Er **war** wohl noch nicht **gekommen.**

Er **wird** wohl noch nicht **gekommen sein.**
Der Mann **ist** vor einem Jahr **gestorben.**
Er **ist** gestern hier **gewesen.**

3. There are a few irregular weak verbs which in addition to adding **t** in the past tense and past participle, also make certain vowel changes in the stem: **bringen, brachte, gebracht.**
   For lists of the most commonly used strong and irregular weak verbs see pp. 233–236.

B. Use of tenses

1. The present tense, as its name indicates, is used:

   a. To express action taking place in present time:

Ich gehe.	I go, I do go, I am going.

   b. It is often used to express future action, especially of the very near future:

Morgen ist der Brief bestimmt da.	Tomorrow the letter will certainly be here.

   c. It is very commonly used with **seit** or **schon** to express action begun in the past and continuing in the present:

Er **ist seit einem Jahr** im Lande.	He has been (and still is) in the country for a year.
Ich **warte schon** eine ganze Stunde.	I have been waiting (and still am) for a whole hour.

   Similarly, the simple past is sometimes used to express action begun in a more remote past and continuing into the more recent past:

Ich **wartete schon** eine ganze Stunde, als er endlich kam.	I had been waiting a whole hour when he finally came.

2. The simple past and the present perfect
   In a general way, it can be said that the simple past is used to express past time in continued narration and description, while the present perfect is used to express past time in conversation. Probably the major exception to this principle is that in describing a condition, even in conversation, a German is likely to use the simple past:

Die Heizung **hat** gut **funktioniert,** aber mir **war** immer noch kalt.

As you get more practice in the language you will (probably quite unconsciously) develop a feeling for a more precise and subtle use of these tenses.

3. The past perfect, as in English, refers to a more remote past than the present perfect, that is, to something that *had been:*

Sie **hatten** schon **gegessen,** als ich kam.	They had already eaten, when I came.

4. The future and future perfect tenses express future and future perfect time, just as in English:

Er **wird gehen.**	He will go.
Um neun Uhr **wird** er schon **gegangen sein.**	At nine o'clock he will already have gone.

These tenses are also quite commonly used to express probability in the present (future tense) or in the past (future perfect tense):

Da ich ihn nicht gesehen habe, **wird** er wohl nicht hier **sein.**	Since I haven't seen him, he probably is not here.
Wenn du es sagst, **wird** es wohl so **gewesen sein.**	If you say so, it probably was like that.

II. The Imperative Mood

This mood is used to express a command or a request. Note that in the conventional form of address and in the familiar plural, the endings are the same as in the indicative:

Treten Sie bitte ein, Herr Schmidt!
Kommt herein, Kinder!

In the familiar singular, the ending **–e,** which is still found in literary German, is nearly always dropped in ordinary conversation, so that for practical purposes, one may say that there is no ending:

Komm herein, Fritz, und **sieh,** was ich hier habe!

Strong verbs with the stem vowel **e** undergo the same change as in the second and third person singular present: **e** becomes **ie** or **i: sehen, sieh; nehmen, nimm.**

III. Subjunctive Mood

The subjunctive tenses are: Present I and II, Past I and II, Future I and II, Future Perfect I and II.

A. Formation of tenses

For samples of all tenses of the subjunctive, see pp. 223–230. A study of these conjugations will show that the subjunctive tenses are formed as follows:

1. To form Present Subjunctive I, add the subjunctive endings (**–e, –est, –e, –en, –et, –en**) to the infinitive stem.

2. To form Present Subjunctive II:
   a. of regular weak verbs, add the subjunctive endings to the stem of the past indicative. Note that these forms are exactly like the past indicative.
   b. of strong verbs and weak verbs with irregular principal parts, add the subjunctive endings to the stem of the past indicative and umlaut the vowel (where possible).

3. The compound tenses of the subjunctive are formed like the corresponding tenses of the indicative, except that the auxiliary is in the subjunctive, either I or II, as the case may be.

4. To form the subjunctive of the passive, put the passive auxiliary **werden** in the subjunctive.

B. Uses of the subjunctive:

While the indicative mood is used for the statement of facts and for asking questions, the subjunctive is employed to express uncertainty of various kinds and degrees, i.e., something which is not a clear-cut fact.

1. Conditional sentences

   The most important use of the subjunctive is in what we usually call "contrary-to-fact conditions." This use of the subjunctive is like its use in English, only that in English we usually call the verb forms conditional tenses. And usually we are not aware of using subjunctives, because the forms look and sound just like indicative forms. It is only in two forms of the verb *to be* that the subjunctive is clearly differentiated from the indicative: *if I were, if he were.*

To be quite clear about the use of the subjunctive in conditional sentences, we must distinguish between so-called "real" and "unreal" conditions, just as we do in English. The basic difference between these two types of conditions lies in the degree of certainty or uncertainty in the mind of the speaker.

a. If the chances are about even that the statement may be true or false, you use the indicative:

1) Present and future time:

Wenn er ein guter Student **ist, wird** er dies **verstehen** (*or*) **versteht** er dies.	If he *is* a good student, he *will understand* this (*or*) he *understands* this.

2) Past time:

Wenn er ein guter Student **war, hat** er dies **verstanden.**	If he *was* a good student, he *understood* this.

b. If the statement is "contrary to fact" or nearly so, you use the subjunctive, as follows:

1) Present and future time:
In the if-clause, use Present Subjunctive II.
In the conclusion, use Present Subjunctive II or Future Subjunctive II.

Wenn er ein guter Student **wäre, verstünde** er dies (*or*) **würde** er dies **verstehen.**	If he *were* a good student, he *would understand* this.

2) Past time:
In the if-clause, use Past Subjunctive II.
In the conclusion, use Past Subjunctive II or Future Perfect Subjunctive II.

Wenn er ein guter Student **gewesen wäre, hätte** er dies **verstanden** (*or*) **würde** er dies **verstanden haben.**	If he *had been* a good student, he *would have understood* this.

3) In "mixed" conditional sentences, use whatever tense is required for the time you wish to express:

Wenn er mein Freund **wäre, hätte** ich es dir gesagt *(or)* **würde** ich es dir **gesagt** haben.	If he *were* my friend, I *would have told* you so.
Wenn ich heute mittag mehr **gegessen hätte, wäre** ich jetzt nicht so hungrig *(or)* **würde** ich jetzt nicht so hungrig **sein.**	If I *had eaten* more this noon, I *would not be* so hungry now.

Note: Remember that in all contrary to fact conditions you always use Subjunctive II, never Subjunctive I.

Quite often, especially in literary German, **wenn** is omitted in the condition, and the verb is placed first to indicate this omission. This is occasionally done in English also:

Wäre er mein Freund, **käme** er sofort.	*Were* he my friend, he would come at once.
Hätte ich ihn zuerst **gesehen,** so **wäre** ich **fortgegangen.**	*Had* I *seen* him first, I *would have gone* away.

As the last example shows, a conclusion is often introduced by **so.** In translating into English, it is omitted.

2. A use of the subjunctive closely related to that in unreal conditions is in **als ob** *as if* clauses. Ordinarily we use Subjunctive II in such sentences:

Er sah aus, als ob er krank **wäre.**	He looked as if he *were* sick.

But sometimes Subjunctive I is used:

Er sah aus, als ob er krank **sei.**

Often **ob** is omitted in such clauses and inverted order is used:

Er sah aus, **als wäre er krank.**	He looked as if he were sick.

3. Indirect statements

Another important use of the subjunctive is after verbs of saying, thinking or feeling to report a statement or thought of another person (or possibly even of the speaker himself). It is difficult to make hard and fast rules about this matter, because whether one uses the subjunctive or indicative after a verb of saying depends, so to speak, on the frame of mind of the person reporting the statement. If he is convinced that the statement is true and is therefore reporting it as a fact, or if he wishes to emphasize the statement itself rather than the fact that he is reporting it, he will very likely use the indicative. But if he wishes to emphasize that he is merely reporting and to imply that he takes no responsibility for the truth of the statement, he will ordinarily use the subjunctive. This is a good example of the subjunctive as the mood of uncertainty.

Indicative

Du kannst Tante Marie in ihrem Zimmer finden, denn Fritz hat mir gesagt, daß sie schon da **ist.**	You can find Aunt Marie in her room, for Fred told me that she *is* already here.

Subjunctive

Fritz sagte, die Tante **wäre** schon da, aber ich habe sie noch nicht gesehen.	Fritz said, our aunt *was* already here, but I have not yet seen her.

Other elements, too complicated and subtle to be dealt with here, may also enter into the matter. By analyzing indirect statements that you encounter in your reading, you will gradually acquire a better understanding of the matter. One rule of thumb is useful and will usually achieve correct results:

If the verb of saying is in the present tense, you nearly always use the indicative; after other tenses the subjunctive is most commonly used.

Tense of the Indirect Statement

To determine this, the first thing to remember is that the verb of saying has nothing to do with it. The tense of the indirect statement depends on what the tense of the direct statement was, as shown by the following table:

DIRECT STATEMENT: INDICATIVE	INDIRECT STATEMENT: SUBJUNCTIVE
Present	Present I or II
Past Present Perfect Past Perfect	Past I or II
Future	Future I or II
Future Perfect	Future Perfect I or II

In everyday conversation, Subjunctive II is generally used for all indirect statements. It *must* be used when the Subjunctive I and the corresponding indicative form are identical, as is the case in nearly all the plural forms. In more formal conversation and in literature, Subjunctive I is often used when the form is distinctive from the indicative. For this reason, it is important for you to familiarize yourself with these forms, even though you may not use them in your own speaking and writing. A few examples will show how the above table works:

Er sagte, **„Hans kommt heute."**
Er sagte, **Hans käme** (*or* **komme**) **heute.**

Er sagte, **„Hans kam heute."**
Er sagte, **Hans wäre heute gekommen** (*or* **sei gekommen**).

Er sagte, **„Hans und Marie kommen heute."**
Er sagte, **Hans und Marie kämen heute.**

Er sagte, **„Sie werden heute kommen."**
Er sagte, **sie würden heute kommen.**

As in English, an indirect statement may or may not be introduced by the conjunction **daß** *that.* If **daß** is used, the verb stands at the end; if not, the order is normal (or inverted, if something other than the subject stands at the beginning).

An indirect question is introduced by the interrogative that was used in the direct question. If the direct question contained no interrogative, the indirect question is introduced by **ob.**

Er fragte mich, **warum** ich nicht **käme.**	He asked me why I did not come.
Er fragte mich, **ob** ich heute **kommen könnte.**	He asked me if (whether) I could come today.

An indirect command, as in English, requires **sollen** *shall.*

Er sagte, ich **sollte** kommen.	He said I should come.

In this connection, it is important to remember that the construction *He told me to come* is not possible in German. You must say:

Er sagte mir, **ich sollte kommen.**

4. Minor uses of the subjunctive

There are a few other uses of the subjunctive rarely found in conversational German but encountered now and then in reading.

We have similar uses in English, but they are even rarer with us than in German. For example:

a. Subjunctive I

1) **Sei** es nun wahr oder nicht, mich geht es nichts an. — Be it true or not, it does not concern me.

2) a construction that grammarians usually call a formal wish:

Es **lebe** der Kaiser! — Long live the emperor!

3) a construction closely related to 2), for which there is no exact equivalent in English, is in commands in the 3rd person, found quite frequently in classical literature and in poetry:

„Edel **sei** der Mensch, hilfreich und gut.“ — “Let man be noble, helpful and good.”

b. Subjunctive II
A form of wish, which is really the if-clause of a contrary to fact condition:

Wäre er nur hier! — If he were only here!

IV. The Passive Voice

In the passive voice, the subject is being acted upon, that is, a word which in an active sentence would be the direct object becomes the subject in a passive sentence.

The passive is formed with the auxiliary **werden** and the past participle of the verb in question; in the compound tenses the prefix **ge–** is dropped from the past participle of **werden**:

Der Dieb **wurde** vom Polizisten **gefangen.** — The thief was caught by the policeman.
Der Dieb **ist** vom Polizisten **gefangen worden.** — The thief has been caught by the policeman.

As the above examples show, *by* in a passive sentence is German **von.** But if *through* or *by means of* is implied, **durch** should be used:

Er **wurde durch** eine neue Medizin **geheilt.** — He was cured by (means of) a new medicine.

For a complete conjugation of the passive see pp. 230–231.

It is important to note that in German only a word that is capable of being a direct object in an active sentence can become the subject of a passive sentence. In English we are less rigid about this. We can, for example, say:

I was given a beautiful present for my birthday.

But in German you must say:

Ein schönes Geschenk wurde mir zum Geburtstag **gegeben.**

Similarly, with verbs that take the dative, the object of the active sentence remains in the dative in the passive sentence:

Mir wurde oft von ihm **geholfen.**	I was often helped by him.

In actual practice, these constructions do not occur very often, and it is better to avoid them unless you want particularly to stress the idea that the person or thing in question is being acted upon.

In general, too, the passive is less frequently used than it is in English. Where we would use the passive, other constructions are often preferred. The most common are:

1. **man**

Man hat das verirrte Kind noch nicht **gefunden.**	The lost child has not yet been found.

2. **lassen** with an infinitive

Ich **lasse** mir einen Anzug vom Schneider **machen.**	I am having a suit made by the tailor.

3. reflexives

Nach einer Stunde **hatte sich** der Saal **gefüllt.**	After an hour the hall had been filled.

A use of the passive not found in English is the impersonal passive:

Es wurde den ganzen Tag **gekämpft.**	There was fighting all day.

You should learn to distinguish between the true passive and a construction that is usually called the *statal passive,* in which the auxiliary **sein** is used. In the true passive an action is expressed as going on; in the statal passive, as the auxiliary **sein** implies, we have merely the expression of a condition or state:

True passive:

Das Ei **wird** (**wurde**) **gekocht.**	The egg is (was) being boiled.

Statal passive:

Das Ei **ist** (**war**) **gekocht.**	The egg is (was) boiled. (That is, it is or was a boiled egg.)

V. Modal Auxiliaries

A. Forms

The modal auxiliaries are **dürfen, können, mögen, müssen, sollen, wollen.** Since these verbs are so frequently used in everyday conversation, you should review the conjugations of all tenses thoroughly, noting the irregularities (see p. 232). It is extremely important also to remember that while in German these verbs are complete with all their forms, in English many of the modal forms are missing. You cannot, for example, say, *to can, to must, to may* or *to shall;* nor can you say, *I have musted, I have should, I have could, I musted.* We substitute other words, such as *to be able, to have to, I had to.*

Each of the modals has two past participial forms, the regular weak one, with the prefix **ge–** and the ending **–t: gewollt, gesollt,** etc., and a second one which is identical with the infinitive: **wollen, sollen,** etc. The first is used when there is no dependent infinitive in the clause:

Ich bat ihn heute zu kommen, aber er **hat** es nicht **gewollt.**	I asked him to come today, but he did not want to.

The second is used when there is an infinitive present and gives us what is known as the double infinitive construction:

Ich **habe** dir dies schon lange sagen **wollen.**	I have wanted to tell you this for a long time.

Note on word order: The double infinitive construction always stands at the end, even in dependent clauses. In such clauses the auxiliary immediately precedes it:

Du weißt, **daß** ich dir dies schon lange **habe sagen wollen.**	You know that I have wanted to tell you this for a long time.

The modals are like their English cognates in that **zu** is not used with an infinitive following a modal:

Ich **kann** heute nicht **kommen.**	I can't come today.
Ich **muß** nach Hause **gehen.**	I have to go home.

Note: The verbs **helfen, hören, lassen, lernen, sehen** are like the modals in that they do not require **zu** before a complementary infinitive and generally use a double infinitive construction in the perfect tenses:

Sie **haben** uns **gehen lassen.**	They have let us go.

Quite often an infinitive is understood after a modal without being expressed. Such omission is, however, permissible only if the context makes it clear what infinitive is understood. If there is an expression of place in the predicate, the verb *go* is understood:

Ich **muß** heute morgen **in die Stadt.**	I have to go to town this morning.

Otherwise it is generally *do* or the verb that has been used just before. In such cases, **es** is usually required after the modal:

Ich möchte heute nachmittag schlafen, aber ich **kann es** nicht.	I would like to sleep this afternoon, but I can't.

B. Meanings

The greatest difficulty with modals lies in their meanings. Each of them has an English cognate, but while it is very useful to know the cognates, it must be remembered that the meanings of the English and the German cognates are not always identical. In general, each modal has one basic meaning with a variety of related meanings, which, however, never deviate far from the basic meaning. Examples of the most important meanings of the modals are given here, but you will probably encounter others in your reading. You should analyse these to determine their relation to the basic meaning. It is study of this sort that will help to strengthen your *Sprachgefühl.* Sometimes you can tell only by the context precisely what a modal means.

1. **Dürfen** *be allowed to, may* (permission)
   a. This verb implies permission or authority from someone other than the subject of the verb. Thus:

      Die Kinder **dürfen** jeden Tag im Park spielen (the mother allows it).

b. When used in a negative sentence, **dürfen** changes its meaning somewhat. This sort of thing can be observed in English, too, as the following examples will show.

Positive I have to do it. Ich **muß** es tun.
Negative I don't have to do it. Ich **brauche** es **nicht** zu tun.
(Or, less commonly:) Ich **muß** es **nicht** tun.

Positive I must do it. Ich **muß** es tun.
Negative I mustn't do it. Ich **darf** es **nicht tun.**

Note: Particular care should be taken to avoid the mistake often made by American students of confusing *allow* and *be allowed.* The word for *allow* is **erlauben.** *Be allowed* is **dürfen.**

2. **Können** (cognate "can") *be able to*

a. Usually **können** implies physical ability or power.

Wir **konnten** nicht kommen, weil unser Auto kaputt war.	We could not come because our car was out of order.

b. Sometimes, however, it is used to imply possibility in a broad sense:

Es **kann** sein, daß er heute noch kommt.	It may be that he will still come today.

c. A special use of **können** is as an independent transitive verb meaning *to know* or *to understand:*

Ich **kann** noch nicht viel Deutsch.	I don't know much German yet.

3. **Mögen** (cognate "may") *may* (possibility); *like, like to*
This is the only one of the modals that has two distinctly different meanings.

a. the meaning *like, like to* presents no difficulties:

Er **mag** mich nicht.	He does not like me.
Ich **möchte** das nicht tun.	I should not like to do that.

b. The meaning *may* must not be confused with *may* implying permission (**dürfen**). **Mögen** expresses possibility:

Es **mag** sein, daß er die Wahrheit spricht.	It may be that he is speaking the truth.

4. **Müssen** (cognate "must") *must, have to.*

There is no difficulty in meaning here. It is a pretty exact equivalent of the English *must.* The chief thing to remember is that English *have to* is rendered by German **müssen.**

Wir **mußten** dieses Jahr schwer arbeiten.	We had to work hard this year.

5. **Sollen** (cognate "shall") *be supposed to, shall, be to.*

The English *to be supposed to* with its various meanings covers most of the meanings of **sollen.** You will note that they all imply that the action proceeds not from the will of the subject but from some other source.

a. Die Kinder **sollen** heute zu Hause bleiben.	The children shall (are supposed to) stay at home today.
b. Er **sollte** diesen Sommer nach Europa reisen, aber er konnte es nicht.	He was supposed to go to Europe this summer but he couldn't.
c. Wilhelm Tell **soll** einen Apfel vom Kopfe seines Sohnes geschossen haben.	Wilhelm Tell is supposed to (is said to) have shot an apple from his son's head.

d. When **sollen** is used in the subjunctive II, it means *ought.*

Du **solltest** das nicht tun.	You ought not to do that.
Du **hättest** das nicht tun **sollen.**	You ought not to have done that.

6. **Wollen** (cognate "will") *want to, intend to, will, be on the point of, claim to.*

Wollen expresses the will or desire of the subject and has a variety of shades of meanings, which in reading must often be deduced from the context.

a. Ich **will** diesen Mann nicht wieder sehen.	I don't want to see this man again.
b. Er **wollte** uns heute besuchen, aber dann regnete es.	He intended to (was going to) visit us today, but then it rained.

c. Er **wollte** gerade das Haus verlassen, als der Regen anfing.	He was just about to (was going to) leave the house when the rain began.
d. Er **will** dich gestern auf der Straße gesehen haben.	He claims to have seen you on the street yesterday.

VI. Reflexive Verbs

A reflexive verb is one whose object refers to the same person or thing as the subject:

Er sah **sich** im Spiegel.	He saw himself in the mirror.

A. Forms

The reflexive pronoun is the same as the regular personal pronoun in the first and second persons singular and plural. In the third person singular and plural it is **sich,** in both accusative and dative cases.

B. Uses

The whole matter of reflexives is considerably more complicated in German than in English, because German uses the reflexive much more commonly and in a greater variety of ways than English does. The English language seems to distinguish less rigidly between transitive and intransitive verbs than does German. In English, verbs are often used either transitively or intransitively, something which is fairly rare in German.

1. With verbs where the subject acts on itself, German uses a reflexive:

a. Sie bewegte die Hände sehr langsam.	She moved her hands very slowly.
Sie **bewegt sich** sehr langsam.	She moves very slowly.
b. Sie fühlt die Kälte mehr als ich.	She feels the cold more than I do.
Er fühlte **sich** heute nicht sehr wohl.	He did not feel very well today.
c. Er wandte den Kopf schnell zur Seite.	He quickly turned his head aside.
Er **wandte sich** schnell zur Seite.	He quickly turned aside.

2. There is a fairly large number of transitive verbs, which, when used reflexively in German, are translated by a related verb in English, usually intransitive but occasionally transitive.

a. Sie setzte das Kind auf den Stuhl.	She set the child on the chair.
Sie **setzte sich** auf den Stuhl.	She sat down on the chair.
b. Sie legte das Kind aufs Bett.	She laid the child on the bed.
Sie **legte sich** aufs Bett.	She lay down on the bed.
c. Sie erheben ihre Stimmen.	They raise their voices.
Er **erhebt sich** vom Stuhl.	He gets up (arises) from the chair.
d. Er erinnert mich an meinen Vater.	He reminds me of my father.
Er **erinnert sich** noch gut an seinen Großvater.	He still remembers his grandfather well.

3. Quite often, where English uses a passive form, German will use a reflexive:

a. Das Zimmer **füllte sich** schnell mit Menschen.	The room was quickly filled with people.
b. Das **versteht sich** von selbst.	That is self-understood.

4. Reflexive pronouns in the dative case are often used in constructions where English uses a possessive adjective: **Ich** kämmte **mir** das Haar. I combed my hair. **Er** wusch **sich** die Hände. He washed his hands.

5. Idioms. Many reflexives cannot be translated literally and may therefore be classified as idioms, such as:

a. **sich amüsieren**	have a good time
Wir haben uns gestern sehr gut **amüsiert.**	We had a very good time yesterday.
b. **sich verabreden**	make an appointment or date
Ich habe mich für heute abend mit ihm **verabredet.**	I have made a date with him for this evening.

c. **sich langweilen** be bored

Wir langweilen uns nie im Kino.	We are never bored in the movies.

d. **sich verirren** get lost

Das Kind hat sich im Wald **verirrt.**	The child got lost in the woods.

e. **sich verabschieden von** say good-bye to, take leave of

Ich habe mich schon von ihm **verabschiedet.**	I have already said good-bye to him.

f. **sich freuen** be glad

Ich freue mich, daß du kommen kannst.	I am glad that you can come.

g. **sich fragen** wonder

Ich frage mich, ob das wirklich stimmt.	I wonder if that's really right.

h. **sich wundern** be surprised

Ich wundere mich über nichts mehr.	I'm not surprised at anything any more.

i. **sich ärgern** be annoyed, be angry

Sie hat sich sehr darüber **geärgert.**	She was very annoyed about it.

6. Additional notes on reflexives

a. A reflexive may be used reciprocally (to mean *each other*) if no ambiguity is caused.

Sie sahen **sich** jeden Tag.	They saw each other every day.
Wir kennen **uns** schon lange.	We have known each other for a long time.

b. When a pronoun used with a preposition in the predicate refers to the subject of the verb, the reflexive form of the pronoun must be used:

Sie trug ihre Handtasche immer bei **sich.**	She always carried her purse with her.

c. One must be careful not to confuse the intensifying pronouns **selbst** and **selber** with the reflexives. These pronouns, used interchangeably, serve only for emphasis:

Ich werde es **selber** (**selbst**) tun.	I will do it myself.

Verbal Prefixes

General Remarks

Prefixes and suffixes are among the most important elements in the structure of the German language, which has a relatively small basic vocabulary. While English is rich in both Germanic (Anglo-Saxon) and Latin derivatives, German was much less affected by Latin influence and relies more heavily on purely Germanic words. While in English, words related in meaning often come from two different sources — one Germanic and one Latin — in German we find the basic Germanic root used over and over again with prefixes or suffixes to form new words. A few examples will suffice to show what we mean:

genug enough
genügen suffice
sich begnügen be content

leben live
beleben animate
erleben experience

kommen come
ankommen arrive
bekommen receive
verkommen degenerate

folgen follow
der Erfolg success
verfolgen pursue, persecute

It is obvious then that a good understanding of the meaning and uses of prefixes will be of great help to you in developing both an active and passive vocabulary. Most grammarians distinguish between two classes of verbal prefixes: the true prefixes **be–, emp–, ent–, er–, ge–, miß–, ver–, zer–** (which are never separated from their verbs and are therefore called inseparable prefixes) and the so-called separable prefixes. The latter are not prefixes in the narrower sense of the word but simply prepositions, adverbs, adjectives, or even nouns, which are attached to the verb in the infinitive and the past participle, and also in dependent word order, but are otherwise separated from it. In English we generally keep such "prefixes" separated from the verb:

auf·stehen	**er steht auf**	**er ist auf·gestanden**
get up	he gets up	he has got up

I. Inseparable Prefixes

While it is not possible to define in a perfectly clear-cut way all the various meanings of the inseparable prefixes, keeping in mind some general principles about them will help you deduce their meanings in any given context.

A. be–

1. This prefix is often used to make a transitive verb out of an intransitive one:

Er **antwortete** mir nicht auf meine Frage.	He did not answer my question.
Er **beantwortete** meine Frage.	He answered my question.
Er **spricht** über das Buch.	He talks about the book.
Er **bespricht** das Buch.	He discusses (reviews) the book.
Der Bauer **arbeitet** auf dem Feld.	The farmer works in the field.
Der Bauer **bearbeitet** das Feld.	The farmer cultivates the field.

This use of **be–** is occasionally found in English, as in *bespeak, bewail, bemoan.*
Sometimes, too, **be–** makes a transitive verb "more transitive," that is, it extends the force or scope of the action of the verb. For example: **schreiben** *write,* **beschreiben** *describe;* **schließen** *close,* **beschließen** *decide.*

2. Very often **be–** is used with adjectives or nouns to form verbs which indicate that the quality expressed in the adjective or implied in the noun is given to the object of the verb: **fest** *firm,* **befestigen** *make fast, fortify;* **ruhig** *quiet,* **beruhigen** *quiet, calm down;* **frei** *free,* **befreien** *set free;* **das Leben** *life,* **beleben** *give life to, animate;* **der Friede** *peace,* **befriedigen** *satisfy.* In English we have something similar in such a verb as *bedevil.*

B. emp–

emp– is used in only three words: **empfangen** *receive* (plus **der Empfang** *reception*) **empfehlen** *recommend,* **empfinden** *feel.*

C. ent–

ent– originally meant *toward, against.* From this original meaning other more or less closely related meanings have been derived.

1. From the basic idea of "movement toward" comes that of the beginning of an activity or change: **stehen** *stand,* **entstehen** *originate, come into being;* **brennen** *burn,* **entbrennen** *burst into flame, become excited.*

2. Even more common is the idea of change, away from the old and from that to separation in general: **gehen** *go,* **entgehen** *escape, avoid;* **täuschen** *deceive,* **enttäuschen** *disappoint* (i.e. undeceive); **sagen** *say,* **entsagen** *renounce;* **lassen** *let,* **entlassen** *dismiss;* **decken** *cover,* **entdecken** *discover.*

D. **er–** is used chiefly to show that the action of the verb is carried out to completion, that a result has been achieved: **fragen** *ask,* **erfragen** *find out by asking;* **blühen** *blossom,* **erblühen** *burst into blossom;* **wachen** *be awake,* **erwachen** *wake up;* **heben** *lift,* **erheben** *raise, elevate;* **schöpfen** *draw from,* **erschöpfen** *exhaust.*

E. **ge–** (except in collective nouns such as **Gebirge** *mountain range* and **Gebäude** *building*) has become so general and colorless in meaning that no definitions of practical use can be made.

F. **miß–** is similar to English *mis–* as in *misspell,* in that it expresses error or failure: **verstehen** *understand,* **mißverstehen** *misunderstand;* **gefallen** *please,* **mißfallen** *displease.*

G. **ver–** has a variety of meanings. The most common are:

1. away, forth: **reisen** *travel,* **verreisen** *go away on a trip;* **kaufen** *buy,* **verkaufen** *sell.*

2. Sometimes the idea of *away* leads to that of the end or of an entire consumption: **blühen** *blossom,* **verblühen** *fade;* **bluten** *bleed,* **verbluten** *bleed to death;* **hungern** *be hungry,* **verhungern** *starve.*

3. The idea of *away* may also lead to that of loss or error: **irren** *wander about,* **sich verirren** *get lost,* **raten** *advise,* **verraten** *betray;* **führen** *lead,* **verführen** *lead astray, seduce;* **achten** *pay attention, respect,* **verachten** *despise.*

4. Fairly often **ver–** expresses union or fusion: **schmelzen** *melt,* **verschmelzen** *fuse;* **binden** *tie,* **verbinden** *unite.*

H. **zer–** expresses dissolution or breaking to pieces: **schmelzen** *melt,* **zerschmelzen** *dissolve;* **fallen** *fall,* **zerfallen** *fall to pieces, fall into ruin.*

Suggestion: Look up words with the inseparable prefixes in your dictionary to get an idea of the extent of their use!

II. Separable Prefixes

Almost any preposition, many adverbs and sometimes even nouns may be attached to the infinitive of a verb to modify its meaning. Often such prefixes retain their literal meaning, so that the meaning of the compound word can be readily determined: **an·sehen** *look at,* **fest·halten** *hold fast,* **haus·halten** *keep house.* Sometimes, however, the meaning is not obvious: **aus·sehen** *look like,* **ein·fallen** *occur* (to someone).

Position of prefixes when separated: Since a separable prefix affects the meaning of the verb in a decisive way, it not only bears the accent, but also stands in one of the most important positions in the clause, namely at the end. Thus:

Er **steht** immer sehr früh **auf.**
Er **stand** immer sehr früh **auf.**
Er wird immer sehr früh **aufstehen.**
Er ist immer sehr früh **aufgestanden.**
Ich weiß, daß er immer sehr früh **aufsteht.**

We can then summarize the position of the separable prefix as follows: In the simple tenses in main clauses, the prefix is separated and stands at the end. In the compound tenses and in dependent clauses, it remains attached to the verb.

Exceptions: In a sentence with a dependent infinitive phrase, the prefix stands before such a phrase:

Er steht früh **auf,** um pünktlich zur Arbeit zu kommen.

Also, the prefix usually stands before a phrase introduced by **wie:**

Er sieht **aus** wie ein Engländer.

When **zu** is used with the infinitive of a separable verb, it stands between the prefix and the verb:

Er bat mich **einzutreten.**

There are a few prefixes that warrant special attention because they occur so frequently and present particular difficulties to the English speaking student.

A. **Hin** *to there* — an adverb implying motion away from the speaker. It can be combined with almost any verb of motion: **hingehen, hinlaufen, hinfahren.** Furthermore, it is often combined with prepositions or related words to form a compound prefix: **hinab, hinauf, hinaus, hinein, hinüber, hinunter.** One example will suffice:

Er **ging** die Straße **hinab** (*or* **hinunter.**)	He went down the street.

In addition to this use with verbs, **hin** has an extremely important use with the interrogative **wo?** and with the adverb **da.** The English *where?* means both *in* or *at what place?* and *to what place?* We say: *Where are you? Where are you going?* But the German **wo?** means only *in* or *at what place?* To express the idea of *to what place?* you must add **hin:**

Wo bist du?
Wohin gehst du? (*or*) **Wo gehst** du **hin?**

In other words, when English *where* is used with a verb of motion from one place to another, the German requires **wohin.** Similarly, **da** means *there* and **dahin** means *to there:*

Er **ist da.**
Er **geht dahin.**

B. **Her** *here* — an adverb implying motion toward the speaker. It can be combined with certain verbs of motion, for example, **herkommen:**

Komm her, Fritz!	Come here, Fritz!

The most important point for you to remember is that when English *here* implies *to here*, you must use **her,** or, if you want to be especially emphatic, **hierher. Her** is also frequently combined with prepositions and related words: **herab, heraus, herein,** etc.:

Bitte **kommen** Sie **herein!**	Please come in!

In combination with **wo** and with **da** it implies *from:*

Woher kommst du? (*or*) **Wo kommst** du **her?**	Where do you come from?
Er **kommt daher.**	He comes from there.

C. Two of the most common prefixes are **ein** *into* and **aus** *out of,* either alone or in combination with **hin** or **her.**
For example:

Bitte, treten Sie **ein!**	Please come in!
Er lief **hinaus.**	He ran out.

You must keep in mind, however, that if a noun is used with these prefixes in the predicate, the preposition **in** or **aus** must be used in addition to the prefix:

Der Redner trat **in den Saal ein.**	The speaker entered the hall.
Er lief **aus dem Haus hinaus.**	He ran out of the house.

We have something similar in English when we say: I refused to *enter into* an argument with him.

When **ein** and **aus** are combined with **hin** and **her** they usually keep the literal meaning of *in* and *out*, while when they are used alone they often have a figurative meaning:

hinaussehen	*look out*	**aussehen**	*look (like)*
hineinsehen	*look into*	**einsehen**	*understand, realize*
hineinführen	*lead into*	**einführen**	*introduce, import*

III. Doubtful Prefixes

A few prepositions — **durch, hinter, über, unter, wider** — may be used either as separable or as inseparable prefixes. When they have pretty nearly their regular, literal meaning, they are separated and bear the accent; if their meaning is more figurative than literal, they are used as inseparable prefixes without accent. For example:

1. Die Sonne **geht** heute um 6 Uhr **unter.**	The sun sets at 6 o'clock today.
Wir **unterhielten** uns lange über sein neues Buch.	We talked a long time about his new book.
2. Er ist zum Katholizismus **übergetreten.**	He went over (was converted) to Catholicism.
Er hat das Gesetz **übertreten.**	He broke the law.

Conjunctions

Conjunctions are connecting words that serve to link clauses (and in some cases words or phrases). German distinguishes between two types of conjunctions.

I. Coordinating Conjunctions

The short list of conjunctions that connect two independent clauses should be memorized. They are: **aber** *but,* **allein** *but,* **denn** *for,* **oder** *or,* **sondern** *but,* **und** *and.* Since they are not an integral part of any clause, they do not affect the word order. In this connection, you should make a special note of **denn.** It can easily be confused with the adverb **dann** *then,* which frequently stands at the beginning of a clause and causes the order to be inverted, while **denn** never affects the word order of the clause following it:

Ich werde dieses Jahr keine Reise machen, **denn ich habe** kein Geld.
Hans kam mich abzuholen, und **dann gingen wir** ins Kino.

The three words for English *but* are used as follows:

1. **Aber** is the usual word for *but:*

   Er möchte kommen, **aber** er kann es nicht.

2. **Sondern** is used:

   a. after a negative, when *instead* is implied. Notice the difference in meaning between these two sentences:

   Er kam nicht selbst, **aber** er schickte seinen Bruder. (but, nevertheless, at least)
   Er kam nicht selbst, **sondern** schickte seinen Bruder. (instead)

   b. in the combination *not only, but also:*

   Nicht nur er, **sondern** auch sein Bruder kommt heute.

3. **Allein** as *but* is rarely used in conversation, but in your reading remember that **allein** at the beginning of a clause can mean *but:*

Sie suchten ihn stundenlang, **allein** er war nicht zu finden.	They looked for him for hours, but he was not to be found.

II. Subordinating Conjunctions

There is a fairly large number of subordinating conjunctions that serve to introduce dependent clauses, as for example, **daß, damit, ehe, obgleich.** The verb in such dependent clauses is placed at the end. A few points in connection with certain of the subordinating conjunctions should be specially noted:

A. **als, wann, wenn** *when.* There are three words for English *when,* each of which has a special use.

1. **als** for past time * (except as in 3b below):

    Ich habe ihn gesehen, **als** ich in Deutschland **war.**

2. **wann** for direct or indirect questions:

    Wann beginnt das Theater?
    Ich kann dir nicht sagen, **wann** es beginnt.

3. **wenn**

    a. for present time:

    Ich freue mich, **wenn** ich ihn **sehe.**

    b. for past time, if *whenever* is implied:

    Ich freute mich **immer, wenn** ich ihn **sah.**

B. **wenn** and **ob** *if*
The most common word for *if* is **wenn.** But when *if* is used in the sense of *whether,* the German **ob** must be used.

Ich weiß noch nicht, **ob** er heute kommt.	I don't know yet *if* he is coming today.

C. **als** *as, as if*
While perhaps the most important meaning of **als** is *when,* **als** also means *as,* or, if followed by inverted order, *as if.*

* This includes the historical present, when for the sake of vividness you use the present tense to tell about something that happened in the past.

Ich sah ihn, gerade **als** er aus dem Saal trat.	I saw him just as he was stepping out of the hall.
Er sah aus, **als wäre** er krank.	He looked as if he were sick.

D. **da** and **seitdem**

Be careful to distinguish between **da** and **seitdem,** which are both translated as *since.* **Da** is causal, **seitdem** temporal:

Da er schon im Winter fortging, habe ich ihn nicht wieder gesehen.	Since (because) he left in winter I did not see him again.
Seitdem er von hier fortging, habe ich ihn nicht mehr gesehen.	Since (the time that) he went away from here, I have not seen him any more.
Seitdem er hier ist, sehe ich ihn jeden Tag.	Since he has been here, I've been seeing him every day.

E. **weil** and **während**

Be sure not to confuse German **weil** with English *while.* **Weil** means *because.* The German for *while* is **während.**

F. **obwohl** and **obgleich** both mean *although,* but **obwohl** is the more commonly used in conversational German.

G. **nachdem** *after*

With **nachdem** you must be careful about the tense you use. In English we may say either: I sent him the book after I *had examined* it, or after I *examined* it. And correspondingly: I will send it to him after I *have examined* it, or after I *examine* it.

In German the rule is more stringent. If the verb in the main clause is in the past, you must use the past perfect after **nachdem.** If the verb in the main clause is in the future, you must use the present perfect after **nachdem.**

Ich **schickte** ihm das Buch, **nachdem** ich es **untersucht hatte.**
Ich **werde** ihm das Buch **schicken, nachdem** ich es **untersucht habe.**

Numerals, Dates, Telling Time

I. Cardinal Numerals (see p. 223 for list)

II. Ordinal Numerals

The ordinals (1st, 2nd, 3rd etc.) are formed from 2 to 19 by adding **–t** to the cardinal number. From 20 upwards **–st** is added. While the cardinals are uninflected, the ordinals are declined like attributive adjectives with weak or strong endings as the situation requires: **der 24ste Februar, am zweiten Tag, unser vierter Sohn.** Four ordinals are irregular: **erst, dritt, acht,** and **siebent** (often contracted to **siebt**). In writing, a period may be used to indicate an ordinal: **der 4. Juli.**

III. Dates

These show slight variations from English usage:

Gestern war **der dritte Juli.**	Yesterday was the 3d of July.
Er besuchte uns **am 4. Juli.**	He visited us on the 4th of July.

On letterheads the accusative of the ordinal is used:
Berlin, **den 28. Februar 1956.** (Note that there is no comma after the name of the month).
One important difference between German and English: While in English we say, for example: It happened in 1932, in German one says either:

Es geschah im Jahre 1932
or
Es geschah 1932.

IV. Telling Time

There is a certain amount of variety of usage in the matter of time-telling in Germany. The most common expressions are:

Wie spät ist es? *or* Wieviel Uhr ist es?	What time is it?
Es ist 5 Uhr morgens.	It is 5 o'clock in the morning.
Es ist 11 Uhr vormittags.	It is eleven o'clock in the forenoon.
Es ist 10 Minuten nach elf.	It is 10 after eleven.
Es ist (ein) Viertel nach elf. *or* Es ist Viertel zwölf.	It is a quarter past eleven.
Es ist halb zwölf.	It is half past eleven.
Es ist (ein) Viertel vor zwölf. *or* Es ist Dreiviertel zwölf.	It is a quarter to twelve.
Es ist Mittag.	It is noon.
Es ist halb drei nachmittags.	It is half past two in the afternoon.
Es ist neun Uhr abends.	It is 9 o'clock in the evening.
um zehn Minuten nach elf	at 10 after eleven

Railroad and other official time is reckoned on a twenty-four hour basis, from midnight to midnight:

1:16, ein Uhr sechzehn 1:16 A.M.
23:19, dreiundzwanzig Uhr neunzehn 11:19 P.M.

Caution: Remember that **die Uhr** means *clock* or *watch.* The word for *hour* is **die Stunde.**

Idioms

One of the things that give a language its specific character and make it alive are the many expressions that cannot be literally translated into another language. We call these expressions "idioms," and the more of them you can use with ease, the more natural your German will sound. Below is a fairly long list of idioms, all chosen for their usefulness in everyday German conversation.

I. Idioms Involving Prepositions

In nearly all the following idioms, the preposition has a meaning that is different from its literal or usual meaning. Note also that when prepositions from the list taking the dative or accusative are involved, they very often take the accusative even when no motion toward the object is expressed.

A. an

1. **denken an** (*acc.*)
   think of
   Ich denke oft an meine Reise nach Deutschland.
   Ich denke oft daran, daß ich im Sommer nach Deutschland reise.
2. **sich erinnern an** (*acc.*)
   remember
   Ich erinnere mich noch gut an ihn.
3. **glauben an** (*acc.*)
   believe in
   Ich glaube nicht mehr an ihn.
4. **sich gewöhnen an** (*acc.*)
   get used to
   Ich habe mich an die schwere Arbeit gewöhnt.
5. **schreiben an** (*acc.*)
   write to
   Sie schreibt oft an ihre Mutter.
6. **teilnehmen an** (*dat.*)
   take part in
   Ich nehme nie an solchen Dingen teil.
7. **vorbeigehen an** (*dat.*)
   go past
   Wir gehen oft an diesem Haus vorbei.
8. **am Morgen, am Abend**
   in the morning, in the evening
   Wir arbeiten am Morgen, am Nachmittag und auch am Abend.

9. **schuld sein an** (*dat.*) be to blame for	Er ist schuld an dieser Sache. Er ist schuld daran, daß diese Sache nicht gut gegangen ist.

B. **auf**

1. **achten auf** (*acc.*) pay attention to, watch for, look out for	Sie achtet auf ihre Kinder. Sie achtet darauf, daß die Kinder früh nach Hause kommen.
2. **ankommen auf** (*acc.*) depend on (Note difference between meaning of *depend* here and in B 12 below.)	Es kommt ganz auf das Wetter an. Es kommt darauf an, ob das Wetter gut bleibt.
3. **antworten auf** (*acc.*) answer (a question)	Er antwortete nie auf meine Fragen.
4. **auf diese Art, auf diese Weise** in this way	Auf diese Art (Weise) lerne ich leicht Deutsch.
5. **böse sein auf** (*acc.*) be angry with	Ich bin sehr böse auf ihn.
6. **auf jeden Fall** in any case	Man sollte es auf jeden Fall versuchen.
7. **auf einmal** all at once	Auf einmal fing es an zu regnen.
8. **sich freuen auf** (*acc.*) look forward to	Ich freue mich sehr auf Weihnachten. Ich freue mich schon darauf, daß ich zu Weihnachten nach Hause fahre.
9. **hoffen auf** (*acc.*) hope for	Wir hoffen auf gutes Wetter.
10. **auf das (dem)** Land to (in) the country	Ich fahre gern auf das Land und bleibe den ganzen Sommer auf dem Land.
11. **stolz sein auf** (*acc.*) be proud of	Er ist sehr stolz auf seine Tochter. Er ist stolz darauf, daß sie so schön ist.
12. **sich verlassen auf** (*acc.*) depend on (Note difference between meaning of *depend* here and in B 2 above.)	Man kann sich nicht auf ihn verlassen. Man kann sich nicht darauf verlassen, daß er es tun wird.

13. **warten auf** (*acc.*) wait for	Er wartet auf seinen Freund. Er wartet darauf, daß der Freund kommt.
14. **sich auf den Weg machen** start out	Wir machen uns auf den Weg zur Schule.
15. **auf sein (seinem)** Zimmer to (in) one's room	Er geht um 7 Uhr auf sein Zimmer und bleibt den ganzen Abend auf seinem Zimmer.
16. **zukommen auf** (*acc.*) come toward, approach	Als er mich sah, kam er schnell auf mich zu.

C. **aus**

1. **aus Holz, Silber (usw.)** of wood, silver (etc.)	Unser Haus ist aus Holz, Ihres ist aus Stein.
2. **bestehen aus** consist of	Dieser Aufsatz besteht aus drei Teilen.

D. **für**

1. **halten für** consider, believe	Ich halte ihn für einen intelligenten Menschen.
2. **sich interessieren für** be interested in	Er interessiert sich sehr für Musik.

E. **in**

1. **sich in Acht nehmen** take care	Nimm dich in Acht, daß du nicht fällst.
2. **sich verlieben in** (*acc.*) fall in love with	Er hat sich in dieses Mädchen verliebt.

F. **nach**

1. **nach Hause** (to) home	Er geht zu Weihnachten nach Hause.
2. **nach und nach** little by little, gradually	Er wurde nach und nach sehr reich.
3. **sich sehnen nach** long for	Ich sehne mich nach meiner Heimat. Ich sehne mich danach, in die Heimat zu fahren.

G. **seit**

1. Ich **wohne seit drei Jahren** hier. — I have been living here for three years.
   Als er kam, **wohnte ich** schon **seit drei Jahren** hier. — When he came I had been living here for three years.

H. **über**

sprechen, lachen, schreiben über (*acc.*)
talk, laugh, write about — Er spricht, schreibt, lacht über diese Geschichte.

I. **um**

1. **bitten um**
   ask for — Sie bat mich um ein gutes Buch.
2. **kämpfen um**
   fight for — Er kämpft um sein Leben.

J. **vor**

1. **sich in Acht nehmen vor** (*dat.*)
   look out for — Nehmen sie sich vor diesem Mann in Acht!
2. **Angst haben vor** (*dat.*)
   be afraid of — Er hat Angst vor mir.
3. **sich fürchten vor** (*dat.*)
   be afraid of — Ich fürchte mich vor der Dunkelheit.
4. **vor einem Jahr (einer Woche, usw.)**
   a year (a week, etc.) ago — Er kam vor einem Jahr, aber vor einem Monat ging er wieder fort.
5. **lachen, weinen vor** (*dat.*)
   laugh, weep with *or* for — Er lacht vor Freude, aber sie weint vor Angst.
6. **warnen vor** (*dat.*)
   warn against — Er hat mich oft vor ihm gewarnt.

K. **zu**

1. **zu Abend (Mittag) essen**
   eat supper (lunch) — Wir essen um halb sieben zu Abend und um halb eins zu Mittag.
2. **zu Fuß**
   on foot — Ich gehe zu Fuß zur Universität.
3. **zu Hause**
   at home — Ich war den ganzen Tag zu Hause.

4. **zur Kirche** — to church — Am Sonntag gehen wir zur Kirche.
5. **zum Frühstück (Abendessen)** — for breakfast (supper) — Zum Frühstück essen wir nicht viel, zum Abendessen gibt es mehr.
6. **zum ersten Mal** — for the first time — Ich sah ihn gestern zum ersten Mal.
7. **zur Schule** — to school — Wir gehen gern zur Schule.
8. **zum Teil** — in part, partly — Ich kann es zum Teil verstehen.
9. **wählen zu** — elect — Man wählte ihn zum Präsidenten.

II. Idioms Involving Certain Common Verbs

A. gehen

1. **Das geht nicht** — That won't work, isn't possible
2. **spazieren gehen** — take a walk — Wir sind im Sommer oft spazieren gegangen.

B. haben

1. **Durst haben** — be thirsty — Ich habe großen Durst.
2. **Hunger haben** — be hungry — Ich habe jetzt keinen Hunger.
3. **Lust haben** — like to — Ich hätte Lust, heute Abend ins Kino zu gehen.
4. **recht haben** — be right — Sie glaubt, daß sie immer recht hat, aber oft genug hat sie unrecht.
5. **unrecht haben** — be wrong

C. halten

1. **halten von** — have an opinion of — Was halten Sie von diesem Mann?
2. **halten für** — believe, consider — Ich halte ihn für einen ehrlichen Menschen.
3. **eine Rede halten** — give a speech — Er hat eine lange Rede gehalten.

D. **heißen**

1. **heißen** be called	Ich heiße Müller. Wie heißen Sie?
2. **das heißt** that is (abbreviation, **d.h.**)	Er hat 4 Mark, d.h. rund einen Dollar.

E. **kennen**

kennen lernen get acquainted with	Ich lernte diesen Mann erst gestern abend kennen.

F. **lassen**

1. **kommen lassen** send for	Wir ließen den Doktor kommen.
2. **lassen** (with any transitive verb) have (cause to be) done	Er ließ sich ein neues Haus bauen.

G. **machen**

1. **sich an die Arbeit machen** get to work	Ich habe mich gleich an die Arbeit gemacht.
2. **ausmachen** matter, make a difference	Das macht mir nichts aus.
3. **eine Reise machen** take a trip	Ich habe diesen Sommer eine lange Reise gemacht.
4. **einen Spaziergang machen** take a walk	Er macht jeden Abend einen kleinen Spaziergang.
5. **sich auf den Weg machen** start out	Wir machten uns auf den Weg zur Kirche.

H. **nehmen**

1. **sich in Acht nehmen vor** look out for, be on one's guard against	Ich muß mich sehr in Acht nehmen vor der Kälte.
2. **Platz nehmen** be seated	Bitte, kommen Sie herein und nehmen Sie Platz!

I. **sehen**

einem etwas ansehen tell by looking at someone	Man sieht es ihm an, daß er krank ist.

J. **sitzen**

1. **sitzen** fit, look	Dieser Anzug sitzt nicht sehr gut. Dein Haar sitzt heute besonders gut.
2. **sitzen** be jailed	Für dieses Verbrechen mußte er drei Jahre sitzen.
3. **sitzen lassen** "stand up" (slang)	Er ließ sie gestern abend wieder sitzen.

K. **stehen**

1. **stehen** be becoming to	Dieses Kleid steht dir sehr gut.
2. **stehen bleiben** stop (intransitive)	Er blieb sofort stehen, als er mich sah.

L. **stellen**

eine Frage stellen ask a question	Du stellst viele Fragen.

M. **ziehen**

1. **es zieht** there is a draft	Es zieht, wenn du das Fenster aufmachst.
2. **anziehen** put on (clothing)	Ich ziehe heute mein neues Kleid an.
3. **sich anziehen** get dressed	Ich mußte mich heute morgen in großer Eile anziehen.
4. **ausziehen** take off (clothing)	Sie zog das hübsche Kleid wieder aus.
5. **sich ausziehen** get undressed	Er zog sich aus und ging zu Bett.
6. **sich umziehen** change clothes	Ich muß mich umziehen, bevor ich ins Konzert gehe.

III. Idioms Involving Impersonal Expressions

1. **Es ärgert mich,** daß er nicht pünktlich gekommen ist.	I'm annoyed (angry) that he did not come on time.
2. **Es freut mich,** daß du wieder gesund bist.	I am glad that you are well again.

3. **Es gibt** viele Deutsche in Amerika.	There are many Germans in America.
Was gibt's zum Abendessen?	What are we having (is there) for supper?
Was gibt's Neues?	What's the news? What's new?
4. **Wie geht es** Ihnen? Danke, **es geht mir** ganz gut.	How are you? Thank you, I'm pretty well.
5. **Es wird mir nie gelingen,** diese Sprache zu lernen.	I will never succeed in learning this language.
6. **Es handelt sich** nicht um Geld.	It is not a question of money.
Es handelt sich in diesem Roman um eine Reise nach dem Nordpol.	This novel is about a trip to the North Pole.
7. **Es sind** viele Leute hier, aber **es ist nur ein** Amerikaner darunter.	There are many people here, but there is only one American among them.
8. **Es tut mir leid**, daß du nicht kommen kannst.	I am sorry that you can't come.
9. **Es wundert mich,** daß er noch nicht hier ist.	I am surprised that he is not yet here.

IV. Miscellaneous Idioms

1. **entlang** along

Wir fuhren **die Straße entlang.**	We were driving along the street (i.e., on the street).
Wir gingen **am Fluß entlang.**	We were walking along the river (i.e., beside the river).

2. **gern, lieber, am liebsten** gladly

Gehst du im Sommer **gern spazieren?** Nein, ich **schwimme lieber,** aber **am liebsten liege** ich in der Sonne.	Do you like to go walking in the summer? No, I prefer to swim, but best of all I like to lie in the sun.
Ich **habe** den Sommer ganz **gern,** aber ich **habe** den Winter **lieber.**	I like summer pretty well, but I like winter better.

3. **nahe bei** close to

Sie stand nahe beim Fenster.	She was standing close to the window.

4. **in der Nähe** (*with gen.*) near
Sie wohnen **in der Nähe** des Bahnhofs. — They live near the railroad station.

5. **aus der Nähe** from nearby
Sie wohnt nicht hier, aber sie kommt **aus der Nähe.** — She does not live here, but she comes from nearby.

6. **eine Art** (*with noun following*) a kind of
Dies ist **eine Art Kunst,** die ich nicht gern habe. — This is a kind of art I do not like.

7. **Was das wohl zu bedeuten hat?** — I wonder what that means?

8. **einen Blick tun** cast a glance, take a look
Ich **habe** nur einen schnellen **Blick** in dieses Buch **getan.** — I have only taken a quick look at this book.

9. **noch eins** one thing more
Erkläre mir bitte **noch eins,** bevor ich dir antworte! — Please explain one thing more to me before I answer you.

10. **gar nicht** not at all; **gar nichts** nothing at all
Ich kenne ihn **gar nicht,** und ich will auch **gar nichts** mit ihm zu tun haben. — I don't know him at all, and I don't want to have anything at all to do with him.

11. **gefallen** please (*with dat.*)
Dieses Buch **gefällt mir** gar nicht, aber **unserem Lehrer** scheint es ganz gut zu gefallen. — I do not like this book at all, but our teacher seems to like it quite well.

12. **gegenüber** (*with dat.*) opposite
Er stand mir gegenüber. — He stood opposite me.

13. **einem die Hand geben** shake hands with someone
Der deutsche Junge **gab mir die Hand,** als er kam und auch als er fortging. — The German boy shook hands with me when he came and also when he left.

14. **Hunger kriegen (bekommen)** get hungry
Ich **kriege** immer **Hunger,** bevor ich zu Bett gehe. — I always get hungry before I go to bed.

15. **auf die schlaue Idee kommen** get the bright idea
Er **ist auf die schlaue Idee gekommen,** hinten zu sitzen, damit der Lehrer ihn nicht sieht. — He got the bright idea of sitting in the back so that the teacher won't see him.

16. **Was ist los?** What's the matter?

Was ist hier los?	What's going on here?
Hier ist nie etwas los.	There is never anything going on here.

17. **ich für meine Person** so far as I'm concerned, I . . .

Ich für meine Person halte nicht viel davon.	So far as I'm concerned, I don't think much of it.

18. **mir ist schwindlig (kalt, warm, unsw.)** I am dizzy (cold, warm, etc.)

Auf einem hohen Berg **ist mir** immer **schwindlig,** während **ihm** immer kalt **ist.**	On a high mountain I am always dizzy, while he is always cold.

19. **im ersten Stock** on the second floor

Unser Wohnzimmer ist im Erdgeschoß, und die Schlafzimmer sind im ersten Stock.	Our livingroom is on the ground floor, and the bedrooms are on the second floor.

20. **Das ist mir wurscht.** (slang) That's all the same to me.

Vocabulary Building

One of the main tasks in learning a language is vocabulary building. It is a continuous process in which there is no known quick and easy road to success. There are, however, better ways of enlarging your vocabulary than by rote memory. One good way is to develop an understanding and a knowledge of word families.

German has a relatively small basic vocabulary, on which a large proportion of its words are built.* For this reason, when you encounter a word that is new to you, you should always take a close look at the root syllable, and if it is familiar, you may very well be able to "guess" its meaning. But even if your guess turns out to be incorrect, it will help you to remember the word if you establish in your mind its relationship to a familiar root. If you make a habit of root-analysis, you should soon notice a lessening of the need to look up new words (or those you have looked up several times before!).

On the following pages a few word families formed from some of the most common root words have been listed. These "families," which are given merely as examples, are not intended to be complete, and you yourself will, no doubt, be able to add to them as you progress in your study of German. In addition you will discover many other word families.

A practical study hint: Keep a special notebook for word families and review them at regular intervals.

Word Families

1. **aus** out of
   außer outside of, except
   außen outside (*adv.*)
   draußen outdoors
2. **drücken** press
   ausdrücken express
   bedrücken oppress, depress
   der Ausdruck expression
   der Eindruck impression
   drucken print
   der Druck pressure, print, printing
3. **ein** one
   einander each other
   einig united
   einige a few

* This process goes on constantly and becomes apparent whenever the need for a new word arises. For example: One of the words for automobile is **Kraftwagen,** and the word for the new invention of television is **Fernsehen.**

einmal once
einsam lonely
einst at one time (in the past)
einzeln single
einzig only

4. **gehen, ging, gegangen** go
begehen commit
vergehen disappear, pass away
sich vergehen do wrong
zergehen dissolve (*intrans.*)
der Gang corridor, aisle, manner of walking, course of a meal
der Ausgang exit
der Eingang entrance
der Vorgang event
die Vergangenheit past

5. **halten, hielt, gehalten** hold, stop (*intrans.*)
aushalten endure
behalten keep
erhalten receive
das Gehalt salary
der Inhalt contents

6. **handeln** act, be about, do business
behandeln treat
verhandeln negotiate
der Handel commerce
die Handlung action

7. **hinter** behind
hinten in the back
der hintere the rear

8. **hören** hear
anhören (*trans.*) listen to
zuhören (*intrans.*) listen to

9. **kommen, kam, gekommen** come
ankommen arrive
auskommen get along with
bekommen receive, get
entkommen escape (*with dat.*)
verkommen go to ruin
die Ankunft arrival
die Unterkunft shelter
die Zukunft future

10. **lassen, liess, gelassen** let
entlassen dismiss
verlassen leave (*trans.*)
zerlassen dissolve (*trans.*)
zulassen admit

11. **nach** to, after
nachdem after (*conj.*)
nachher afterwards

12. **nehmen, nahm, genommen** take
annehmen accept, assume
entnehmen deduce
die Annahme assumption
die Ausnahme exception

13. **raten, riet, geraten** advise; guess
der Rat advice, councillor, council
das Rathaus city hall
der Ratskeller restaurant in basement of city hall
verraten betray
das Rätsel riddle

14. **scheiden, schied, geschieden,** separate, part
der Abschied parting, farewell
sich verabschieden take one's leave, say good-bye
sich entscheiden decide (between two or more things)
unterscheiden differentiate
der Unterschied difference

15. **sehen, sah, gesehen** see
ansehen look at
aussehen look (like)
die Ansicht view, opinion

die Aussicht view, prospect
die Absicht intention
die Einsicht insight, understanding
das Gesicht face
die Rücksicht consideration

16. **setzen** set, place
sich setzen sit down
besetzen occupy
ersetzen substitute
die Besatzung occupation troops
der Ersatz substitute
das Gesetz law

17. **stehen, stand, gestanden** stand
bestehen exist
bestehen aus consist of
entstehen originate
gestehen confess, admit
verstehen understand
der Stand social class
der Gegenstand object
der Umstand circumstance
der Zustand condition

18. **stellen** place, set, put
die Stelle place
bestellen order, place an order for
feststellen find out
sich herausstellen become apparent
herstellen produce, manufacture
vorstellen present
sich etwas vorstellen imagine something
die Ausstellung exhibition
die Einstellung attitude
die Vorstellung performance

19. **stören** disturb, bother
zerstören destroy

20. **treten, trat, getreten** step
betreten set foot in, enter
eintreten enter
der Tritt step
das Trittbrett running board (on car)

21. **über** over, above
oben on top, above (*adv.*), upstairs
der obere the upper
übrig left over
übrigens by the way

22. **unter** under, below
unten downstairs, below (*adv.*)
der untere the lower

23. **vor** before, in front of
bevor before (*conj.*)
vorher before (*adv.*)
vorne in front (*adv.*)
der vordere the front

24. **warten** wait
erwarten expect

25. **wecken** wake (*trans.*)
aufwecken wake up (*trans.*)
der Wecker alarm clock
die Weckuhr alarm clock

26. **ziehen, zog, gezogen** pull, draw, move
erziehen bring up, educate
sich verziehen warp
die Beziehung connection
die Erziehung upbringing, education (of children)
der Zug train; procession; feature; draft
der Schnellzug express train
der Schnellzugzugschlagsschein extra fare ticket on fast trains in Germany

Special Problems

I. Aids in Reading

A. Individual words presenting special difficulties

There are quite a number of words, used especially in conversation and informal writing, for which there is no exact English equivalent. Sometimes they are completely untranslatable, sometimes their meanings can only be paraphrased. Most of these words tell us something about the state of mind of the person using them, and sometimes the only way to indicate this in English is by intonation or stress. The full value of these words can be learned only through practice, particularly in listening to spoken German. Very often the context will make their meanings clear. Listed below are the most common of these words with explanations of their meanings and implications.

1. **denn**

a. It indicates active interest in the answer to a question.

Wo wohnen Sie **denn**?	Where do you live (do tell me)?

b. It may indicate impatience or annoyance.

Kann das Kind **denn** nicht endlich still sein!	For heaven's sake, can't the child finally be quiet?

2. **doch**

a. When used at the beginning of a clause, it approximates *but.*

Ich habe nie schwimmen können, **doch** wenn du darauf bestehst, will ich es wieder versuchen.	I have never been able to swim, but if you insist on it, I will try it again.

b. It is often used to mean *yes* in answering a question, to which the questioner seems to expect a negative answer.

Du willst also nicht mitkommen? **Doch,** ich komme gern mit.	So you don't want to come along? Yes, I do, I will be glad to come along.

c. Similarly, it is used in a statement when the speaker is conscious of possibly encountering opposition to what he says.

Das wird **doch** nicht die Wahrheit sein.	That surely is not the truth.

d. Often it is used to make a statement or command more emphatic.

Nun sag' mir **doch** bitte, was du willst.	Now do please tell me what you want.

3. **eben**

a. It has approximately the same meanings as the English adverb *just.*

Ich bin **eben** aus der Stadt zurückgekommen.	I have just come back from town.
Das ist es **eben.**	That's just it.

b. It should never be construed as *even* except in the literal sense of *smooth.*

Diese Tischfläche ist nicht ganz **eben.**	This table top is not quite even.

4. **ja**

a. It adds emphasis to a statement.

Da bist du **ja!**	Why, there you are!

b. It implies that the person spoken to agrees with the speaker.

Ich kann **ja** selber sehen, daß das nicht richtig ist.	I can see myself (as you must know) that that's not right.

5. **schon** — its basic meaning is *already* (**sie ist schon hier**), but it is frequently used to imply

a. assurance on the part of the speaker:

Ich glaub' dir **schon,** auch wenn ich es nicht gesehen habe.	I believe you all right, even though I haven't seen it.
Das kann **schon** sein.	That may very well be.

b. that the conclusion drawn from a statement is obvious:

Schon die Art, wie er zu mir spricht, zeigt, daß er mich nicht mag.	The very way in which he talks to me shows that he doesn't like me.
Ich hab' es **schon** gemerkt, daß er nicht bleiben will.	I've noticed all right that he doesn't want to stay.

6. **überhaupt**

It implies generalizations. (Very often it cannot be translated at all.)

a. Er hat sein Haus verloren und besitzt jetzt **überhaupt** nichts mehr.	He has lost his house and now does not own anything at all any more.
b. Ich wußte nicht, daß es so etwas **überhaupt** nocht gibt.	I did not know that such things exist (at all) any more.

7. **wohl**

In addition to its basic meaning of *well* (**ich fühle mich heute nicht sehr wohl**), it is used to show to what extent the speaker or writer believes his statement to be true.

a. Er wird **wohl** nicht gemeint haben, daß wir es wörtlich nehmen sollten.	He surely didn't mean that we were to take it literally.
b. Er wird **wohl** gedacht haben, daß wir heute kämen.	He probably thought that we were coming today.
Er wird mir **wohl** nicht geglaubt haben.	I don't suppose he believed me.

B. Words whose meanings are often confused

1. **alle, alles**

a. **Alle** = *all* is always plural

Meine Freunde sind **alle** gekommen.	My friends all came.

b. **Alles** should usually be translated as *everything.* It means *all* only in the singular.

Ich habe **alles** für ihn getan, was ich konnte, denn er ist mein ein und mein **alles.**	I have done everything I could for him, for he is my one and all.

2. **eigen, einige, einzeln, einzig**

a. **Eigen** means *own* and is not related to the other three.

Dies ist mein **eigenes** Buch.	This is my own book.

b. **Einige** means *few* or *some* and is usually plural.

Einige von meinen Freunden kommen heute abend.	A few of my friends are coming this evening.

c. **Einzeln** means *single, individual.*

Hier und da spielte ein **einzelnes** Kind in der Straße.	Here and there a single child was playing in the street.

d. **Einzig** means *only.*

Er ist mein **einziger** Freund.	He is my only friend.

e. **Einzeln** und **einzig** are closely related in meaning; **einzeln** means *single* in the sense of *solitary, all by itself* (with no others around it). **Einzig** means *single* in the sense of *sole, no more than this:* **ein einziges Haus** *only one house* (and no more than that). Particularly common is: **kein einziges Haus** *not a single house.*

3. **erscheinen, scheinen**

a. **Erscheinen** means *appear* in the sense of put in an appearance.

b. **Scheinen** means appear in the sense of seem.

Sie **scheint** sich heute besser zu fühlen, denn sie **erschien** wieder pünktlich zur Arbeit.	She seems (appears) to be feeling better today, for she appeared punctually for work again.

4. **erst, erstens, zuerst**

a. **Erst** has two different meanings. In addition to its basic meaning of *first,* it very often means *only* in the sense of *not until.*

Ich kann noch nicht gehen, ich muß mich **erst** anziehen.	I can't go yet; I have to get dressed first.
Erst wenn ich mich angezogen habe, kann ich gehen.	I cannot go until I have dressed.

b. **erstens** means *in the first place.*

Er kann nicht mitgehen, **erstens** weil er keine Zeit hat und zweitens weil die Mutter es nicht erlaubt.	He cannot go along, in the first place because he has no time and in the second place because his mother won't allow it.

c. **zuerst** usually means *at first,* although there is not always a clear differentiation between **erst** and **zuerst.**

Er sprach so undeutlich, daß ich ihn **zuerst** gar nicht verstehen konnte.	He spoke so indistinctly that at first I could not understand him at all.

5. **hören, gehören, aufhören**

These three words, while looking much alike, are not related in meaning. **Hören** means *hear;* **gehören** means *belong to;* and **aufhören** means cease or stop (*intrans.*). The context will help you distinguish between **hören** and **gehören** when used, e.g. in the past participle.

Ich habe diese Musik oft **gehört.**	I have often heard this music.
Dieses Haus hat ihm schon immer **gehört.**	This house has always belonged to him.

With **aufhören** you must be on the lookout for **auf** when it is separated from the verb.

Er spielte gestern abend besonders schön und **hörte** erst lange nach Mitternacht **auf.**	He played especially beautifully last night and did not stop until long after midnight.

6. **jeder, jener**

a. **Jeder** means *every* or *each*

Jedes neue Verfahren muß sorgfältig geprüft werden.	Every new process must be carefully tested.

b. **Jener** means *that.* It is rarely used in conversation but is often encountered in reading.

Jenes oben erwähnte Verfahren ist das Resultat einer neuen Erfindung.	That (The) above-mentioned process is the result of a new invention.

7. **jedermann, jemand**

a. **Jedermann** means *everybody.*

Das kann **jedermann** verstehen.	Everybody can understand that.

b. **Jemand** means *somebody, someone.*

Wenn **jemand** kommen sollte, sag', daß ich nicht zu Hause bin.	If someone should come, tell him that I am not at home.

8. **überall, überhaupt**

a. **Überall** means *everywhere* (it does not mean *above all,* which is **vor allem** in German).

Er ist **überall** auf einmal.	He is everywhere at once.

b. **Überhaupt** has no single English equivalent. It suggests generalization and often contains the idea of *any* or *anyway.* (See p. 202.)

C. Constructions requiring special attention

There are a few very commonly used constructions that can cause much unnecessary confusion and error in reading unless you learn to recognize them for what they are. If you will take the trouble to analyze them carefully the first few times you encounter them, you will soon be able to recognize them automatically.

1. Inversion of verb

a. A verb at the beginning of a sentence (except in questions or commands, readily recognized by the question mark or exclamation point at the end) usually indicates the omission of **wenn** *if* or *when.* Often, though not always, the main clause in such a sentence is introduced by **so** (or less frequently **dann**), thereby confirming the fact that you have before you a conditional sentence. This construction is especially common in literary and scientific German.

Wäre sein Heimatdorf nicht so weit entfernt, würde er es noch vor Nacht erreichen.	If his home village were not so far away, he would reach it before nightfall.
Ist dieses Verfahren erfolgreich, so braucht man keine weiteren Versuche zu machen.	If this process is successful, no further experiments need be made.

b. If in a clause beginning with **als** the verb stands directly after **als,** it means that **ob** is omitted and **als** means *as if* or *as though.*

Er erzählte mir die ganze Geschichte mit allen Einzelheiten, **als hätte** ich sie nie gehört.	He told me the whole story with all its details, as if I had never heard it.

2. Anticipatory words

Very often the first clause of a sentence contains the pronoun **es** or a preposition combined with **da–** to refer to a following clause or infinitive phrase. Such anticipatory words are usually not translated into English, but it is important to recognize them.

Wir haben **es** wirklich nicht nötig, noch länger an dieser Sache zu arbeiten.	We really have no need of working on this matter any longer.
Alles kommt **darauf** an, ob wir morgen gutes Wetter haben oder nicht.	Everything depends on whether or not we have good weather tomorrow.

3. **Da** at the beginning of a clause

   Da has two different meanings. It is an adverb meaning *there* or *then;* and it is a subordinating conjunction meaning *since.* When you find **da** at the beginning of a clause, immediately look for the verb. If the verb stands directly after **da, da** means *there* or *then;* if the verb is at the end of the clause, **da** means *since.*

Da kommt er in seinem neuen Wagen, den er uns wohl zeigen will.	There he comes in his new car, which he probably wants to show us.
Da er in seinem neuen Wagen **kommt,** nehme ich an, daß er ihn uns zeigen will.	Since he is coming in his new car, I assume he wants to show it to us.

4. **Wenn . . . . auch** or **auch . . . . wenn**
   This combination means *even if* or *even though.* It presents no difficulty when the two words stand together, but it is important to learn to recognize it when the words are separated.

Auch wenn er sich nicht gut fühlt, wird er zur Arbeit gehen.	Even if he does not feel well, he will go to work.
Wenn er im Laufe des Tages **auch** allerlei Fehler macht, wird die Arbeit doch irgendwie fertig.	Even though he makes all kinds of mistakes in the course of the day the work somehow gets done.

5. The extended attribute construction
   German, much more than English, tends to place all modifiers of a noun in front of that noun, sometimes leading to what seem like very complicated constructions to non-Germans. A simple example is:

Die obenerwähnte Tatsache	The above-mentioned fact.

   A more elaborate example often requires closer analysis:

   > Das von dem berühmten Wissenschaftler schon vor Jahren erkannte und auch jetzt noch teils zu lösende Problem war das Thema seiner langen Abhandlung.

   If, after reading the passage through two or three times, you cannot understand it, the following procedure should be helpful: First find the noun and the article that goes with it; the article is at the beginning and the noun at the end. Be sure to get the right noun with the article, i.e. the one that agrees in number and gender. Next find the participle (or participles) used as adjectives to modify the noun. You then have the skeleton of the construction:

> **Das . . . erkannte** und **. . . zu lösende Problem** = The recognized and . . . to be solved problem

The remaining elements preceding the participles will now fairly easily fall into place as modifiers of the participles. A literal translation then would read:

> The by the famous scientist already years ago recognized and even now still partially to be solved problem was the subject of his long treatise.

Understandable English would be:

> The problem which was recognized by the famous scientist years ago and which still must be partially solved was the subject of his long treatise.

A highly important final step is to reread the entire construction so as to understand it in its normal German order. This will help you greatly in coping with the next construction of this type that you encounter.

II. Aids in Speaking and Writing

Experience indicates that certain much used words and constructions are consistently troublesome for the English-speaking student who is learning to express himself in normal and natural German. Frequent reference to those listed below should help to avoid many of the most commonly made mistakes.

A. Problems involving individual words.

1. **denn** (See p. 200.)

2. **doch** (See pp. 200–201.)

3. **eben** (See p. 201.)

4. **erst** (See p. 204.)
   You should get in the habit of using **erst** to express English *not until.*

Wir konnten **erst** um neun Uhr kommen, weil wir Besuch hatten.	We could not come until nine o'clock because we had guests.

5. **ganz**

The adverb **ganz,** like English *quite,* is used with two different meanings: *wholly* and *fairly, pretty* (adverb)

Das ist nicht **ganz** wahr.	That is not quite (wholly) true.
Es geht mir heute **ganz** gut.	I am feeling quite (pretty) well today.

It is the second meaning of *fairly* that is most commonly given to **ganz** in ordinary conversation.

6. **gerade**

Its basic meaning is *straight* (**der Weg ist gerade**) but it is very commonly used to mean *just.*

Ich komme **gerade** vom Friseur.	I have just come from the hairdresser's.

7. **überhaupt** (See p. 202.)

B. Words easily confused with each other

1. **alle, alles** (See pp. 202–203.)

2. **ein ander** — an other (different one)
noch ein — another (additional one)

Ich möchte heute abend **ein anderes** Kleid anziehen.	I would like to put on another dress tonight.
Sie hat schon vier Ballkleider, aber sie möchte **noch eins** haben.	She already has four party dresses, but she'd like to have another one.

3. **anhören** listen (*transitive*)
zuhören listen (*intransitive*)

Ich könnte **ihn** stundenlang **anhören.**	I could listen to him for hours.
Ich könnte **ihm** stundenlang **zuhören.**	

4. **beschließen** decide
sich entschließen decide
sich entscheiden decide

The most important point to note here is that **entschließen** and **entscheiden** must always be used reflexively. The usual word for *decide* is **beschließen; sich entschließen** is somewhat more emphatic or implies a good deal of previous indecision; **sich entscheiden** strongly implies that a choice was made between two or more possibilities.

Ich **habe beschlossen,** heute abend abzufahren.	I have decided to leave this evening.
Er **hat sich** endlich **entschlossen,** die lange Reise zu unternehmen.	He has finally decided to undertake the long trip.
Er **hat sich entschieden,** über Hamburg statt über Bremen zu fahren.	He has decided to go via Hamburg instead of via Bremen.

5. **da** there, i.e. *in* or *at that place.*
dahin there, i.e. *to that place.*
Since English uses *there* (*thither* is all but obsolete) both to express *place where* and *place to which,* the American student must pay special attention to the differentiation in German. To the German ear it is a bad mistake when **da** is used to express *place to which.*

Sieh, **da** ist ein hübscher grüner Park. Gehen wir doch **dahin!**	See, there is a pretty green park. Let's go there.

6. **eigen, einzeln, einzig** (See p. 203.)

7. **erscheinen, scheiner** (See pp. 203–204.)

8. **erst, erstens, zuerst** (See p. 204.)

9. **fragen** ask, i.e., *put a question*
bitten, bat, gebeten (um) ask, i.e., *make a request (for)*

Ich möchte dich etwas Wichtiges **fragen,** und ich hoffe, du antwortest mir ganz ehrlich.	I'd like to ask you something important, and I hope you'll answer me quite honestly.

(Note that **fragen** takes the accusative, both of person and thing, while **antworten** takes the dative.)

Er **bat** mich oft, ihn zu besuchen.	He often asked me to visit him.
Immer wieder **bat** er mich **um** Hilfe.	Again and again he asked me for help.

10. **fühlen** feel
sich fühlen feel

Fühlen is used for *feel* when it has an object:

Fühlst du **den kalten Wind?**	Do you feel the cold wind?

Sich fühlen must be used when English *feel* has no object and refers to the state of one's health.

Ich fühle mich besser, aber meine Schwester **fühlt sich** immer noch nicht sehr wohl.	I feel better, but my sister still doesn't feel very well.

11. **gehören** *belong* in sense of ownership
angehören *belong* in sense of being a part of

Dieses Buch **gehört** mir nicht.	This book does not belong to me.
Ich **gehöre** dem Deutschen Verein **an.**	I belong to the German Club.

(*Note:* **aufhören** *cease, stop* is in no way connected with **gehören** and **angehören.**)

12. **handeln von** be about, treat of, deal with
es handelt sich um be about, be a question of

Dieses Buch **handelt von** dem Leben Goethes, und das zweite Kapitel **handelt von** seiner Liebe zu Friederike Brion.	This book is about Goethe's life and the second chapter deals with his love for Friederike Brion.
Es handelt sich in diesem Buch **um** Goethes Leben.	This book is about Goethe's life.
Es **handelt sich** nicht **um** Geld.	It's not a question of money.

The important thing to keep in mind here is that **es handelt sich um** is a fixed idiom whose subject is always the impersonal **es,** with **handeln** used reflexively.

13. **heiraten** marry, get married
sich verheiraten (mit) get married (to)

The simplest and usually the best way to say *marry* is to use **heiraten.**

Sie **hat** einen reichen Mann **geheiratet.**	She married a rich man.

One can, however, also say:

Sie **hat sich mit** einem reichen Mann **verheiratet.**	She got married to a rich man.

The participle **verheiratet** is always used where *married* functions as an adjective:

eine **verheiratete** Frau	a married woman
sie ist **verheiratet**	she is married

14. **jedermann, jemand** (See p. 205.)

15. **lassen** let, leave
verlassen abandon, leave
fortgehen go away, depart, leave

It is important to distinguish between these three different words for leave, as they cannot be used interchangeably.

a. **Lassen** usually means *let* (**ich ließ ihn gehen**), but it is also used to mean *leave* when the object is a thing:

Er **ließ das Buch** auf dem Tisch liegen.	He left the book lying on the table.

b. **verlassen** is used when the object is a person or place:

Er **verließ das Zimmer.**	He left the room.

Important to remember: **verlassen** always takes an object.

c. **Fortgehen** is an intransitive verb which means literally: *go away,* and therefore never takes an object.

Er **ging fort** und kam nicht wieder.	He left and did not come back.

16. **lernen** learn
erfahren experience, learn

a. **Lernen** is used for learning from books or through teaching.

Das Kind **hat seine Aufgabe** gut **gelernt.**	The child has learned his lesson well.
Alle Kinder **lernen** viel **bei dem neuen Lehrer.**	All the children learn a lot from the new teacher.

b. **Erfahren** is used for learning by experience or from hearing.

Ich **erfuhr** zu spät, daß der Zug schon abgefahren war.	I learned too late that the train had already left.

17. **so** thus, in this way
also therefore, so

a. **So** is used primarily to mean *this way, thus.*

Du mußt es **so** machen, wenn es halten soll.	You have to do it this way, if it's going to hold.

b. **Also** is used, especially in conversation, in the same way that we often use *so* at the beginning of a clause.

Wir hatten keine Lust noch länger zu warten, **also** gingen wir weiter.	We didn't feel like waiting any longer, so we went on.

18. **sogar** even
eben just

The most important thing here is to remember that the word for *even* is not **eben.** The most common word for *even* is **sogar.**

Wir haben den berühmten Mann nicht nur gehört, wir haben ihn **sogar** gesehen.	We not only heard the famous man; we even saw him.
Ich habe ihn **eben** wieder gesehen.	I **just** saw him again.

19. **spät** late

Where the English words *early* and *late* function as each other's opposite (*early = not late; late = not early*), the German equivalents are **früh** and **spät:**

Es ist immer noch sehr **früh.**	It's still very early.
Es ist schon sehr **spät.**	It's already very late.
früh am Morgen, **spät** am Abend.	early in the morning, late in the evening.

However, where English *early* and *late* function as the opposite of *on time* (German **rechtzeitig**), the German equivalent is **zu früh, zu spät.** In this sense a person can never "be" early or late in German; instead a person "comes" or "goes" or "arrives" too early, too late:

Sie sind 10 Minuten zu früh gekommen.	You are ten minutes early.
Ist er zu spät gekommen?	Was he late?

German also indicates the idea of *being late* (as opposed to *on time*) by means of the verb **sich verspäten,** or its participle **verspätet,** or the noun **die Verspätung:**

Der Zug kam nur ein wenig **verspätet** an.	The train arrived only a little late.
Der Zug **hat** 7 Minuten **Verspätung.**	The train will be seven minutes late.
Es tut mir leid, daß **ich mich verspätet habe,** aber ich wurde unterwegs aufgehalten.	I'm sorry that I'm late, but I was detained on the way.

20. **stellen** place, put
legen lay, put
setzen set, put

German has no general word equivalent to English *put.* One of the above three is used, depending on the position of the article placed.

Er **stellte** das Buch **in den Bücherschrank.**	He put the book (into a standing position) in the bookcase.
Er **legte** das Buch **auf den Tisch.**	He put (laid) the book on the table.

Sie **setzte** (*or*) **stellte** die Lampe auf den Tisch.	She put (placed) the lamp on the table.

Note: **Setzen** and **stellen** are closely related in meaning, but **stellen** indicates more specifically a standing position.

21. **tot** dead
töten kill
sterben die

Be careful not to confuse these three related words.

Dieser Mann **ist tot;** ich sah ihn **sterben;** er wurde von einer Kugel **getötet.**	This man is dead; I saw him die; he was killed by a bullet.

22. **überhaupt, überall** (See p. 205.)

23. **wo** where, in what place
wohin (to) where (whither)

With a verb of motion from one place to another, you must always use **wohin** for *where.*

Da ich nicht weiß, **wo** er **wohnt,** weiß ich auch nicht, **wohin wir gehen sollen.**	Since I don't know where he lives, I don't know where we are supposed to go.

24. **zu, nach, in, an**

It is not possible to make a hard and fast rule regarding the use of prepositions for English *to*, but in general:

a. **Nach** is used in the meaning of *to* only with the names of cities and countries.

Sie ist gestern **nach New York** gefahren und ist von dort **nach Deutschland** geflogen.	She drove to New York yesterday and flew from there to Germany.

b. **in**

1) German uses **in** with the accusative where we say (or can say) *into:* Er ging **in den Garten, ins Zimmer, in die Küche.**

2) German uses **in** with accusative with places of amusement, etc. (where we would never say *into*):

Er ging **ins Kino, ins Theater, ins Restaurant, ins Café, in die Oper.**	He went to the movies, to the theatre, to the restaurant, to the opera.

3) German also says: **Er ging in die Stadt,** where we use the totally different construction: *He went down town.*

c. **An** is used when *up to* is implied.

Ich ging **ans Haus** aber blieb vor der Türe stehen.	I went to the house but stopped in front of the door.

d. **zu** is ordinarily used in all other situations.

C. Troublesome constructions

There are a few constructions which are not really difficult but which can easily be the source of errors, unless you understand them clearly.

1. **Es** at the beginning of a sentence, even when the predicate noun is a person. This construction is similar to English usage and is employed when the main emphasis is on the predicate noun.

Wer ist die Frau dort in der Ecke? **Es** ist meine Tante. **Sie** ist die jüngste Schwester meiner Mutter.	Who is that woman over there in the corner? It is my aunt. She is my mother's youngest sister.

2. **Es gibt** there is, there are
Es ist (sind) there is, there are

The difference in meaning between **es gibt** and **es ist (sind)** cannot be precisely defined. **Es gibt** is used for *there is,* when *is* implies *exists,* and in broad, general statements. It is important to remember that in **es gibt, es** is the true subject so that the verb is always in the singular and requires the accusative of direct object.

In meiner Jugend **gab es** noch **keine Flughäfen,** aber heute **gibt es einen** in jeder größeren Stadt.	In my youth there were no airports (yet), but today there is one in every good-sized city.

Es ist (sind) is used in statements that are fairly limited in time or space. In this expression, the word following **ist** or **sind** is the logical subject; therefore the verb agrees with it in number.

Es ist kein Mensch in diesem Zimmer.	There is no one in this room.
Es sind nur vier Leute in diesem Zimmer.	There are only four people in this room.

Note: **es ist (sind)** can be used only in normal order. In inverted or dependent order, **es** must be omitted.

In diesem Zimmer sind nur vier Leute.	In this room there are only four people.
Ich weiß, daß in diesem Zimmer nur vier Leute sind.	I know that there are only four people in this room.

3. **Man** can be used only as the subject of a sentence. *One* in any other case is expressed by the appropriate form of **einer** (or by **jemand** *someone*).

Man wird verhaftet, wenn die Polizei **einen** dabei erwischt.	You get arrested if the police catch you at it.
Was macht **man**, wenn es **einem** nicht gut geht?	What do you do (does one do) when you are (one is) not feeling well?

4. Some special uses of **zu**

a. with infinitives

1) Remember that except after modals and certain other verbs (see p. 170) **zu** is regularly used before infinitives.

Die alte Dame **wünscht,** heute in die Stadt **zu** gehen, aber sie **will** nicht mit mir fahren.	The old lady wishes to go to town today, but she does not want to ride with me.

2) When *to* implies *in order to,* **um . . . zu** must be used.

Er kam, **um** seine Schwiegermutter kennen **zu lernen.**	He came to get acquainted with his mother-in-law.

3) Note the difference between:
um . . . zu *in order to* with infinitive, and **damit** *in order that, so that,* with a clause.

Er kam, **um sich** das Haus **anzusehen.**	He came to have a look at the house.
Er kam, **damit er** sich das Haus **ansehen könnte.**	He came in order that (so that) he might have a look at the house.

b. with verbs of saying

1) with **erzählen** *tell,* never use **zu**

Er erzählt **mir** dieselbe Geschichte, die er **dir** schon so oft erzählt hat.	He told me the same story that he has told you so often.

2) With **sprechen** *speak, talk,* always use **zu** (or **mit** where conversation is implied).

Er **spricht** immer sehr freundlich **zu mir.**	He always talks to me in a very friendly way.
Ich **habe** lange **mit ihm** darüber **gesprochen.**	I talked with him about it for a long time.

There is one exception to the above rule. **Sprechen** is often used with an accusative object without any preposition.

Ist Professor Schulz da? Ich möchte **ihn sprechen.**	Is Professor Schulz there? I'd like to see him (talk to him).

3) With **sagen** *say,* usage is generally as follows:
a) If a direct quotation follows, use **zu.**

Er **sagte zu mir:** „Ich bin noch nicht fertig mit meiner Arbeit."	He said to me, "I am not yet finished with my work."

b) If an indirect quotation follows, omit **zu.**

Er **hat mir gesagt,** daß er noch nicht mit seiner Arbeit fertig wäre.	He said to me (told me) that he was not yet finished with his work.

c) **Er hat es mir** immer wieder **gesagt.**	He said it to me over and over again.

5. When you have occasion to use the passive, remember that the auxiliary is **werden** (and not **sein**).

Das Fleisch wurde in einem sehr heißen Ofen **gebraten.**	The meat was roasted in a very hot oven.

Note, however, that when a so-called statal passive is involved, that is, when the past participle is adjectival in nature, the auxiliary is **sein:**

Das Fleisch, das wir zu Mittag hatten, war **gebraten.**	The meat that we had for dinner was roasted (i.e. it was roasted meat).

6. Reminders on punctuation:

a. Every subordinate clause must be set off by commas.

Als er mich sah, wandte er sich um.	When he saw me he turned around.
Ein Student, der die Interpunktion nicht versteht, macht viele Fehler.	A student who does not understand punctuation makes many mistakes.

b. There is no comma after an adverbial phrase at the beginning of a sentence.

An einem schönen sonnigen Morgen im Frühling machten die Kinder sich auf den Weg in die Berge.	On a fine sunny morning in spring, the children set out for the mountains.

Appendix I

I. The Articles and Related Words

A. Definite Article

	SINGULAR			PLURAL
	MASC.	NEUT.	FEM.	ALL GENDERS
N.	der	das	die	die
A.	den	das	die	die
D.	dem	dem	der	den
G.	des	des	der	der

B. Indefinite Article and **kein**

	SINGULAR			PLURAL
	MASC.	NEUT.	FEM.	ALL GENDERS
N.	ein	ein	eine	keine
A.	einen	ein	eine	keine
D.	einem	einem	einer	keinen
G.	eines	eines	einer	keiner

C. Demonstrative Adjectives: **dieser, jeder, jener, mancher, solcher**

	SINGULAR			PLURAL
	MASC.	NEUT.	FEM.	ALL GENDERS
N.	dieser	dieses	diese	diese
A.	diesen	dieses	diese	diese
D.	diesem	diesem	dieser	diesen
G.	dieses	dieses	dieser	dieser

II. Pronouns

A. Personal Pronouns

	1st pers.	**2nd pers.**	**3d pers. masc.**	**3d pers. neut.**	**3d pers. fem.**
			SINGULAR		
N.	ich	du	er	es	sie
A.	mich	dich	ihn	es	sie
D.	mir	dir	ihm	ihm	ihr
G.	meiner	deiner	seiner	seiner	ihrer

		Plural		2nd pers. conventional
N.	wir	ihr	sie	Sie
A.	uns	euch	sie	Sie
D.	uns	euch	ihnen	Ihnen
G.	unser	euer	ihrer	Ihrer

B. Demonstrative pronouns are declined like demonstrative adjectives (see above).

C. Relative Pronouns

	Singular			Plural	Indefinite Relatives	
	masc.	neut.	fem.	all genders	persons	things
N.	der	das	die	die	wer	was
A.	den	das	die	die	wen	was
D.	dem	dem	der	denen	wem	–
G.	dessen	dessen	deren	deren	wessen	wessen

D. Interrogative pronouns are declined like Indefinite Relatives (see above).

III. Adjectives

Strong endings

	Singular			Plural
	masc.	neut.	fem.	all genders
N.	guter Mann	gutes Kind	gute Frau	gute Leute
A.	guten Mann	gutes Kind	gute Frau	gute Leute
D.	gutem Mann	gutem Kind	guter Frau	guten Leuten
G.	guten Mannes	guten Kindes	guter Frau	guter Leute

Weak endings

	Singular			Plural
	masc.	neut.	fem.	all genders
N.	der gute Mann	das gute Kind	die gute Frau	die guten Leute
A.	den guten Mann	das gute Kind	die gute Frau	die guten Leute
D.	dem guten Mann	dem guten Kind	der guten Frau	den guten Leuten
G.	des guten Mannes	des guten Kindes	der guten Frau	der guten Leute

Weak and strong endings

SINGULAR

	MASC.	NEUT.	FEM.
N.	ein guter Mann	ein gutes Kind	eine gute Frau
A.	einen guten Mann	ein gutes Kind	eine gute Frau
D.	einem guten Mann	einem guten Kind	einer guten Frau
G.	eines guten Mannes	eines guten Kindes	einer guten Frau

IV. Cardinal Numerals

eins	sechs	elf	sechzehn	einundzwanzig	siebzig
zwei	sieben	zwölf	siebzehn	dreißig	achtzig
drei	acht	dreizehn	achtzehn	vierzig	neunzig
vier	neun	vierzehn	neunzehn	fünfzig	hundert
fünf	zehn	fünfzehn	zwanzig	sechzig	hundertzehn

In writing numbers, German uses a comma where English uses a decimal point.

1,25 for English 1.25

V. Verbs

A. Auxiliaries

1. **sein** *to be*

PRIN. PARTS: sein, war, ist gewesen

IMPER.: sei, seid, seien Sie

PERF. INFIN.: gewesen sein *to have been*

PRES. PART: seiend *being*

INDICATIVE	SUBJUNCTIVE I	SUBJUNCTIVE II
PRES.: *I am, etc.*	PRESENT TIME	
ich bin	sei	wäre
du bist	seiest	wärest
er ist	sei	wäre
wir sind	seien	wären
ihr seid	seiet	wäret
sie sind	seien	wären

PAST: *I was, etc.*

ich war
du warst
er war
wir waren
ihr wart
sie waren

PRES. PERF.: *I have been, etc.*	PAST TIME	
ich bin gewesen	sei gewesen	wäre gewesen
du bist gewesen	seiest gewesen	wärest gewesen
er ist gewesen	sei gewesen	wäre gewesen
wir sind gewesen	seien gewesen	wären gewesen
ihr seid gewesen	seiet gewesen	wäret gewesen
sie sind gewesen	seien gewesen	wären gewesen

PAST PERF.: *I had been, etc.*

ich war gewesen
du warst gewesen
er war gewesen
wir waren gewesen
ihr wart gewesen
sie waren gewesen

FUT.: *I shall be, etc.*	FUTURE TIME	
ich werde sein	werde sein	würde sein
du wirst sein	werdest sein	würdest sein
er wird sein	werde sein	würde sein
wir werden sein	werden sein	würden sein
ihr werdet sein	werdet sein	würdet sein
sie werden sein	werden sein	würden sein

FUT. PERF.: *I shall have been, etc.*	FUTURE PERF. TIME		
ich werde gewesen sein	werde	würde	gewesen sein
du wirst gewesen sein	werdest	würdest	
er wird gewesen sein	werde	würde	
wir werden gewesen sein	werden	würden	
ihr werdet gewesen sein	werdet	würdet	
sie werden gewesen sein	werden	würden	

2. **haben** *to have*

PRIN. PARTS: haben, hatte, gehabt

IMPER.: habe, habt, haben Sie

PERF. INFIN.: gehabt haben *to have had*

PRES. PART.: habend *having*

INDICATIVE	SUBJUNCTIVE I	SUBJUNCTIVE II
PRES.: *I have, etc.*	PRESENT TIME	
ich habe	habe	hätte
du hast	habest	hättest
er hat	habe	hätte
wir haben	haben	hätten
ihr habt	habet	hättet
sie haben	haben	hätten

PAST: *I had, etc.*

ich hatte
du hattest
er hatte
wir hatten
ihr hattet
sie hatten

INDICATIVE	SUBJUNCTIVE I	SUBJUNCTIVE II
PRES. PERF.: *I have had, etc.*	PAST TIME	
ich habe gehabt	habe gehabt	hätte gehabt
du hast gehabt	habest gehabt	hättest gehabt
er hat gehabt	habe gehabt	hätte gehabt
wir haben gehabt	haben gehabt	hätten gehabt
ihr habt gehabt	habet gehabt	hättet gehabt
sie haben gehabt	haben gehabt	hätten gehabt

INDICATIVE SUBJUNCTIVE

PAST PERF.: *I had had, etc.*

ich hatte gehabt
du hattest gehabt
er hatte gehabt
wir hatten gehabt
ihr hattet gehabt
sie hatten gehabt

FUT.: *I shall have, etc.*	FUTURE TIME	
ich werde haben	werde haben	würde haben
du wirst haben	werdest haben	würdest haben
er wird haben	werde haben	würde haben
wir werden haben	werden haben	würden haben
ihr werdet haben	werdet haben	würdet haben
sie werden haben	werden haben	würden haben

FUT. PERF.: *I shall have had, etc.*	FUTURE PERFECT TIME		
ich werde gehabt haben	werde	würde	gehabt haben
du wirst gehabt haben	werdest	würdest	
er wird gehabt haben	werde	würde	
wir werden gehabt haben	werden	würden	
ihr werdet gehabt haben	werdet	würdet	
sie werden gehabt haben	werden	würden	

3. **werden** *to become*

PRIN. PARTS: werden, wurde, ist geworden

IMPER.: werde, werdet, werden Sie

PERF. INFIN.: geworden sein *to have become*

PRES. PART.: werdend *becoming*

INDICATIVE	SUBJUNCTIVE I	SUBJUNCTIVE II
PRES.: *I become, etc.*	PRESENT TIME	
ich werde	werde	würde
du wirst	werdest	würdest
er wird	werde	würde
wir werden	werden	würden
ihr werdet	werdet	würdet
sie werden	werden	würden

PAST: *I became, etc.*

ich wurde
du wurdest
er wurde
wir wurden
ihr wurdet
sie wurden

PRES. PERF.: *I have become, etc.*	PAST TIME	
ich bin geworden	sei geworden	wäre geworden
du bist geworden	seiest geworden	wärest geworden
er ist geworden	sei geworden	wäre geworden
wir sind geworden	seien geworden	wären geworden
ihr seid geworden	seiet geworden	wäret geworden
sie sind geworden	seien geworden	wären geworden

PAST PERF.: *I had become, etc.*

ich war geworden
du warst geworden
er war geworden
wir waren geworden
ihr wart geworden
sie waren geworden

FUT.: *I shall become, etc.*	FUTURE TIME	
ich werde werden	werde werden	würde werden
du wirst werden	werdest werden	würdest werden
er wird werden	werde werden	würde werden
wir werden werden	werden werden	würden werden
ihr werdet werden	werdet werden	würdet werden
sie werden werden	werden werden	würden werden

FUT. PERF.: *I shall have become, etc.*	FUTURE PERFECT TIME		
ich werde geworden sein	werde	würde	geworden sein
du wirst geworden sein	werdest	würdest	
er wird geworden sein	werde	würde	
wir werden geworden sein	werden	würden	
ihr werdet geworden sein	werdet	würdet	
sie werden geworden sein	werden	würden	

B. Regular weak verbs

fragen *to ask*

PRIN. PARTS: fragen, fragte, gefragt

PERF. INFIN.: gefragt haben *to have asked*

IMPER.: frage, fragt, fragen Sie

PRES. PART.: fragend *asking*

INDICATIVE	SUBJUNCTIVE I	SUBJUNCTIVE II
	PRESENT TIME	
PRES.: *I ask, etc.*		
ich frage	frage	fragte
du fragst	fragest	fragtest
er fragt	frage	fragte
wir fragen	fragen	fragten
ihr fragt	fraget	fragtet
sie fragen	fragen	fragten
PAST: *I asked, etc.*		
ich fragte		
du fragtest		
er fragte		
wir fragten		
ihr fragtet		
sie fragten		
PRES. PERF.: *I have asked, etc.*	PAST TIME	
ich habe gefragt	habe gefragt	hätte gefragt
du hast gefragt	habest gefragt	hättest gefragt
er hat gefragt	habe gefragt	hätte gefragt
wir haben gefragt	haben gefragt	hätten gefragt
ihr habt gefragt	habet gefragt	hättet gefragt
sie haben gefragt	haben gefragt	hätten gefragt
PAST PERF.: *I had asked, etc.*		
ich hatte gefragt		
du hattest gefragt		
er hatte gefragt		
wir hatten gefragt		
ihr hattet gefragt		
sie hatten gefragt		
FUT.: *I shall ask, etc.*	FUTURE TIME	
ich werde fragen	werde fragen	würde fragen
du wirst fragen	werdest fragen	würdest fragen
er wird fragen	werde fragen	würde fragen
wir werden fragen	werden fragen	würden fragen
ihr werdet fragen	werdet fragen	würdet fragen
sie werden fragen	werden fragen	würden fragen

FUT. PERF.: *I shall have asked, etc.*

ich werde	gefragt haben	werde	gefragt haben	würde	gefragt haben
du wirst	gefragt haben	werdest	gefragt haben	würdest	gefragt haben
er wird	gefragt haben	werde	gefragt haben	würde	gefragt haben
wir werden	gefragt haben	werden	gefragt haben	würden	gefragt haben
ihr werdet	gefragt haben	werdet	gefragt haben	würdet	gefragt haben
sie werden	gefragt haben	werden	gefragt haben	würden	gefragt haben

C. Strong verbs

sprechen *to speak*

PRIN. PARTS: sprechen, sprach gesprochen

IMPER.: sprich, sprecht, sprechen Sie

PERF. INFIN.: gesprochen haben *to have spoken*

PRES. PART.: sprechend *speaking*

Indicative	Subjunctive I	Subjunctive II
PRES.: *I speak, etc.*	PRESENT TIME	
ich spreche	spreche	spräche
du sprichst	sprechest	sprächest
er spricht	spreche	spräche
wir sprechen	sprechen	sprächen
ihr sprecht	sprechet	sprächet
sie sprechen	sprechen	sprächen

PAST: *I spoke, etc.*

ich sprach
du sprachst
er sprach
wir sprachen
ihr spracht
sie sprachen

PRES. PERF.: *I have spoken, etc.*	PAST TIME			
ich habe gesprochen	habe	gesprochen	hätte	gesprochen
du hast gesprochen	habest	gesprochen	hättest	gesprochen
er hat gesprochen	habe	gesprochen	hätte	gesprochen
wir haben gesprochen	haben	gesprochen	hätten	gesprochen
ihr habt gesprochen	habet	gesprochen	hättet	gesprochen
sie haben gesprochen	haben	gesprochen	hätten	gesprochen

PAST PERF.: *I had spoken, etc.*

ich hatte gesprochen
du hattest gesprochen
er hatte gesprochen
wir hatten gesprochen
ihr hattet gesprochen
sie hatten gesprochen

FUT.: *I shall speak, etc.*

		FUTURE TIME	
ich werde	sprechen	werde sprechen	würde sprechen
du wirst	sprechen	werdest sprechen	würdest sprechen
er wird	sprechen	werde sprechen	würde sprechen
wir werden	sprechen	werden sprechen	würden sprechen
ihr werdet	sprechen	werdet sprechen	würdet sprechen
sie werden	sprechen	werden sprechen	würden sprechen

FUT. PERF.: *I shall have spoken, etc.*

		FUTURE PERFECT TIME		
ich werde	gesprochen haben	werde	würde	gesprochen haben
du wirst	gesprochen haben	werdest	würdest	
er wird	gesprochen haben	werde	würde	
wir werden	gesprochen haben	werden	würden	
ihr werdet	gesprochen haben	werdet	würdet	
sie werden	gesprochen haben	werden	würden	

D. Passive voice

sehen *to see*

PRES. INFIN.: gesehen werden *to be seen*

IMPER.: werde gesehen, werdet gesehen, werden Sie gesehen

PERF. INFIN.: gesehen worden sein *to have been seen*

INDICATIVE		SUBJUNCTIVE	
PRES.: *I am seen, etc.*		PRESENT TIME	
ich werde	gesehen	werde gesehen	würde gesehen
du wirst	gesehen	werdest gesehen	würdest gesehen
er wird	gesehen	werde gesehen	würde gesehen
wir werden	gesehen	werden gesehen	würden gesehen
ihr werdet	gesehen	werdet gesehen	würdet gesehen
sie werden	gesehen	werden gesehen	würden gesehen

PAST: *I was seen, etc.*

ich wurde gesehen
du wurdest gesehen
er wurde gesehen
wir wurden gesehen
ihr wurdet gesehen
sie wurden gesehen

PRES. PERF.: *I have been seen, etc.*	PAST TIME	
ich bin gesehen worden	sei	wäre gesehen worden
du bist gesehen worden	seiest	wärest gesehen worden
er ist gesehen worden	sei	wäre gesehen worden
wir sind gesehen worden	seien	wären gesehen worden
ihr seid gesehen worden	seiet	wäret gesehen worden
sie sind gesehen worden	seien	wären gesehen worden

PAST PERF.: *I had been seen, etc.*

ich war gesehen worden
du warst gesehen worden
er war gesehen worden
wir waren gesehen worden
ihr wart gesehen worden
sie waren gesehen worden

FUT.: *I shall be seen, etc.*	FUTURE TIME		
ich werde gesehen werden	werde	würde	gesehen werden
du wirst gesehen werden	werdest	würdest	
er wird gesehen werden	werde	würde	
wir werden gesehen werden	werden	würden	
ihr werdet gesehen werden	werdet	würdet	
sie werden gesehen werden	werden	würden	

INDICATIVE	SUBJUNCTIVE		
FUT. PERF.: *I shall have been seen, etc.*	FUTURE PERFECT TIME		
ich werde gesehen worden sein	werde	würde	gesehen worden sein
du wirst gesehen worden sein	werdest	würdest	
er wird gesehen worden sein	werde	würde	
wir werden gesehen worden sein	werden	würden	
ihr werdet gesehen worden sein	werdet	würdet	
sie werden gesehen worden sein	werden	würden	

E. Modal Auxiliaries

1. Principal Parts

dürfen, durfte, gedurft	müssen, mußte, gemußt
können, konnte, gekonnt	sollen, sollte, gesollt
mögen, mochte, gemocht	wollen, wollte, gewollt

2. Conjugation of present tenses

ich darf	kann	mag	muß	soll	will
du darfst	kannst	magst	mußt	sollst	willst
er darf	kann	mag	muß	soll	will
wir dürfen	können	mögen	müssen	sollen	wollen
ihr dürft	könnt	mögt	müßt	sollt	wollt
sie dürfen	können	mögen	müssen	sollen	wollen

Alphabetical list of common strong verbs

INFIN.	PAST	PAST PART.	3RD SING. PRES.	IMPER.	PRES. SUBJ. II	MEANING
befehlen	befahl	befohlen	befiehlt	befiehl	beföhle (ä)	*command*
beginnen	begann	begonnen	beginnt	beginne	begänne (ö)	*begin*
beißen	biß	gebissen	beißt	beiße	bisse	*bite*
biegen	bog	gebogen	biegt	biege	böge	*bend*
bieten	bot	geboten	bietet	biete	böte	*offer*
binden	band	gebunden	bindet	binde	bände	*tie*
bitten	bat	gebeten	bittet	bitte	bäte	*request, ask*
bleiben	blieb	ist geblieben	bleibt	bleibe	bliebe	*stay*
brechen	brach	gebrochen	bricht	brich	bräche	*break*
empfangen	empfing	empfangen	empfängt	empfange	empfinge	*receive*
essen	aß	gegessen	ißt	iß	äße	*eat*
fahren	fuhr	ist gefahren	fährt	fahre	führe	*drive, ride*
fallen	fiel	ist gefallen	fällt	falle	fiele	*fall*
fangen	fing	gefangen	fängt	fange	finge	*catch*
finden	fand	gefunden	findet	finde	fände	*find*
fliegen	flog	ist geflogen	fliegt	fliege	flöge	*fly*
fliehen	floh	ist geflohen	flieht	fliehe	flöhe	*flee*
fließen	floß	ist geflossen	fließt	fließe	flösse	*flow*
fressen	fraß	gefressen	frißt	friß	fräße	*devour*
frieren	fror	gefroren	friert	friere	fröre	*freeze*
geben	gab	gegeben	gibt	gib	gäbe	*give*
gehen	ging	ist gegangen	geht	gehe	ginge	*go, walk*
gelingen	gelang	ist gelungen	gelingt		gelänge	*succeed*
genießen	genoß	genossen	genießt	genieße	genösse	*enjoy*

INFIN.	PAST	PAST PART.	3RD SING. PRES.	IMPER.	PRES. SUBJ. II	MEANING
geschehen	geschah	ist geschehen	geschieht		geschähe	*happen*
gewinnen	gewann	gewonnen	gewinnt	gewinne	gewänne (ö)	*win, gain*
graben	grub	gegraben	gräbt	grabe	grübe	*dig*
greifen	griff	gegriffen	greift	greife	griffe	*seize, grasp*
halten	hielt	gehalten	hält	halte	hielte	*hold, stop*
hängen	hing	gehangen	hängt	hänge	hinge	*hang*
heben	hob	gehoben	hebt	hebe	höbe	*lift*
heißen	hieß	geheißen	heißt	heiße	hieße	*be called*
helfen	half	geholfen	hilft	hilf	hülfe	*help*
kommen	kam	ist gekommen	kommt	komme	käme	*come*
lassen	ließ	gelassen	läßt	lasse	ließe	*let, have*
laufen	lief	ist gelaufen	läuft	laufe	liefe	*run*
leiden	litt	gelitten	leidet	leide	litte	*suffer*
lesen	las	gelesen	liest	lies	läse	*read*
liegen	lag	gelegen	liegt	liege	läge	*lie*
lügen	log	gelogen	lügt	lüge	löge	*tell a lie*
nehmen	nahm	genommen	nimmt	nimm	nähme	*take*
raten	riet	geraten	rät	rate	riete	*advise; guess*
reiten	ritt	ist geritten	reitet	reite	ritte	*ride*
riechen	roch	gerochen	riecht	rieche	röche	*smell*
rufen	rief	gerufen	ruft	rufe	riefe	*call*
scheinen	schien	geschienen	scheint	scheine	schiene	*shine, seem*
schießen	schoß	geschossen	schießt	schieße	schösse	*shoot*
schlafen	schlief	geschlafen	schläft	schlafe	schliefe	*sleep*

INFIN.	PAST	PAST PART.	3RD SING. PRES.	IMPER.	PRES. SUBJ II	MEANING
schlagen	schlug	geschlagen	schlägt	schlage	schlüge	*strike*
schließen	schloß	geschlossen	schließt	schließe	schlösse	*lock, close*
schneiden	schnitt	geschnitten	schneidet	schneide	schnitte	*cut*
schreiben	schrieb	geschrieben	schreibt	schreibe	schriebe	*write*
schreien	schrie	geschrieen	schreit	schreie	schriee	*scream*
schweigen	schwieg	geschwiegen	schweigt	schweige	schwiege	*be silent*
schwimmen	schwamm	ist geschwommen	schwimmt	schwimme	schwämme	*swim*
sehen	sah	gesehen	sieht	sieh	sähe	*see*
sein	war	ist gewesen	ist	sei	wäre	*be*
singen	sang	gesungen	singt	singe	sänge	*sing*
sinken	sank	ist gesunken	sinkt	sinke	sänke	*sink*
sitzen	saß	gesessen	sitzt	sitze	säße	*sit*
sprechen	sprach	gesprochen	spricht	sprich	spräche	*speak*
springen	sprang	ist gesprungen	springt	springe	spränge	*spring, jump*
stehen	stand	gestanden	steht	stehe	stände (ü)	*stand*
steigen	stieg	ist gestiegen	steigt	steige	stiege	*climb*
sterben	starb	ist gestorben	stirbt	stirb	stürbe (ä)	*die*
tragen	trug	getragen	trägt	trage	trüge	*carry*
treffen	traf	getroffen	trifft	triff	träfe	*meet, hit*
treten	trat	ist getreten	tritt	tritt	träte	*step*
trinken	trank	getrunken	trinkt	trinke	tränke	*drink*
verbieten	verbot	verboten	verbietet	verbiete	verböte	*forbid*
vergessen	vergaß	vergessen	vergißt	vergiß	vergäße	*forget*
verlieren	verlor	verloren	verliert	verliere	verlöre	*lose*
wachsen	wuchs	ist gewachsen	wächst	wachse	wüchse	*grow*

waschen	wusch	gewaschen	wäscht	wasche	wüsche	*wash*
werden	wurde	ist geworden	wird	werde	würde	*become*
werfen	warf	geworfen	wirft	wirf	würfe	*throw*
ziehen	zog	gezogen	zieht	ziehe	zöge	*pull*
zwingen	zwang	gezwungen	zwingt	zwinge	zwänge	*force*

List of irregular weak verbs

INFIN.	PAST	PAST PART.	3RD SING. PRES.	IMPER.	PRES. SUBJ. II	MEANING
bringen	brachte	gebracht	bringt	bringe	brächte	*bring*
denken	dachte	gedacht	denkt	denke	dächte	*think*
wissen	wußte	gewußt	weiß	wisse	wüßte	*know*
brennen	brannte	gebrannt	brennt	brenne	brennte	*burn*
kennen	kannte	gekannt	kennt	kenne	kennte	*know*
nennen	nannte	genannt	nennt	nenne	nennte	*call*
rennen	rannte	ist gerannt	rennt	renne	rennte	*run, race*
senden	sandte	gesandt	sendet	sende	sendete	*send*
wenden	wandte	gewandt	wendet	wende	wendete	*turn*
dürfen	durfte	gedurft	darf	dürfe	dürfte	*be allowed to, may*
können	konnte	gekonnt	kann	könne	könnte	*can, be able*
mögen	mochte	gemocht	mag	möge	möchte	*like (to); may*
müssen	mußte	gemußt	muß	müsse	müßte	*must, have to*
wollen	wollte	gewollt	will	wolle	wollte	*want to, will*

heben hob gehoben
heißen hieß ~~geheißen~~ geheißen
helfen (hilft) geholfen
half
helfen half geholfen
kommen kam ich gekommen
lassen ließ gelassen
laufen lief gelaufen
leiden ~~lied~~ litt gelitten

~~lesen las gelesen~~ lesen las gelesen (one s)
liegen lag ~~gelegen~~ gelegen gelegen
lügen log gelogen
genommen
nehmen nahm ~~genommen~~ genommen
~~raten~~ riet geraten
~~ratten riet geratten~~ raten riet geraten
reiten ritt ich geritten der Ritter
riechen roch gerochen riechen roch gerochen
(er riecht von Rauch)

rufen rief gerufen
scheinen schien geschienen
~~schlafen schlauf~~
schlafen schlief geschlafen

26. Wenn das Wetter schön ist, denn kann man es zurückschieben.

die Windschutzscheibe

der Scheibenwischer
die zwei Scheibenwischer

die Haube
(unter der Haube gibt es Gepäckraum vorne)

unter der Haube gibt es den Ersatzreifen

das Schiebedach

Gepäckraum
Hinter dem Rücksitz

der Reifen

das Steuer

der Vordersitz

der Rucksitz

17. Fritz hatte seine Erdbeeren hinter dem Rücksitz gelegt.
18. Sie soll die in die Vase stecken
19. Die Vase hing vor der Windschutzscheibe
20. An der nächsten Tankstelle wollten die Freunde Wasser für ihre Blumen holen.
(der Tankwart)
21. Er füllte den Tank
(das Öl)
22. Der Tankwart prüfte das Öl und die Batterie nach
23. Er prüfte die Reifen auch nach und musste die zwei vorne und ein hinter aufpumpen.
24. Die Scheibenwischer sind an der Windschutzscheibe.
25. Sie haben 25 Liter Benzin getankt

efehlen befahl ~~befohlen~~ befohlen befohlen
eginnen begann begonnen
beissen biss gebissen
biegen bog gebogen gebogen
bieten bat gebieten geboten
binden band gebunden to bind tie
~~bitten bat gebeten~~ = to pray, ask
bitten bat gebeten
bleiben blieb ist geblieben = to stay, remain
brechen brach gebrochen
empfangen empfing emfangen
essen ass gegessen
fahren fuhr ist gefahren
fallen fiel ist gefallen
fangen fing gefangen
finden fand gefunden
fliegen flog ist gefliegen ist geflogeen geflogen
fliehen floh ist geflohen
fliessen floss ist geflossen
fressen frass ~~hat~~ gefressen
frieren fror ist gefroren
geben gab gegeben gegeben
gelingen gelang ist ~~gelangen~~ gelungen
gelingen gelang ist gelungen to succeed
geniessen genoss genossen
genoss genossen
geshehen geschah ist geschehen
gewinnen gewann gewonnen
graben grub gegraben
greifen griff gegriffen
halten hielt gehalten hing gehangen
hängen, ~~hung gehungen~~ hing gehangen

Appendix II

Gothic Type

While most German books are today printed in Roman type, many older books are available only in Gothic type. The student of German therefore needs to familiarize himself with it.

The Alphabet in Gothic and Roman Type

Gothic		Roman		Gothic		Roman		Gothic		Roman	
𝔄	𝔞	A	a	𝔍	𝔧	J	j	𝔖	𝔰 ſ	S	s
𝔅	𝔟	B	b	𝔎	𝔨	K	k	𝔗	𝔱	T	t
ℭ	𝔠	C	c	𝔏	𝔩	L	l	𝔘	𝔲	U	u
𝔇	𝔡	D	d	𝔐	𝔪	M	m	𝔙	𝔳	V	v
𝔈	𝔢	E	e	𝔑	𝔫	N	n	𝔚	𝔴	W	w
𝔉	𝔣	F	f	𝔒	𝔬	O	o	𝔛	𝔵	X	x
𝔊	𝔤	G	g	𝔓	𝔭	P	p	𝔜	𝔶	Y	y
ℌ	𝔥	H	h	𝔔	𝔮	Q	q	ℨ	𝔷	Z	z
ℑ	𝔦	I	i	ℜ	𝔯	R	r				

The Gothic type is not as difficult to read as may appear at first glance. If you look at each letter carefully, you will find that in most cases the Gothic letter has the same basic lines as the corresponding Roman letter. The former merely has a few additional lines for ornament. An especially careful look at certain letters that appear to be very much alike will help to avoid confusion as you begin reading. For example: 𝔟 and 𝔡; 𝔣 and ſ (note that the 𝔣 is crossed); 𝔪 and 𝔴; 𝔅 and 𝔙; 𝔐 and 𝔚; ℜ and 𝔑. You will note that the Gothic type uses a variety of symbols for the Roman type s.

Long ſ is used

1. at the beginning of words not capitalized (**ſeit, ſehen, ſagen**).
2. at the beginning of syllables (**leſen, Roſe, geweſen**).
3. in the combinations ſch, ſp, ſt (**ſchon, ſpät, aufſtehen**).

Final 𝔰 is used

1. at the end of words (**etwas, das, anders, als**).
2. at the end of syllables where the 𝔰 marks the end of the word (**Verkehrsamt**).

Double ſſ is used between two vowels, the first of which is short (**laſſen, müſſen**).

ß is used in place of double ſſ

1. after a long vowel or diphthong (**Straße, außerdem, Füße**).
2. before **t** (**mußte, läßt**).
3. at the end of words (**weiß, muß, daß**).

Ein Wochenende im Schwarzwald

Ein Wochenende im Schwarzwald

Kapitel I

Als ich die Augen aufmachte, strömte schon warmes, gelbes Licht durch die hellen Gardinen am Fenster meines kleinen Hotelzimmers. Am Abend vorher waren wir im strömenden Regen in Freiburg angekommen und hatten nur mit größter Schwierigkeit eine Unterkunft für die Nacht gefunden. Freiburg als Tor zum Schwarzwald hat immer einen starken Fremdenverkehr, und jetzt war es überfüllter als je, denn die Universität Freiburg feierte in diesem Sommer (1957) ihr 500-jähriges Entstehungsjubiläum, wozu Gäste aus aller Herren Länder gekommen waren. Aber wir waren direkt zum Verkehrsamt im Bahnhof gegangen, wo man uns hilfsbereit und freundlich Auskunft gegeben hatte über die wenigen noch freien Hotelzimmer und Fremdenzimmer in der Stadt.

So waren wir denn in dem einfachen aber sehr freundlichen

Kapitel I

Als ich die Augen aufmachte, strömte schon warmes, gelbes Licht durch die hellen Gardinen am Fenster meines kleinen Hotelzimmers. Am Abend vorher waren wir im strömenden Regen in Freiburg angekommen und hatten nur mit größter Schwierigkeit eine Unterkunft für die Nacht gefunden. Freiburg als Tor zum Schwarzwald hat immer einen starken Fremdenverkehr, und jetzt war es überfüllter als je, denn die Universität Freiburg feierte in diesem Sommer (1957) ihr 500-jähriges Entstehungsjubiläum, wozu Gäste aus aller Herren Länder gekommen waren. Aber wir waren direkt zum Verkehrsamt im Bahnhof gegangen, wo man uns hilfsbereit und freundlich Auskunft gegeben hatte über die wenigen noch freien Hotelzimmer und Fremdenzimmer in der Stadt.

So waren wir denn in dem einfachen aber sehr freundlichen und

und blitzsauberen Hotel Roseneck gelandet. Es liegt nicht in der Stadtmitte sondern ein wenig außerhalb, was den doppelten Vorteil hat, daß es verhältnismäßig ruhig und außerdem nicht zu teuer ist.

Glücklich, daß der Regen vorbei war, stand ich auf und trat ans Fenster. Wie anders es jetzt da unten aussah als gestern Abend bei unserer Ankunft! Da waren wir, nachdem wir unser Auto untergestellt hatten, so schnell wie möglich im klatschenden Regen zwischen den roten, auf die Seite gekippten Tischen, durch den kleinen Hotelgarten gelaufen, um ins Trockene zu kommen. Jetzt standen die Tische alle hübsch aufrecht auf dem Kiesboden des Gartens, und die bunten Tischdecken leuchteten in der frühen Sonne. Ein paar hohe, alte Kastanienbäume warfen ihren kühlen Schatten auf einige der Tische und manchmal fiel noch ein glitzernder Tropfen von den regenschweren Blättern zur Erde.

Eine junge Kellnerin in hellem Kleid und weißer Schürze ging zwischen den Tischen umher, setzte einen kleinen Blumenstrauß auf jeden und brachte auf ihrem großen Tablett das Kaffeegeschirr. Auf mehreren Tischen standen dann bald die einfachen Gedecke für die Gäste: ein kleiner Teller, Tasse mit Untertasse, Kaffeelöffel und Messer.

blitzsauberen Hotel Roseneck gelandet. Es liegt nicht in der Stadtmitte sondern ein wenig außerhalb, was den doppelten Vorteil hat, daß es verhältnismäßig ruhig und außerdem nicht zu teuer ist.

Glücklich, daß der Regen vorbei war, stand ich schnell auf und trat ans Fenster. Wie anders es jetzt da unten aussah als gestern Abend bei unserer Ankunft! Da waren wir, nachdem wir unser Auto untergestellt hatten, so schnell wie möglich im klatschenden Regen zwischen den roten, auf die Seite gekippten Tischen, durch den kleinen Hotelgarten gelaufen, um ins Trockene zu kommen. Jetzt standen die Tische alle hübsch aufrecht auf dem Kiesboden des Gartens, und die bunten Tischdecken leuchteten in der frühen Sonne. Ein paar hohe, alte Kastanienbäume warfen ihren kühlen Schatten auf einige der Tische und manchmal fiel noch ein glitzernder Tropfen von den regenschweren Blättern zur Erde.

Eine junge Kellnerin in hellem Kleid und weißer Schürze ging zwischen den Tischen umher, setzte einen kleinen Blumenstrauß auf jeden und brachte auf ihrem großen Tablett das Kaffeegeschirr. Auf mehreren Tischen standen dann bald die einfachen Gedecke für die Gäste: ein kleiner Teller, Tasse mit Untertasse, Kaffeelöffel und Messer.

Ich wandte mich wieder ins Zimmer zurück, putzte mir die Zähne, wusch mir Hände und Gesicht in dem kleinen Waschbecken, das einen Hahn für heißes sowohl wie kaltes Wasser hatte. Ich zog mich an, und nachdem ich mir noch das Haar gekämmt und die Lippen geschminkt hatte, packte ich schnell meine paar Sachen zusammen. Ich hatte ja nur ein kleines Wochenendköfferchen für die kurze Fahrt in den Schwarzwald, denn wir hatten nicht viel Gepäckraum in unserem Volkswagen.

In wenigen Minuten stand ich im Gang und klopfte an der gegenüberliegenden Tür an. Sofort antwortete Helenes Stimme: „Bist du das, Ingrid? Ich bin gleich fertig.“ „Gut“, sagte ich, „dann will ich schon ’runtergehen. Ich habe nämlich einen schrecklichen Hunger.“ „Ja“, sagte sie, indem sie die Tür öffnete und den Kopf herausstreckte, „geh schon ’runter und bestell mir auch gleich einen Kaffee. Ich komm’ gleich nach. Wir können heute morgen doch im Garten frühstücken?“ „Natürlich, bei dem herrlichen Sonnenschein.“

(*Fortsetzung folgt*)

Ich wandte mich wieder ins Zimmer zurück, putzte mir die Zähne, wusch mir Hände und Gesicht in dem kleinen Waschbecken, das einen Hahn für heißes sowohl wie kaltes Wasser hatte. Ich zog mich an, und nachdem ich mir noch das Haar gekämmt und die Lippen geschminkt hatte, packte ich schnell meine paar Sachen zusammen. Ich hatte ja nur ein kleines Wochenendköfferchen für die kurze Fahrt in den Schwarzwald, denn wir hatten nicht viel Gepäckraum in unserem Volkswagen.

In wenigen Minuten stand ich im Gang und klopfte an der gegenüberliegenden Tür an. Sofort antwortete Helenes Stimme: „Bist du das, Ingrid? Ich bin gleich fertig.“ „Gut“, sagte ich, „dann will ich schon ’runtergehen. Ich habe nämlich einen schrecklichen Hunger.“ „Ja“, sagte sie, indem sie die Tür öffnete und den Kopf herausstreckte, „geh schon ’runter und bestell mir auch gleich einen Kaffee. Ich komm’ gleich nach. Wir können heute morgen doch im Garten frühstücken?“ „Natürlich, bei dem herrlichen Sonnenschein.“

(Fortsetzung folgt)

Kapitel II

Ich ging also nach unten, und als ich im Garten ankam, fand ich unsre beiden Kameraden Fritz und Toni schon da. Sie standen auf, als ich an den

Tisch trat, und gaben mir die Hand. „Guten Morgen! Gut geschlafen?" sagten sie fast gleichzeitig. „O, ja, prima! Habt ihr schon bestellt?" „Nein, wir wollten auf euch warten. Kommt Helene noch nicht?" „Doch, sie ist gleich da."

Toni winkte der Kellnerin, die gerade aus dem Haus kam, und als sie an unseren Tisch trat, sagte er: „Bitte, Fräulein, vier Kaffee complets, oder", wandte er sich an Fritz und mich, „möchte jemand noch etwas anderes zum Frühstück?" „Doch", sagte ich, „ich hätte gern ein Ei", und zur Kellnerin: „Vier Minuten, bitte."

In ein paar Minuten erschienen gleichzeitig Helene und die Kellnerin, letztere mit zwei Kaffeekannen, die je zwei Portionen enthielten, Sahne, Zucker, ein Körbchen mit knusprigen, hellbraunen Brötchen, ein Glastöpfchen mit Erdbeermarmelade und eine kleine Glasschüssel mit frischen, zartgelben Butterröllchen. Bald darauf brachte sie auch mein weichgekochtes Ei im Eierbecher, und wir aßen alle mit großem Appetit. Der Kaffee und die Brötchen mit der schönen frischen Butter und Marmelade schmeckten uns herrlich da draußen im sonnigen Garten.

Als wir mit dem Essen fertig waren, sagte Toni, sich umsehend, „Na, wo bleibt denn die Kellnerin?" Sie stand nicht weit von uns entfernt und räumte einen Tisch ab, aber ihr Rücken war uns zugekehrt, also rief Toni: „Hallo, Fräulein!" Und als sie näher trat, „Wir möchten zahlen." „Einen Augenblick", sagte sie, und ging fort mit ihrem Tablett voll Geschirr. „Einen Augenblick", wiederholte Toni, „das kennen wir ja. Wenn die einen Augenblick sagen, meinen sie eine Stunde!"

Und es dauerte tatsächlich eine ganze Weile, bis die Kellnerin wiederkam. Als sie endlich mit ihrem kleinen Papierblock erschien, fragte sie: „Alle zusammen?" „Nein", sagte Helene, „getrennt bitte, wir führen getrennte Kasse." Mit einem schnellen Blick übersah die Kellnerin den Tisch und sagte: „Das waren also drei Kaffee complets und einmal mit Ei." Sie schrieb einige Zahlen auf ihr Blöckchen und gab jedem seine Rechnung. Das Frühstück war DM 1,75 pro Person, nur ich hatte 50 Pfennig mehr zu bezahlen für mein Ei. Dann kam natürlich noch 10 Prozent Bedienung dazu.

Als die Kellnerin gewechselt hatte und wieder fortgegangen war, sagte Helene: „Ich finde das doch komisch: für ein nettes sauberes Zimmer mit fließendem Wasser bezahlt man nur DM 5,50, und für ein paar Brötchen und ein paar Tassen Kaffee müssen wir so viel bezahlen." „Aber du kleine Gans", sagte Toni, indem er ihr die Hand auf die Schulter legte, „das ist doch zum Ausgleich. Wir sind sozusagen gezwungen, hier zu frühstücken, und weil die Zimmer so billig sind, muß das Frühstück verhältnismäßig teuer sein. Auf der Preistafel im Zimmer stand doch: Bei Nichteinnahme des Frühstücks im Hause erhöht sich der Zimmerpreis um 75 Pfennig. Der Wirt will doch auch leben. Gut wenigstens, daß die Bedienung gleich mit auf die Rechnung kommt. Dann wartet die Kellnerin wenigstens nicht auf ihr Trinkgeld."

Nun gingen wir alle wieder auf unsere Zimmer und holten unsre kleinen 5 Handkoffer herunter. Zwei Köfferchen steckten wir in den schmalen Gepäckraum hinter dem Rücksitz unseres Wagens, und die anderen beiden kamen vorne unter die Haube.

Kapitel III

Toni saß am Steuer, und indem er den Schlüssel ins Zündschloß steckte und ihn drehte, sagte er: „Nun, ich bin gespannt, ob er anspringt. Nach 10 einer Nacht im Regen wäre es nicht verwunderlich, wenn er bockte." Aber Gottseidank, der Wagen sprang an, ohne große Schwierigkeiten zu machen. „Nun", sagte Toni, „wissen die Herrschaften denn schon, wo sie hinwollen?" „Ach", rief Helene, „fahren wir doch einfach ins Blaue hinein!" „Du mit deinen romantischen Ideen", antwortete Toni, „ins Blaue hinein klingt ja 15 sehr schön, aber wenn man das im Schwarzwald macht, kommt man höchstwahrscheinlich nicht ins Blaue sondern in den großen und fröhlichen Schwarm seiner Mitmenschen, die auch alle ins Blaue fahren wollen. Ihr wißt doch, daß es den ganzen Sommer im Schwarzwald von Fremden nur so wimmelt. Im Winter übrigens auch, denn dann kommen sie zum Skilaufen."

20 „Also — was schlägst du vor, mein Herr Besserwisser?" fragte ich. „Nun, ich mit meiner praktischen Seele habe gestern Abend beim Einschlafen die Autokarte studiert und bin zu dem Schluß gekommen, daß wir die großen Autostraßen vermeiden sollten und, so weit es geht, die kleinen Nebenstraßen nehmen." „Und mich nennst du romantisch," murmelte Helene. „Natürlich 25 bin ich auch romantisch, aber ich bin eben ein praktischer Romantiker, und das ist ein großer Unterschied."

„Praktisch, romantisch, unpraktisch, unromantisch! Das ist mir alles ganz wurscht", sagte Fritz, „ich bin ein Mann der Tat und schlage vor, daß wir endlich das viele Gerede lassen und losfahren. Wenn du die Karte kennst, 30 Toni, warum übernimmst du nicht die Führung und wir anderen fahren einfach mit." „Also gut", sagte Toni, „um aus der Stadt herauszukommen, nehmen wir am besten die Straße 31. Das ist allerdings eine ziemlich große Straße, aber wir brauchen nicht lange darauf zu bleiben. Wir können bald in eine kleinere abbiegen."

35 Als wir in die breite Straße einfuhren, die am Hotelgarten vorbeilief, sagte Toni: „Nun müssen wir erst mal sehen, daß wir die 31 finden. Ich

habe ein dunkles Gefühl, daß wir sie gestern einmal gekreuzt haben. Ich denke, wenn wir geradeaus fahren, kommen wir schon dahin."

Wir fuhren also langsam weiter, und alle sahen sich um nach dem bekannten gelben Straßenschild mit der Nummer 31. Aber statt dessen sahen wir sehr bald ein anderes Schild vor uns, das uns auch schon allzubekannt war. Es 5 war das runde rote Schild durchkreuzt von einem horizontalen weißen Balken. „Einbahnstraße!" rief Helene. „Paß auf, Toni, da dürfen wir nicht 'rein." „Ja, mein Gänschen, ich habe es schon lange gesehen," antwortete Toni.

Während wir links abbogen und gleichzeitig der rote Winker an der linken Seite des Wagens herausflitzte, lehnte Helene sich zurück im Sitz und saß 10 mäuschenstill da. Als wir ein Stückchen weitergefahren waren, wandte sie sich mit einem süßen Lächeln zu Toni und sagte: „Mein Herr, dürfte ich Sie fragen, ob Sie die Absicht haben, im Kreis zu fahren?" „Wieso?" antwortete er. Dann grinste er ein wenig verschämt und zog schnell den Winker wieder ein. 15

Als wir beide im Rücksitz noch über Helenes kleinen Sieg lachten, kamen wir schon auf die 31, und nun fuhren wir auf der breiten Haupstraße so schnell weiter, wie es bei dem ziemlich starken Verkehr ging. Es waren viele Lastwagen unterwegs, die meistens einen fürchterlichen Lärm machten, und kaum hatten wir den einen überholt, so erschien schon wieder so ein Untier vor 20 uns. Zwischen den größeren und kleineren Wagen flitzten die üblichen Motorräder, Vespas, Mopeds, und wie die zweirädrigen kleinen Biester alle heißen, die die Landstraße laut und unsicher machen.

German-English Vocabulary

Listing of nouns: for regular nouns, the plural ending only is given; for nouns that are in any way irregular, the genitive singular ending is also given, e.g. **der Artist, –en, –en, der Gedanke, –ns, –n.** Adjectival nouns are listed in such a way as to indicate that the ending will vary with the article preceding it, e.g. **der Gelehrt–.** Separable prefixes are indicated by a dot between prefix and verb, e.g. **ab·stürzen.** Principal parts are given for strong and irregular weak verbs. For regular weak verbs, only the infinitive is given.

A

ab off, away; **ab und zu** now and then
der **Abend, –e** evening; **zu Abend essen** eat supper
das **Abendessen, –** supper; **zum Abendessen** for supper
der **Abhang, ⸚e** hillside, slope
das **Abitur** final comprehensive secondary school examination
ab·lehnen refuse
ab·schlagen, schlug ab, abgeschlagen cut down
ab·schließen, schloß ab, abgeschlossen lock
ab·setzen dismiss
die **Absicht, –en** intention
sich **ab·spielen** be played, take place
der **Abstellraum, ⸚e** closet
ab·stürzen crash *(of a plane)*
die **Abteilung, –en** department, section
die **Abwechslung, –en** change, variation
achten auf *(acc.)* pay attention to, look out for
ahnen have a feeling of, suspect
ähnlich similar to, like
der **Akt, –e** act
die **Aktion, –en** action, operation
aktuell of present interest or importance
allerdings to be sure
allerlei all kinds of
allgemein general
allgemeinverbindlich required of all
alljährlich annual
allmählich gradual
also so
der **Altar, ⸚e** altar
amtlich official
der **Anblick, –e** sight
andächtig devout, attentive
anders different
der **Anfang, ⸚e** beginning
an·fangen, fing an, angefangen begin, start
an·fragen inquire
angebracht appropriate, practical
an·gehören belong to, be a member of
angenehm pleasant
angesehen respected

die **Anhöhe, –n** elevation
an·hören *(acc.)* listen to
an·klopfen knock
an·kommen, kam an, ist angekommen arrive
die **Ankunft, ⸚e** arrival
an·kündigen announce
die **Anlage, –n** establishment, system
an·legen lay out, establish
an·sehen, sah an, angesehen look at; **sich** *(dat.)* **etwas ansehen** take a look at something
die **Ansichtskarte, –n** picture post-card
an·springen, sprang an, ist angesprungen start *(of a motor)*
an·stellen employ
die **Antwort, –en** answer
an·wenden, wandte an, angewandt make use of, apply
an·ziehen, zog an, angezogen put on; **sich anziehen** get dressed
der **Anzug, ⸚e** suit *(of clothes)*
die **Arbeitsberechtigung** right to work
die **Arbeitsgemeinschaft, –en** study group
die **Architektur, –en** architecture
die **Art, –en** kind; **eine Art Krone** a kind of crown
der **Artist, –en, –en** acrobat
atemlos breathless
der **Aufbau** reconstruction, rebuilding
auf·füllen fill up
auf·führen present, perform
die **Aufgabe, –n** task
auf·halten, hielt auf, aufgehalten detain; **sich aufhalten** remain, linger
auf·häufen heap up
auf·heben, hob auf, aufgehoben lift, raise
sich **auf·lehnen** rebel
auf·machen open
die **Aufmerksamkeit** attentiveness, attention
die **Aufnahme, –n** photograph, picture
auf·passen pay attention, look out
die **Aufregung** excitement
der **Aufschnitt, –e** cold cuts
der **Aufstand, ⸚e** uprising
auf·stehen, stand auf, ist aufgestanden get up
auf·stellen set up
auf·treten, trat auf, ist aufgetreten appear *(on the stage)*
der **Aufwiegler, –** inciter
das **Auge, –n** eye
der **Augenblick, –e** moment, instant
aus *(adv.)* over, finished
aus·dehnen stretch, extend, expand
der **Ausdruck, ⸚e** expression
aus·drücken express
der **Ausflug, ⸚e** excursion, short trip
der **Ausflügler, –** excursionist
der **Ausgleich** equalization; **zum Ausgleich** for the sake of equalization
die **Auskunft, ⸚e** information
das **Ausland** foreign countries
der **Ausländer, –** foreigner
aus·löffeln spoon up
aus·reden finish talking
sich **aus·ruhen** rest, take a rest
aus·schließen, schloß aus, augeschlossen exclude
der **Ausschuß, ⸚sse** committee
aus·sehen, sah aus, ausgesehen look (like)
der **Außenminister, –** foreign secretary
außerdem besides
außerhalb on the outside, outside of
außerordentlich extraordinary
äußerst exceedingly
aus·statten furnish
die **Ausstrahlung, –en** radiation
aus·trinken, trank aus, ausgetrunken drink up
die **Auswahl, –en** choice; **eine Auswahl treffen** make a choice

B

der **Bach, ⸚e** brook
die **Bäckerei, –en** bakery
die **Badehose, –n** swimming trunks
die **Badewanne, –n** bathtub
der **Baldachin, –e** canopy
der **Balken, –** beam
der **Balkon, –e** balcony
die **Bank, ⸚e** bench
die **Bank, –en** bank
das **Bankwesen** banking
das **Barock** baroque
der **Bart, ⸚e** beard
die **Batterie, –n** battery

der **Bau, –ten** building, construction, structure
bauen build
der **Bauer, –s** *(or)* **–n, –n** farmer, peasant
der **Baum, ⸚e** tree
das **Bayern** Bavaria
der **Beamt–** official
bebändert beribboned
bedenken, bedachte, bedacht consider
bedeuten mean, signify; **was das wohl bedeuten soll** I wonder what that means
bedeutend distinguished, significant
bedienen serve, wait on
die **Bedienung, –en** service
bedrohen threaten
bedrücken oppress
die **Beerdigung, –en** funeral
der **Befehl, –e** command, order
sich **befinden, befand, befunden** find oneself, be
die **Begeisterung** enthusiasm
begnadigen pardon
begraben, begrub, begraben bury
das **Begräbnis, –se** funeral
begrüßen greet
behaglich comfortable
behelmt helmeted
die **Behörde, –n** governing board, governmental authority
beide both, two
der **Beifall** applause
das **Bein, –e** leg
beinahe almost, nearly
das **Beinkleid, –er** trousers
das **Beispiel, –e** example; **zum Beispiel** for example
der **Beitrag, ⸚e** contribution
bei·tragen, trug bei, beigetragen contribute
bei·treten, trat bei, ist beigetreten *(dat.)* join
bekannt well-known
sich **beklagen** complain
bekommen, bekam, bekommen receive, get
belebt lively, animated
beliebt popular
die **Beleuchtung, –en** illumination
bemalen paint
bemerken notice, observe, remark
die **Bemühung, –en** effort
benommen dazed, confused
benutzen make use of, use
bequem comfortable
der **Berg, –e** mountain
bergab downhill
bergan uphill
bergauf uphill
der **Bereich, –e** realm
bereit ready
der **Bericht, –e** report
berichten report
berühmt famous
besäen sow with
die **Besatzung, –en** occupation, occupation troops
beschädigen damage
beschäftigt busy
beschließen, beschloß, beschlossen decide
beschnörkelt adorned with flourishes and scrolls
der **Besen, –** broom
besetzen occupy, fill up
die **Besichtigung, –en** viewing, seeing
besiegen conquer
besitzen, besaß, besessen possess
besonders especially
bestehen, bestand, bestanden exist; **bestehen auf** *(acc.)* insist on; **bestehen aus** consist of
bestellen order, place an order
bestimmt certain, certainly
die **Bevölkerung, –en** population
bewaffnen arm
bewahren maintain, keep
bewegen move (something); **sich bewegen** move
beweisen, bewies, bewiesen prove
bewundern admire
bezahlen pay
der **Bezirk, –e** borough, district
die **Bibliothek, –en** library
biegen, bog, gebogen bend, turn
das **Bier, –e** beer
das **Biest, –er** beast
bieten, bot, geboten offer
das **Bild, –er** picture
bilden form; educate
die **Bildung, –en** education; formation
billig cheap
der **Binnenhafen, ⸚** inland harbor
die **Birne, –n** pear; electric light bulb

ein **bißchen** a bit
blank shiny
das **Blatt, ⸚er** leaf, page
blau blue; **ins Blaue fahren** drive off at random
die **Blechmusik, –en** brass band
die **Blechschüssel, –n** tin bowl
der **Blick, –e** glance, look; **einen Blick tun** cast a glance, take a look
blitzsauber sparkling clean
der **Block, ⸚e** pad (of paper)
blühen blossom, flourish
der **Blumenkohl** cauliflower
der **Blumenstrauß, ⸚e** bouquet of flowers
bocken be stubborn
der **Boden, ⸚** floor, bottom
der **Böllerschuß, ⸚sse** gun salute
der **Borscht** borscht (a Russian beet soup)
die **Borte, –n** border, edging
böse angry, evil
die **Botschaft, –en** embassy; message
brauchen need, use
die **Brause, –n** showerbath
brausen roar
die **Braut, ⸚e** bride
der **Bräutigam, –e** bridegroom
die **Bremse, –n** brake
bremsen brake
brennen, brannte, gebrannt burn
das **Brot, –e** bread
das **Brötchen, –** roll
die **Brücke, –n** bridge
der **Brunnen, –** fountain, well
die **Brust, ⸚e** chest, breast, bosom
die **Bude, –n** booth
bunt gaily colored, colorful
die **Buntlichtwanderschrift, –en** news strip in electric lights
der **Bürger, –** citizen
der **Bürgersteig, –e** sidewalk
die **Bürste, –n** brush
der **Bus, –se** bus

C

der **Chor, ⸚e** choir, chorus

D

das **Dach, ⸚er** roof
daher from there, hence
dahin to there
damalig then, at that time (*adj.*)
damit so that, in order that
die **Dämmerung** twilight
dämpfen muffle
dar·stellen represent
das **Dasein** being, existence
das **Datum, Daten** date
dauern last, endure; **eine ganze Weile dauern** take quite a while
dauernd continuously
die **Decke, –n** covering, ceiling
decken cover; **den Tisch decken** set the table
das **Denkmal, ⸚er** monument
dergleichen the like
deshalb for that reason, therefore
desto: je mehr, desto besser the more the better
deswegen for that reason, therefore
deutlich clear
dienen serve
die **Diktatur, –en** dictatorship
DM = Deutsche Mark
doch certainly, nonetheless (*for further meanings, see Grammar, p. 200*)
das **Dorf, ⸚er** village
der **Dozent, –en –en** university instructor
drahtig wiry
draußen outdoors, outside
drehen turn
drüben over there, yonder
duften be fragrant, smell; **duftend** fragrant
dunkel dark
durchaus completely; **durchaus nicht** by no means
durchschnittlich average

E

eben just, just so; level
ebenso just as
die **Ecke, –n** corner
echt genuine
der **Edelstein, –e** precious stone, jewel
ehe before (*conj.*)
die **Ehre, –n** honor
das **Ei, –er** egg
der **Eierbecher, –** egg cup

eigen own
eigentlich really
die **Eile** hurry, haste; **Eile haben** be in a hurry
der **Eimer, –** pail, bucket
die **Einbahnstraße, –n** one-way street
der **Eindruck, ¨e** impression
einfach simple
der **Einfall, ¨e** idea
ein·fallen, fiel ein, ist eingefallen occur; **es fällt mir ein** it occurs to me
der **Einfluß, ¨sse** influence
ein·führen introduce, import
die **Einführung, –en** introduction
die **Einheit, –en** unity, unit
einige a few, some
die **Einigung** unification
ein·kaufen buy, shop
das **Einkaufsnetz, –e** net bag for carrying purchases
einmal once; **auf einmal** all at once
ein·richten furnish, establish
die **Einrichtung, –en** arrangement, furnishing
ein·schlafen, schlief ein, ist eingeschlafen fall asleep
ein·schüchtern intimidate
das **Einverständnis** agreement
ein·wickeln wrap up
der **Einwohner, –** inhabitant, resident
die **Einzelheit, –en** detail
einzeln single, individual
einzig only, single
der **Einzug, ¨e** moving in, entrance
das **Eis, –e** ice, ice cream
die **Eisenbahn, –en** railroad
der **Eisenofen, ¨** iron stove
die **Eleganz** elegance, stylishness
das **Element, –e** element
das **Ende, –n** end; **zu Ende** at an end
endgültig conclusive, once for all, final
die **Entdeckung, –en** discovery
entfalten unfold
entfernt distant
entführen kidnap
enthalten, enthielt, enthalten contain
enthüllen uncover
entscheidend decisive
die **Entscheidung, –en** decision
entstehen, entstand, ist entstanden originate, come into being
das **Entstehungsjubiläum** Founders' Day
enttäuschen disappoint
entwickeln develop
die **Entwicklung, –en** development
erachten consider
die **Erdbeere, –n** strawberry
erfahren, erfuhr, erfahren experience, undergo
erfinden, erfand, erfunden invent
der **Erfolg, –e** success
erfolgreich successful
erfrieren, erfror, ist erfroren freeze to death
erhalten, erhielt, erhalten receive, maintain
erheben, erhob, erhoben raise; **sich erheben** rise
erhöhen elevate, raise up
erinnern remind; **sich erinnern an** (*acc.*) remember
erkennen, erkannte, erkannt recognize
erlauben allow
erleben experience
das **Erlebnis, –se** experience
erleuchten illuminate
ermüden make tired, tire
ernähren nourish; **sich ernähren** make a living
ernst serious
erreichen achieve, attain, reach
errichten erect
die **Errichtung, –en** setting up
der **Ersatz** substitute
der **Ersatzreifen, –** spare tire
erscheinen, erschien, ist erschienen appear, put in an appearance
erschöpft exhausted
ersetzen substitute
erst first; not until; **erst mal** first of all
erstens in the first place
ertönen sound, resound
erwachsen grown-up
erwähnen mention
erwarten expect, await
erweisen, erwies, erwiesen show; **die letzte Ehre erweisen** pay the final respects
erwidern reply

erziehen, erzog, erzogen bring up, educate
etwa approximately, about
etwas something, somewhat

F

die **Fabrik, –en** factory
die **Fachschule, –n** training school
die **Fähigkeit, –en** ability, capacity
der **Fahrstuhl, ⸚e** elevator
die **Fahrt, –en** drive
die **Fakultät, –en** faculty; "college" of a university
der **Fall, ⸚e** case; **auf jeden Fall** in any case
die **Farbe, –n** color
die **Fassade, –n** façade, front
fast almost
fehlen lack; **fehlen an** (*dat.*) be lacking in
der **Fehler, –** mistake, error
die **Feier, –n** celebration
feierlich solemn
feiern celebrate
der **Feind, –e** enemy
die **Ferien** (*pl.*) vacation, holidays
die **Ferne, –n** distance
der **Fernsehapparat, –e** television set
fertig finished, ready
das **Fest, –e** celebration, festival
fest·stellen find out, ascertain
die **Feuerwehr, –en** fire department
fidel jolly, gay, in good spirits
die **Figur, –en** figure
der **Film, –e** movie, film
der **Fisch, –e** fish
das **Fleisch, –e** meat
der **Fleischerladen, ⸚** meat market
fliegen, flog, ist geflogen fly
fliehen, floh, ist geflohen flee
fließen, floß, ist geflossen flow
flitzen flit
der **Flüchtling, –e** refugee
der **Flug, ⸚e** flight
der **Flughafen, ⸚** airport
das **Flugzeug, –e** airplane
flüstern whisper
die **Folge, –n** result
fordern demand
fort away
fort·fahren, fuhr fort, ist fortgefahren continue (*intransitive*)
fort·schaffen remove, carry away
der **Fortschritt, –e** progress
die **Fortsetzung, –en** continuation; **Fortsetzung folgt** to be continued
der **Frack, ⸚e** dress suit, "tails"
die **Frage, –n** question
die **Franse, –n** fringe
frech impudent, "fresh"
frei free
fremd strange, foreign
der **Fremdenverkehr** tourist business
das **Fremdenzimmer, –** guest room
sich freuen be glad; **sich freuen auf** (*acc.*) look forward to
der **Friede, –ns** peace
der **Friedhof, ⸚e** cemetery
der **Friedensstörer, –** disturber of the peace
froh glad
fröhlich gay, happy
die **Front, –en** front, façade
das **Frühstück, –e** breakfast; **zum Frühstück** for breakfast
frühstücken breakfast
funkeln gleam
die **Furche, –n** furrow
fürchterlich terrible
der **Fürst, –en, –en** prince
der **Fuß, ⸚e** foot; **zu Fuß** on foot
der **Fußgänger, –** pedestrian

G

der **Gang, ⸚e** corridor; course; **im ersten Gang** in first gear; **in vollem Gang** in full swing
die **Gans, ⸚e** goose
der **Gänsemarsch** single file
gar: gar nicht not at all; **gar nichts** nothing at all
die **Gardine, –n** curtain
der **Garten, ⸚** garden
der **Gast, ⸚e** guest
die **Gaststube, –n** informal dining room or taproom in inn
die **Gastwirtschaft, –en** restaurant
das **Gebäude, –** building
geben, gab, gegeben give; **es gibt** there is, there are
das **Gebet, –e** prayer
das **Gebiet, –e** territory, domain
der **Gebrauch, ⸚e** use, usage
das **Gedächtnis** memory
der **Gedanke, –ns, –n** thought
das **Gedeck, –e** place setting

das **Gedenken** memory; **zum Gedenken** in memory
geduldig patient
die **Gefahr, –en** danger
gefallen, gefiel, gefallen please; **es gefällt mir** I like it
der **Gefangen–** prisoner
die **Gefangenschaft** imprisonment
das **Gefühl, –e** feeling
die **Gegend, –en** region, landscape
der **Gegensatz, ⸚e** contrast
gegenseitig mutual, to or for each other
gegenüber (*dat.*) opposite
die **Gegenwart** present time
geheim secret
gehen, ging, ist gegangen go, walk; be possible
gehören belong, be property of
geistig intellectual, spiritual
das **Geld, –er** money
die **Gelegenheit, –en** opportunity, chance
der **Gelehrt–** scholar
gelingen, gelang, ist gelungen succeed; **es gelingt mir** I succeed
gelten, galt, gegolten be considered
das **Gemälde, –** painting
die **Gemeinde, –n** community, congregation
gemeinnützig for the common good
der **Gemsbart, ⸚e** chamois beard
das **Gemüse, –** vegetable
gemütlich cozy, comfortable
genau exact, precise
genießen, genoß, genossen enjoy
genügend sufficient
der **Genuß, ⸚sse** enjoyment, pleasure
das **Gepäck** baggage
gerade straight, just
geradeaus straight ahead
das **Gerät, –e** apparatus, implement
das **Gerede** idle talk, chatter
das **Gericht, –e** dish (*of food*)
gern gladly; **etwas gern haben** like something; **gern tun** like to do
gesamt entire, total
das **Geschäft, –e** business, place of business, shop
geschehen, geschah, ist geschehen happen
das **Geschenk, –e** present, gift
die **Geschichte, –n** story, history
das **Geschirr** dishes
geschmackvoll tasteful
die **Geschwindigkeit, –en** speed
die **Gesellschaft, –en** society, party
das **Gesicht, –er** face
die **Gestalt, –en** figure
gesinnt minded
das **Gestell, –e** framework
gestern yesterday; **gestern abend** last night
gesund healthy
das **Gewand, ⸚er** garment, garb
gewahr werden become aware
das **Gewicht, –e** weight
das **Gewimmel** swarming; teeming multitude
gewöhnlich usual, customary
gewohnt accustomed, used to
das **Gewölbe, –** vaulting
der **Giebel, –** gable
gießen, goß, gegossen pour
das **Glas, ⸚er** glass
gleich right away; like
gleichfalls likewise
das **Gleichgewicht** balance
gleichzeitig simultaneously, at the same time
gleiten, glitt, ist geglitten glide, slide
das **Glück** luck, happiness
die **Gnade, –n** grace
gnädig gracious; **gnädiges Fräulein** polite form of address
der **Gottesdienst, –e** church service
das **Grab, ⸚er** grave
der **Grad, –e** degree
die **Granate, –n** grenade
das **Gras, ⸚er** grass
der **Grashalm, –e** blade of grass
grausig horrible
greifen, griff, gegriffen seize
die **Grenze, –n** boundary
der **Groschen, –** 10 Pfennigs
großartig splendid, grand
größenwahnsinnig megalomaniacal
großzügig generous
der **Grund, ⸚e** reason
gründen found
der **Grundsatz, ⸚e** principle
die **Gründung, –en** founding
die **Gruppe, –n** group
gucken look
die **Gurke, –n** cucumber

H

das **Haar, –e** hair

haarsträubend hair-raising
der **Hafen, ⸚** harbor, port
der **Hahn, ⸚e** faucet, cock
hallo a call to attract someone's attention
halten, hielt, gehalten hold, stop
die **Hand, ⸚e** hand; **jemandem die Hand geben** shake hands with someone; **alle Hände voll haben** have plenty to do
der **Handel** commerce, trade
handeln act; trade; **es handelt sich um** it is about, it is a question of
die **Haube, –n** hood
der **Haufen, –** heap, pile
häufig frequent
das **Haupt, ⸚er** head
die **Hauptsache, –n** main thing
die **Hauptstadt, ⸚e** capital city
die **Hauptstraße, –n** main street
der **Haushalt, ⸚er** household
heben, hob, gehoben lift, raise
das **Heft, –e** pamphlet, notebook
heilig holy, sacred
die **Heimat, –en** home, homeland
heißen, hieß, geheißen be called; **das heißt** that is
der **Heizkörper, –** radiator
hell bright, light
der **Helm, –e** helmet
das **Hemd, –en** shirt
die **Hemmung, –en** inhibition
hemmungslos uninhibited
her (to) here
heraus out (*toward speaker*)
sich **heraus·stellen** become apparent
der **Herausgeber, –** editor
der **Herd, –e** kitchen stove, hearth
herrlich splendid, grand
die **Herrschaft, –en** domination, rule; **meine Herrschaften** ladies and gentlemen
herrschen rule, prevail
her·stellen produce
herum around
hervor forth
das **Herz, –ens, –en** heart
heute today; **von heute auf morgen** from one day to the next; **heute morgen** this morning
hierher (to) here
die **Hilfe** help
hilfsbereit helpful
der Himmel, – heaven, sky
hin (to) there
hinein·dringen, drang hinein, ist hineingedrungen penetrate
sich **hin·geben, gab hin, hingegeben** abandon oneself
hinken limp
hinten at the back, in back
der **Hintergrund, ⸚e** background
hinüber across, over
der **Hirsch, –e** stag
die **Hitlerjugend** Hitler Youth
höchstens at most
höchstwahrscheinlich most probably
die **Hochzeit, –en** wedding
der **Hof, ⸚e** courtyard, court
höflich polite
die **Höhe, –n** height
holen go get, fetch
das **Holz, ⸚er** wood
hörbar audible
die **Hose, –n** pants, trousers
der **Hosenträger, –** suspender
das **Hotel, –s** hotel
hübsch pretty
die **Hüfte, –n** hip
der **Hügel, –** hill
die **Hühnersuppe, –n** chicken soup
der **Humor** humor
der **Hund, –e** dog
der **Hunger** hunger; **Hunger kriegen** get hungry
der **Hut, ⸚e** hat

I

die **Idee, –n** idea; **auf die schlaue Idee kommen** get the bright idea
immer always; **immer mehr** more and more
indem as, while
der **Inhaber, –** proprietor, owner
das **Inner–** interior, inside
die **Insel, –n** island
das **Interesse, –n** interest
sich **interessieren für** be interested in
inzwischen meanwhile, in the meantime
irgend some; **irgendwie** somehow; **irgendwo** somewhere

J

ja you know, certainly (*for further meanings see Grammar, p. 201*)

die **Jacke, –n** jacket
das **Jahrhundert, –e** century
je ever
jedenfalls in any case
jedoch however, but
jemals ever
jemand somebody
jubeln rejoice
die **Jugend** youth
der **Junge, –n, –n** boy
der **Jüngling, –e** young man, youth

K

das **Kabarett, –e** cabaret
der **Kachelofen, ¨** tile stove
der **Kaffee** coffee; **der Kaffee complet** continental breakfast
das **Kaffee, –s** café
das **Kaffeegeschirr** breakfast dishes
die **Kamera, –s** camera
der **Kampf, ¨e** battle, fight
kämpfen fight
die **Kanalisationsanlage, –n** sewage system
die **Kapelle, –n** chapel; orchestra, band
der **Kapellmeister, –** orchestra or band leader
das **Kapitell, –e** capital (*of a pillar*)
kariert plaid, checked
die **Karte, –n** card, map
die **Kartoffel, –n** potato
die **Kaserne, –n** barracks
die **Kasse, –n** cash box; **getrennte Kasse führen** keep separate accounts, "go Dutch"
der **Kastanienbaum, ¨e** chestnut tree
der **Kasten, ¨** box
kaufen buy
das **Kaufhaus, ¨er** department store
kaum hardly
der **Keller, –** basement, cellar
die **Kellnerin, –nen** waitress
kennen, kannte, gekannt be acquainted with, know
der **Kern, –e** kernel, center
die **Kerze, –n** candle
die **Kette, –n** chain
die **Kiefer, –n** pine
der **Kiesboden, ¨** gravel floor
das (der) **Kilometer, –** kilometre
das **Kinderheim, –e** nursery
die **Kinderschwester, –n** children's nurse
das **Kino, –s** movies, movie house
kippen tip
die **Kirche, –n** church
die **Kirsche, –n** cherry
der **Kitsch** trash (*in figurative sense only*)
der **Klappstuhl, ¨e** folding chair
der **Klapptisch, –e** folding table
der **Klatsch** gossip
klatschen splash, clap; gossip
klein kriegen get down
die **Klimaanlage, –n** air conditioner, air conditioning
klingen, klang, geklungen sound
klopfen knock
das **Kloster, ¨** monastery
der **Klostergang, ¨e** cloister
klug smart, intelligent
der **Knabe, –en, –en** boy
knapp scanty, brief, tight
knattern clatter, rattle
der **Knöchel, –** ankle
der **Knopf, ¨e** button
knusprig crisp
der **Koffer, –** suitcase, trunk
der **Kommunismus** communism
das **Konfekt** candy
der **Kongreß, –sse** congress, convention
die **Kontrolle, –n** checking, supervision
sich **konzentrieren auf** *(acc.)* concentrate on
das **Konzert, –e** concert
der **Kopf, ¨e** head
der **Korb, ¨e** basket
die **Kordel, –n** cord
die **Kornblume, –n** bachelor's button
die **Kraft, ¨e** strength, power
kräftig strong, forceful
der **Kraftwageneinstellplatz, ¨e** carport
der **Kragen, –** collar
der **Kranz, ¨e** wreath; **der Rosenkranz, ¨e** rosary
die **Krawatte, –n** necktie
der **Kredit, –e** credit
der **Kreis, –e** circle
kreuzen cross
der **Kreuzgang, ¨e** cloister
der **Krieg, –e** war
kriegen get

der **Kriegerverein, –e** veterans' club
die **Krone, –n** crown
der **Krug, ⸚e** jug, pitcher
das **Kruzifix, –e** crucifix
die **Küche, –n** kitchen
der **Kühlschrank, ⸚e** refrigerator
die **Kulisse, –n** stage scenery
die **Kultur, –en** culture
sich **kümmern um** be concerned about, pay attention to
die **Kundgebung, –en** rally
die **Kunst, ⸚e** art
künstlerisch artistic
der **Kurs, –e** course
kürzlich recently
die **Kurzware, –n** "notions"

L

lächeln smile
der **Laden, ⸚** shop, store
der **Ladendiener, –** sales clerk
die **Lage, –n** situation
das **Lager, –** camp
das **Land, ⸚er** land, country; **aus aller Herren Länder** from all over the world
der **Landsmann, ⸚er** compatriot
die **Landstraße, –n** highway
lange long, a long time
langen reach
langsam slow
der **Langschläfer, –** sleepyhead, lazy-bones
der **Lärm, –e** noise
der **Lastwagen, –** truck
der **Laubbaum, ⸚e** tree with green foliage
der **Lauf, ⸚e** course
laufen, lief, ist gelaufen run
lauter nothing but
der **Lautsprecher, –** loudspeaker
das **Lebensmittel, –** foodstuff
der **Lebensunterhalt** subsistence, livelihood
der **Lebkuchen, –** spicy cake a little like gingerbread
das **Leder, –** leather
leer empty
lehnen lean (*something*); **sich lehnen** lean
das **Lehrjahr, –e** year of apprenticeship
die **Lehrkraft, ⸚e** faculty member, teacher
der **Lehrplan, ⸚e** course of study
leibhaftig in the flesh
leicht light *(in weight)*; easy
leise soft *(not loud)*
leisten perform, accomplish
lenken direct, lead
leuchten gleam, shine
die **Leute** *(pl.)* people
das **Licht, –er** light
die **Lichtreklame, –n** neon lights for advertising
das **Lied, –er** song
die **Linie, –n** line; **in erster Linie** first and foremost
link– left; **zur Linken** at the left; **links** at or to the left
die **Lippe, –n** lip
das **Liter, –** litre
das **Loch, ⸚er** hole
lockig curly
der **Löffel, –** spoon
die **Loge, –n** box seat in theatre
sich **lohnen** be worth while
das **Lokal, –e** eating or drinking place
los loose; **was ist los?** what is the matter?
los·fahren, fuhr los, ist losgefahren get going *(driving)*
los·gehen, ging los, ist losgegangen get going, get started
los·werden, wurde los, ist losgeworden get rid of
die **Luft, ⸚e** air
die **Luftbrücke, –n** air lift
die **Lunge, –n** lung
lustig gay
der **Luxus** luxury

M

die **Macht, ⸚e** power, might
mächtig powerful, mighty
die **Magd, ⸚e** maid
das **Mahl, –e** meal
das **Mal** time; **einmal** once
die **Manufaktur** manufacturing
märchenhaft fabulous, fantastic
der **Markt, ⸚e** market
der **Marsch, ⸚e** march
das **Maß, –e** measure, measurement
die **Masse, –n** mass

mäßig moderate; **zu einem mäßigen Preis** at a moderate price
die **Maßnahme, –n** measure
der **Matrose, –n, –n** sailor
die **Mauer, –n** wall
das **Meer, –e** sea, ocean
mehrere several
die **Mehrzahl, –en** majority
meinen mean, think, be of the opinion, remark
melden announce
die **Menge, –n** crowd, a lot
die **Mensa, Mensen** student dining hall
der **Mensch, –en, –en** human being, man
merken notice, observe; **sich etwas merken** make a note of
merkwürdig peculiar, strange
das **Messer, –** knife
die **Methode, –n** method
die **Metropole, –n** metropolis
das **Mietshaus, ¨er** apartment house
die **Mietskaserne, –n** tenement house
das **Mindestmaß, –e** minimum dimension
mit·bringen, brachte mit, mitgebracht bring along
mit·fahren, fuhr mit, ist mitgefahren ride along
das **Mitglied, –er** member
mit·machen join in
der **Mitmensch, –en, –en** fellow human being
die **Mitte** middle, center
das **Mittel, –** means
das **Mittelalter** middle ages
der **Mittelgang, ¨e** center aisle
mitten in in the middle
die **Mode, –n** fashion
möglich possible; **möglichst** so far as possible
das **Moment, –e** consideration, point
der **Monat, –e** month
der **Moped, –s** motor bike
die **Moschee, –n** mosque
das **Motorrad, ¨er** motorcycle
müde tired
der **Mund, ¨er** mouth
das **Münster, –** cathedral
die **Münze, –n** coin
die **Musik, –en** music
das **Muster, –** pattern, model
der **Mut** courage

N

na well!
nachdem after *(conj.)*
nachher afterwards
nach·kommen, kam nach, ist nachgekommen follow
nach·prüfen test
die **Nachricht, –en** news, report
der **Nachtisch, –e** dessert
das **Nachtlokal, –e** night club
nahe bei near
die **Nähe** proximity; **in der Nähe** nearby; **aus der Nähe** from nearby
nämlich that is, you must know
die **Nase, –n** nose
natürlich natural, of course
die **Nebenstraße, –n** side street
nennen, nannte, genannt call
nett nice
das **Netz, –e** net
die **Nichteinnahme: bei Nichteinnahme des Frühstücks** when breakfast is not taken
sich **nieder·lassen, ließ nieder, niedergelassen** settle
noch yet; **noch nicht** not yet
die **Not, ¨e** need, distress
die **Note, –n** note
der **Notenständer, –** music stand
nötig necessary
der **Notstand, ¨e** state of emergency
die **Novelle, –n** novelette
Nu: im Nu in an instant
die **Nummer, –n** number
nur so fairly

O

oben above, on top, upstairs
der **Oberbefehlshaber, –** commander-in-chief
der **Oberbürgermeister, –** mayor
oberflächlich superficial
das **Obst** fruit
offenbar obvious
okeh O.K.
das **Öl, –e** oil
das **Opfer, –** sacrifice, offering
die **Oper, –n** opera
ordnen arrange, order
die **Orgel, –n** organ
die **Orgelempore, –n** organ gallery

der **Ornat** ceremonial dress
der **Ort, –e** place, town
die **Ortschaft, –en** town
der **Osten** east

P

das **Paar, –e** pair, couple; **ein paar** a few
der **Panzer, –** tank (*military*)
der **Park, –s** park
die **Partei, –en** political party
parteipolitisch according to party politics
das **Patrozinium** patron saint's day
die **Person, –en** person; **ich für meine Person** so far as I am concerned
der **Pfad, –e** path
der **Pfeiler, –** pillar
der **Pfennig, –e** one one-hundredth of a mark
das **Pferd, –e** horse; **pferdebespannt** horse-drawn
pflanzen plant
pflastern pave
pflegen take care of, nurse
die **Pflicht, –en** duty
die **Pflichtvorlesung, –en** required lecture
die **Pforte, –n** gate
die **Phantasie** imagination
der **Plan, ⸚e** plan
der **Platz, ⸚e** place, city or town square
plötzlich sudden
die **Politik, –en** policy, politics
das **Portal, –e** portal
prächtig magnificent, gorgeous
prägen stamp, imprint, mark
die **Predigt, –en** sermon
der **Preis, –e** price
die **Preistafel, –n** card giving prices (*of rooms or meals*)
das **Preußen** Prussia
der **Priester, –** priest
prima first-rate, fine
das **Problem, –e** problem
das **Produkt, –e** product
der **Profit, –e** profit
das **Programm, –e** program
prunkvoll highly decorative, magnificent
die **Pumphose, –n** knickerbockers
der **Punkt, –e** point
putzen polish, clean

Q

das **Quartier, –e** quarters
quasseln talk nonsense, blab
die **Quittung, –en** receipt

R

das **Radio, –s** radio
ragen jut
der **Rahmen, –** frame
der **Rand, ⸚er** edge
rasch quick, fast
der **Rasen, –** lawn
das **Rathaus, ⸚er** city hall
der **Ratschlag, ⸚e** advice
räuchern smoke (*as of meat*)
der **Raum, ⸚e** space, room
räumen clear
rauschen rush, roar, rustle
die **Rechnung, –en** bill
recht right; **rechts** at or to the right, **nach rechts** to the right; **zur Rechten** at or to the right
das **Recht, –e** right, justice
das **Rechtsverfahren** legal proceedings
die **Rede, –n** speech
die **Redensart, –en** idiom
der **Redner, –** speaker
die **Reform, –en** reform
rege lively, active
regelmäßig regular
regieren rule
die **Regierung, –en** government
das **Reich, –e** empire
reichen reach, pass
der **Reichstag, –e** diet, legislature
der **Reifen, –** tire
die **Reihe, –n** row
das **Reiseandenken, –** souvenir from a trip
der **Reisend–** traveler; traveling salesman
reißen, riß, gerissen tear
reizend charming
die **Reklame, –n** advertisement
der **Rektor, –en** university president
relegieren expel (*from university*)

der **Rest, –e** remnant
das **Restaurant, –s** restaurant
das **Resultat, –e** result
richtig correct, right
die **Richtung, –en** direction
riesig enormous
die **Rolle, –n** role
der **Roman, –e** novel
rosa pink
der **Rücken, –** back
der **Rücksitz, –e** back seat
der **Ruf, –e** reputation
die **Ruhe** rest
ruhig quiet, peaceful
rühren stir, move, touch
die **Ruine, –n** ruin
der **Rundbogen, ¨–** Roman arch
rutschen slide

S

die **Sache, –n** thing, cause
der **Sack, ¨–e** sack, bag
saftig juicy
die **Sahne** cream
die **Saison, –s** season
der **Salat, –e** salad, lettuce
der **Salto, –s** somersault
sammeln collect
der **Sandkasten, ¨–** sandbox
sanft gentle, soft
der **Sarg, ¨–e** coffin
sauber clean
der **Säugling, –e** infant
die **Säule, –n** pillar
schäbig shabby
schade too bad
der **Schal, –s** shawl
der **Schalthebel, –** gearshift lever
die **Schaltung, –en** gearshift mechanism
die **Schärpe, –n** sash
der **Schatten, –** shade, shadow
schauen look, gaze
das **Schauspiel, –e** spectacle
die **Scheibe, –n** slice; pane
der **Scheibenwischer, –** windshield wiper
scheinbar apparently, seemingly
schenken give (*as a gift*)
scheuern polish, rub, scrub
das **Schicksal, –e** fate
das **Schiebedach, ¨–er** "roll-away" roof, sun roof
schieben, schob, geschoben push, shove
das **Schild, –er** sign
schillern gleam in a variety of colors
der **Schinken, –** ham
der **Schirm, –e** umbrella
der **Schlaf** sleep
sich **schlängeln** meander
schlank slender
schlau sly, clever
die **Schlaufe, –n** loop
schlecht bad
der **Schleier, –** veil
schlicht simple, plain, unadorned
schließlich finally, after all
schlimm bad
das **Schloß, ¨–sser** palace
der **Schluß, ¨–sse** conclusion, closing; **Schluß machen** bring to an end; **zum Schluß** at the end
der **Schlüssel, –** key
schmal narrow
schmecken taste
schminken put on make-up
schmücken decorate, adorn
schnell fast, quick
der **Schnurrbart, ¨–e** moustache
schon already
der **Schopf, ¨–e** tuft of hair
schräg slanting, at a slant
der **Schrank, ¨–e** cabinet, wardrobe
schrecken, schrak, geschrocken: zusammenschrecken start in surprise
schrecklich terrible
schreiten, schritt, ist geschritten stride, walk
die **Schrift, –en** script, writing
der **Schriftsteller, –** writer, author
der **Schritt, –e** step
die **Schulter, –n** shoulder
die **Schürze, –n** apron
die **Schüssel, –n** bowl
schweben float
das **Schwein, –e** pig; **Schwein haben** be in luck
die **Schwierigkeit, –en** difficulty
schwindlig dizzy; **mir ist schwindlig** I feel dizzy
schwingen, schwang, geschwungen arch
schwül sultry
der **See, –n** lake
die **Seele, –n** soul
die **Seelenruhe** peace of mind

das **Segel, –** sail
segeln sail
sehen, sah, gesehen see, look; **es sieht danach aus** it looks like it
die **Sehnsucht, ¨e** longing
das **Seil, –e** rope
der **Seiltänzer, –** tightrope walker
der **Sektor, –en** sector
selbstverständlich of course
seltsam strange, unusual
der **Senat, –e** senate
senkrecht vertical
die **Serpentine, –n** hairpin curve
der **Sessel, –** armchair
sicher certain, sure
die **Sicht, –en** sight, view
sieben screen
die **Siedlung, –en** settlement, housing development
der **Sieg, –e** victory
der **Sinn, –e** sense
der **Sitz, –e** seat
der **Skandal, –e** scandal
sobald as soon as
das **Sofa, –s** couch
sofort immediately, right away
sogar even
der **Soldat, –en, –en** soldier
sonst otherwise
sorgen worry, care for, look out for
spannen span, stretch; **ich bin gespannt** I wonder, I'm curious
spazieren fahren go for a drive; **spazieren gehen** go for a walk
der **Spaziergang, ¨e** walk, stroll
das **Speisezimmer, –** dining room
sich **spezialisieren auf** (*acc.*) specialize in
das **Spiel, –e** game, play, playing
das **Spielzeug, –e** toy
der **Spion, –e** spy
die **Spitze, –n** point, tip, top
die **Sprache, –n** language
die **Spritze, –n** fire hose
spritzen spurt, splash
der **Spülstein, –e** sink
die **Stadt, ¨e** city
die **Stadtbahn, –en** city and suburban railway
stammen originate, be derived
der **Stand, ¨e** stand, position
das **Standbild, –er** statue
die **Stange, –n** pole
stark strong, heavy
stattfinden, fand statt, stattgefunden take place
der **Status** status
der **Staub** dust
staubig dusty
der **Staubsauger, –** vacuum cleaner
stecken stick, put
stehen, stand, gestanden stand; **wie steht's?** how are things?
stehlen, stahl, gestohlen steal
steigen, stieg, ist gestiegen climb, rise
steil steep
die **Stelle, –n** place, spot
stellen place, put, set
die **Stellung, –en** position
der **Stern, –e** star
das **Steuer, –** steering wheel
die **Stickerei, –en** embroidery
die **Stiftung, –en** foundation
der **Stil, –e** style
die **Stimme, –n** voice
stimmen be correct
der **Stock, Stockwerke** story, floor; **im ersten Stock** on the second floor
der **Stoff, –e** material
stolz proud; **stolz auf** (*acc.*) proud of
stoßen, stieß, gestoßen push; **stoßen auf** come upon
die **Strafe, –n** punishment
der **Strahl, –en** beam, ray
die **Straßenbahn, –en** street railway, streetcar
der **Strauß, ¨e** bouquet
die **Strecke, –n** stretch, way
streng stern
der **Strom, ¨e** stream
strömen stream
der **Strumpf, ¨e** stocking
das **Stück, –e** piece
die **Studentenschaft, –en** student body
der **Studienbewerber, –** applicant for admission to university
der **Studienführer, –** university bulletin
die **Stufe, –n** step of stairway
die **Stunde, –n** hour
suchen look for
südlich southern
die **Summe, –n** sum

süß sweet
das **Symbol, –e** symbol

T

das **Tablett, –s** tray
das **Tal, ⸚er** valley
tanken get gasoline
die **Tankstelle, –n** filling station
der **Tankwart, –e** filling station attendant
die **Tanne, –n** evergreen tree, fir
die **Tarnung** camouflage
die **Tasse, –n** cup
tasten grope; **sich tasten** grope one's way
die **Tat, –en** deed, act
die **Tatkraft** energy
tatkräftig energetic
die **Tatsache, –n** fact
tatsächlich actually, as a matter of fact
taufen christen
der **Teil, –e** part; **zum Teil** in part; **teils** in part
teilnehmen, nahm teil, teilgenommen an (*dat.*) take part in
der **Teller, –** plate
die **Terrasse, –n** terrace
der **Terror** terror
teuer expensive
das **Theater, –** theatre
der **Tisch, –e** table
die **Tischdecke, –n** tablecloth
der **Tod, –e** death
der **Ton, ⸚e** tone, sound
der **Topf, ⸚e** pot, kettle
das **Tor, –e** gateway
die **Totenmesse, –n** mass for the dead
die **Tracht, –en** native costume
die **Traube, –n** cluster (*of grapes*)
trauern mourn, grieve
die **Trauung, –en** wedding ceremony
treffen, traf, getroffen meet, hit
treiben, trieb, getrieben carry on
trennen separate
die **Treppe, –n** stairway, stairs; **treppauf, treppab** up and down the stairs
das **Trinkgeld, –er** tip
trocken dry
der **Tropfen, –** drop
die **Trostlosigkeit** hopelessness
trotzdem (*adverb or conj.*) in spite of that
trotzen defy
trüb gloomy, dreary, unclear
der **Trubel** turmoil
die **Trümmer** (*pl.*) ruins, rubble
die **Truppe, –n** troupe
das **Tuch, ⸚er** cloth, kerchief
tüchtig capable, efficient
die **Tugend, –en** virtue
die **Tür, –en** door
der **Turm, ⸚e** tower, steeple
der **Tusch, –e** fanfare, flourish
die **Tüte, –n** paper bag
die **Tyrannei** tyranny

U

überall everywhere
überein·stimmen agree
überhaupt at all (*for further meanings see p. 202*)
überholen overtake
übersehen, übersah, übersehen look over, overlook
übertreiben, übertrieb, übertrieben exaggerate
überwältigen overwhelm
überwinden, überwand, überwunden overcome
überzeugen convince
üblich customary, usual
übrig left over, left
übrigens by the way
die **Uhr, –en** clock, watch
umgeben, umgab, umgeben surround
umher around (*adverb*)
der **Umriß, –sse** outline
um·schalten shift gears
sich **um·sehen, sah um, umgesehen** look around
unabhängig independent
unerschöpflich inexhaustible
ungefähr approximately, about
unheimlich uncanny, weird, eerie
die **Uniform, –en** uniform
die **Unkenntnis** ignorance
unmittelbar direct
unten below, downstairs
unterbrechen, unterbrach, unterbrochen interrupt
unterdrücken oppress
unterhalten, unterhielt, unterhalten

entertain; **sich unterhalten** converse, have a talk
die **Unterkunft, –̈e** accommodations
unterrichten teach
unterscheiden, unterschied, unterschieden distinguish, differentiate
der **Unterschied, –e** difference
unter·stellen place under shelter
unterstellen make subject to
unterstreichen, unterstrich, unterstrichen underline
die **Untertasse, –n** saucer
das **Untier, –e** monster
unvermeidlich unavoidable
unwiderstehlich irresistible
der **Urlaub, –e** vacation
ursprünglich original

V

die **Vase, –n** vase
die **Verbeugung, –en** bow
verbinden, verband, verbunden tie up, connect, bandage
verbreiten spread
verdienen earn, deserve
das **Verdienst, –e** merit, credit
der **Verein, –e** club
die **Vereinigung, –en** unification
verfolgen pursue, persecute
vergebens in vain, vainly
vergessen, vergaß, vergessen forget
der **Vergleich, –e** comparison
vergleichen, verglich, verglichen compare
verhaften arrest
das **Verhältnis, –se** relationship, relation
verhältnismäßig comparatively, relatively
verhungern starve
sich **verirren** get lost
verkaufen sell
der **Verkäufer, –** seller
der **Verkehr** traffic
das **Verkehrsamt, –̈er** tourist bureau
verlangen demand, require
verlassen, verließ, verlassen leave (*transitive*)
verlegen transfer
vermeiden, vermied, vermieden avoid
vernachlässigen neglect
vernünftig sensible
sich **versammeln** gather
verschämt shamefaced
verschärfen intensify
verschieden different
verschlossen reserved, expressionless
verschwinden, verschwand, ist verschwunden disappear
versorgen supply, provide
das **Versprechen, –** promise
das **Verständnis** understanding
verstecken hide, conceal
verstorben deceased
verstümmeln cripple
der **Versuch, –e** attempt
versuchen try, attempt; tempt
das **Vertrauen** confidence
der **Vertreter, –** representative, deputy
vertreiben, vertrieb, vertrieben drive away, expel
verurteilen condemn
die **Verwaltung, –en** administration
verwenden make use of
verwildern grow wild, run to seed
verwirklichen make real, realize
verwunderlich surprising
verzieren adorn
verzweifelt desperate
die **Vespa, –s** motor scooter
vielleicht maybe, perhaps
das **Volk, –̈er** people, nation, folk
vollständig complete
der **Volltreffer, –** direct hit
vorbei past; **an dem Haus vorbeigehen** go past the house
der **Vordergrund, –̈e** foreground
der **Vordersitz, –e** front seat
das **Vorgärtchen, –** small garden in front of house
die **Vorhalle, –n** vestibule
vorher before (*in time*)
vorne in front
der **Vorschlag, –̈e** suggestion
vorschlagen, schlug vor, vorgeschlagen suggest
die **Vorschrift, –en** regulation
vorsichtig careful, cautious
der **Vorsitzend–** chairman, presiding officer
die **Vorstellung, –en** performance
die **Vorstudienanstalt, –en** institution set up to prepare applicants for university study
der **Vorteil, –e** advantage

vorwiegend predominantly
vor•ziehen, zog vor, vorgezogen prefer

W

wachsen, wuchs, ist gewachsen grow
das **Wachstum, ⸚er** growth
der **Wagen, –** car, wagon
waghalsig reckless
die **Wahl, –en** choice, election
wählen elect
wahr true
die **Währung, –en** currency
der **Wald, ⸚er** forest, woods
die **Wallfahrt, –en** pilgrimage
die **Wange, –n** cheek
die **Ware, –n** ware
warten auf (*acc.*) wait for
das **Warmwasserbereitungsgerät, –e** bathroom water heater
die **Warmwasserversorgungsanlage, –n** central water heater
das **Waschbecken, –** wash basin
das **Wasser, –** water
das **W.C.** water closet
wechseln change, exchange
weg away
der **Weg, –e** way; **sich auf den Weg machen** start out
weich soft
die **Weide, –n** pasture, meadow
weihen dedicate
das **Weihwasser, –** holy water
die **Weile, –n** while
der **Wein, –e** wine
das **Weinblatt, ⸚er** grape leaf
die **Welle, –n** wave
welk withered
die **Welt, –en** world
der **Weltruf, –e** world reputation
wenden, wandte, gewandt turn (something); **sich wenden** turn
der **Wendepunkt, –e** turning point
wenigstens at least
wenn . . . . auch even if, even though
werfen, warf, geworfen throw, cast
das **Werk, –e** work
das **Werkzeug, –e** tool
die **Weste, –n** vest
wetten bet, wager
das **Wetter, –** weather
wichtig important
der **Widerstand, ⸚e** resistance
wie: wie bitte? beg your pardon? what did you say?
wiederholen repeat
die **Wiese, –n** meadow
das **Wildleder, –** chamois skin, suede
der **Wille, –ns, –n** will
wimmeln swarm
der **Wind, –e** wind
die **Windschutzscheibe, –n** windshield
winken wave to, motion to
der **Winker, –** direction indicator
wirken have an effect, act
der **Wirt, –e** innkeeper
die **Wirtschaft, –en** economy; restaurant
wirtschaftlich economic
die **Wirtsstube, –n** informal dining room or taproom in inn
die **Wissenschaft, –en** science
der **Wissenschaftler, –** scientist
der **Witz, –e** wit, joke
wo . . . auch wherever
wohlhabend wealthy
die **Wohnung, –en** apartment, dwelling
der **Wohnwagen, –** house trailer
das **Wohnzimmer, –** living room
die **Wolle** wool
das **Wort, –e** (**⸚er**) word
das **Wörterbuch, ⸚er** dictionary
wörtlich literal
die **Würde, –n** dignity
würdig dignified, worthy
wurscht: das ist mir wurscht that's all the same to me
die **Wüste, –n** wasteland, desert

Z

die **Zahl, –en** number
zahlen pay
zäh tough, tenacious
die **Zähigkeit** toughness, tenacity
der **Zahn, ⸚e** tooth
zart delicate, tender
das **Zeichen, –** sign
die **Zeit, –en** time
die **Zeitschrift, –en** magazine, periodical
das **Zellophan** cellophane
das **Zelt, –e** tent

das **Zentrum, Zentren** center
zerbrechen, zerbrach, zerbrochen break to pieces
zerpflügen plough up
zerstören destroy
zerstreuen scatter
zertrümmern shatter, demolish
der **Ziegelstein, –e** brick
ziehen, zog, (ist) gezogen pull, draw, move
das **Ziel, –e** goal
ziemlich fairly, pretty (*adverb*)
das **Zimmer, –** room; **auf sein Zimmer gehen** go to one's room
der **Zirkus, –se** circus
die **Zitrone, –n** lemon
zögern hesitate
das **Zuchthaus, ¨er** penitentiary
der **Zucker** sugar
der **Zuckerguß, ¨sse** sugar icing
zuerst at first, first
die **Zuflucht, ¨e** refuge
zufrieden satisfied, content
der **Zug, ¨e** procession, feature, train
zugleich at the same time
zu·hören listen to (*dat.*)
zu·kehren turn toward
die **Zukunft** future
zu·lassen, ließ zu, zugelassen admit, grant admission
die **Zulassung** admission
das **Zulassungswesen** matters dealing with admission of students
das **Zündschloß, ¨sser** ignition (*of an auto*)
zurecht·machen put in order
zusammen together
der **Zusammenbruch, ¨e** collapse
der **Zuschauer, –** spectator
zu·sehen, sah zu, zugesehen watch (*dat.*)
der **Zustand, ¨e** condition
der **Zustrom** influx
zuverlässig dependable, reliable
der **Zwang** compulsion, force
zwar and what's more
der **Zweck, –e** purpose
zweckmäßig suited to the purpose, practical
der **Zweig, –e** branch
zweirädrig two-wheeled
zwingen, zwang, gezwungen force

English-German Vocabulary

A

about (approximately) ungefähr
achieve erreichen
acquainted: get acquainted with kennen lernen
acrobat der Artist, –en
activity die Tätigkeit, –en
administration die Verwaltung, –en
admit zu•lassen, ließ zu, zugelassen
afraid: be afraid of Angst haben vor *(dat.)*
ago vor
agree überein•stimmen
air die Luft, ⸚e
air conditioner die Klimaanlage, –n
airlift die Luftbrücke, –n
airport der Flughafen, ⸚
almost fast, beinahe
along entlang; mit-
anniversary das Jubiläum, Jubiläen
annoy ärgern
answer antworten auf (*acc.*), beantworten
apartment die Wohnung, –en
apartment house das Mietshaus, ⸚er
apparently offenbar
appear erscheinen, erschien, ist erschienen
applicant der Bewerber, –
arrival die Ankunft
arrive ankommen, kam an, ist angekommen
ask for bitten um, bat, gebeten
attendant (*at filling station*) der Tankwart, –e
attention: pay attention to achten auf (*acc.*), sich kümmern um
avoid vermeiden

B

bad: too bad schade
bag die Tüte, –n
baggage das Gepäck
balance das Gleichgewicht
band: brass band die Blechmusik, –en
bathroom das Badezimmer, –
bathtub die Badewanne, –n
battle der Kampf, ⸚e
become werden, wurde, ist geworden
before vorher (*adverb*)
being: come into entstehen, entstand, ist entstanden
belong an•gehören
bench die Bank, ⸚e
bit bißchen
booth die Bude, –n
brake die Bremse, –n
break brechen, brach, gebrochen
breakfast das Frühstück, –e; **for breakfast** zum Frühstück
breathless atemlos
bride die Braut, ⸚e
bridal couple das Brautpaar, –e
bring up erziehen, erzog, erzogen
build up auf•bauen
building das Gebäude, –
business, place of business das Geschäft, –e

busy beschäftigt
buy kaufen

C

call: be called heißen, hieß, geheißen
candy das Konfekt
case: in any case auf jeden Fall
cathedral das Münster, –
cauliflower der Blumenkohl
certainly bestimmt, sicher
chairman der Vorsitzend–
chance die Gelegenheit, –en
cheap billig
cherry die Kirsche, –n
choice die Auswahl, –en; die Wahl, –en
clear klar
cloister der Klostergang, ⸚e; der Kreuzgang, ⸚e
club der Verein, –e
collect sammeln, sich versammeln
colorful bunt
comfort die Bequemlichkeit, –en
comfortable bequem, behaglich
comparatively verhältnismäßig
complain klagen, sich beklagen
compulsion der Zwang
concern oneself sich kümmern
condition der Zustand, ⸚e
consider halten für, hielt, gehalten
consist of bestehen aus, bestand, bestanden
contrast der Gegensatz, ⸚e
convince überzeugen
corner die Ecke, –n
corridor der Gang, ⸚e
costume die Tracht, –en
course der Lauf, ⸚e, der Gang, ⸚e
courtyard der Hof, ⸚e
crisp knusprig
cry rufen, rief, gerufen
curtain die Gardine, –n
cuts: cold cuts der Aufschnitt

D

decide beschließen, beschloß, beschlossen
demolish zertrümmern
department store das Warenhaus, ⸚er
depend on ab•hängen von, sich verlassen, verliess, verlassen auf (*acc.*)
desperate verzweifelt
dessert der Nachtisch, –e
detail die Einzelheit, –en
development die Entwicklung, –en; **housing development** die Siedlung, –en
differentiate unterscheiden, unterschied, unterschieden
difficult schwer, schwierig
difficulty die Schwierigkeit, –en
disappoint enttäuschen
dismiss ab•setzen; entlassen, entließ, entlassen
distinguished bedeutend
down hinunter; herunter
downstairs unten
dress das Kleid, –er
dress (get dressed) sich an•ziehen, zog an, angezogen
drink up aus•trinken, trank aus, ausgetrunken
drive fahren, fuhr, ist gefahren
dusty staubig

E

early früh
easy leicht
economic wirtschaftlich
editor der Herausgeber, –
education die Bildung; **general education** die Allgemeinbildung
elevator der Fahrstuhl, ⸚e
energetic tatkräftig
enjoy genießen, genoß, genossen
enthusiasm die Begeisterung
entirely ganz, gänzlich
especially besonders
even . . . if auch . . . wenn, wenn . . . auch
evening der Abend, –e
ever je
everything alles
everywhere überall
exact genau
exclude aus•schließen, schloß aus, ausgeschlossen
expel vertreiben, vertrieb, vertrieben: **expel from university** relegieren
expellee der Vertrieben–

expensive teuer
experience das Erlebnis, –se

F

façade die Fassade, –n; die Front, –en
factory die Fabrik, –en
a few einige, ein paar
fight kämpfen
filled up besetzt
filling station die Tankstelle, –n
finally endlich, schließlich
financial matters das Finanzwesen
find out feststellen
fine schön
finished fertig
flourish blühen
flower die Blume, –n
foodstuff das Lebensmittel, –
foot der Fuß, ⸚e; **on foot** zu Fuß
force zwingen, zwang, gezwungen
form bilden
foundation die Stiftung, –en
founding die Gründung

G

gaily colored bunt
generous großzügig
get bekommen, bekam, bekommen, kriegen
get in ein•steigen, stieg ein, ist eingestiegen
get up auf•stehen, stand auf, ist aufgestanden
goal das Ziel, –e
governing board die Behörde, –n
government die Regierung, –en
groom der Bräutigam, –e
group die Gruppe, –n; **study group** die Arbeitsgemeinschaft, –en
growth das Wachstum

H

hand die Hand, ⸚e; **shake hands** einem die Hand geben
heavy schwer
help die Hilfe
hence daher
highway die Landstraße, –n
history die Geschichte, –n
home: at home zu Hause; **(to) home** nach Hause
hope for hoffen auf (*acc.*)
housing development die Siedlung, –en
however jedoch, aber
huge riesig

I

idea die Idee, –n; **get the bright idea** auf die schlaue Idee kommen
immediately gleich, sofort
imperial kaiserlich
import ein•führen
important wichtig
information die Auskunft, ⸚e
inland harbor der Binnenhafen, ⸚
innkeeper der Wirt, –e
inside (*adverb*) drinnen
instant der Augenblick, –e
intellectual geistig
intention die Absicht, –en
interest: be interested in sich interessieren für
intimidate ein•schüchtern

J

jam die Marmelade, –n
join bei•treten, trat bei, ist beigetreten
just gerade, eben

K

kind die Art, –en; **all kinds of** allerlei
knock anklopfen

L

lake der See, –n
late spät
lay out an•legen
leather pants die Lederhose, –n
leave verlassen, verließ, verlassen
lecture (*in university*) die Vorlesung, –n; **required lecture** Pflichtvorlesung, –en
like mögen, mochte, gemocht, gern haben; gern tun

listen zu•hören (*dat.*), an•hören (*acc.*)
little by little nach und nach
living room das Wohnzimmer, –
look sehen, sah, gesehen
look around for sich um•sehen nach
look (like) aus•sehen
look forward to sich freuen auf (*acc.*)
look out for sich in Acht nehmen vor (*dat.*)
tell by looking at es jemandem an•sehen
lose verlieren, verlor, verloren
lunch das Mittagessen, –; **eat lunch** zu Mittag essen

M

magazine die Zeitschrift, –en
magnificent prächtig
main road, street die Hauptstraße, –n
maintain bewahren
majority die Mehrzahl, –n
material der Stoff, –e
matter: what is the matter? was ist los?
mayor der Oberbürgermeister, –
meet treffen, traf, getroffen
member das Mitglied, –er
memory das Gedächtnis
minute der Augenblick, –e; die Minute, –n
money das Geld, –er
monument das Denkmal, ⸚er
morning der Morgen, –; **this morning** heute morgen
mouth der Mund, ⸚er
move (sich) bewegen

N

narrow eng
near, nearby nahe bei, in der Nähe; **from nearby** aus der Nähe
necessary nötig
need brauchen
neglect vernachlässigen
nice nett
night die Nacht, ⸚e; **last night** gestern abend
night club das Nachtlokal, –e
noon der Mittag, –e
nothing nichts; **nothing but** lauter; **nothing at all** gar nichts
number die Zahl, –en

O

once einmal; **all at once** auf einmal
one-way street die Einbahnstraße, –n
opportunity die Gelegenheit, –en
opposite gegenüber (*dat.*)
order bestellen
order: in order to um . . . zu
ought sollte
outdoors draußen
overcome überwinden, überwand, überwunden

P

palace das Schloß, ⸚sser
parents die Eltern
part der (das) Teil, –e; **take part in** teilnehmen an (*dat.*)
partly zum Teil, teils
past vorbei
pave pflastern
peculiar merkwürdig
people Leute (*pl.*)
performance die Vorstellung, –en
pitcher der Krug, ⸚e
pleasant angenehm
pole die Stange, –n
policy die Politik, –en
polite höflich
poor arm
popular beliebt
population die Bevölkerung, –en
possess besitzen, besaß, besessen
possible möglich; **so far as possible** möglichst
potato die Kartoffel, –n
pretext der Vorwand, ⸚e
pretty hübsch
pretty (rather) ziemlich
probably wahrscheinlich
promise das Versprechen, –
proud of stolz auf (*acc.*)
provide versorgen
purpose Zweck, –e
push aside beiseite•schieben, schob beiseite, beiseitegeschoben

Q

quiet ruhig

R

rain der Regen, –; regnen
rather ziemlich
reach reichen, erreichen
reason: for that reason deshalb
rebel sich auf•lehnen
rebuild auf•bauen, wieder auf•bauen
receipt die Quittung, –en
reckless waghalsig
refugee der Flüchtling, –e
regulation die Vorschrift, –en
remember sich erinnern an *(acc.)*
remnant der Rest, –e
remove fortschaffen
report der Bericht, –e
restore wiederher•stellen
return zurück•kommen, kam zurück, ist zurückgekommen
right away gleich, sogleich
roll das Brötchen, –

S

sail das Segel, –
salesman (traveling) der Reisend–
sandbox der Sandkasten, ⸚
satisfied zufrieden
scholar der Gelehrt–
scientist der Wissenschaftler, –
section das Gebiet, –e; **industrial section** das Industriegebiet
seem scheinen, schien, geschienen
sell verkaufen
set up auf•stellen
shabby schäbig
sharp scharf
shift gears um•schalten
shop der Laden, ⸚, das Geschäft, –e
showerbath die Brause, –n
side-street die Nebenstraße, –n
sign das Schild, –er
so that damit
somebody, someone jemand
somewhat etwas
soon bald; **as soon as** sobald
sorry: be sorry einem leid tun
souvenir das Andenken, –, das Reiseandenken, –
spare tire der Ersatzreifen, –
spectator der Zuschauer, –
speech die Rede, –n
stairs die Treppe, –n; **run up the stairs** die Treppe hinauf•laufen
start out sich auf den Weg machen
steep steil
stone der Stein, –e
stop halten, hielt, gehalten; stehen bleiben, blieb stehen, ist stehen geblieben
store der Laden, ⸚; das Geschäft, –e; **department store** das Warenhaus, ⸚er
straight gerade
straight ahead geradeaus
strange merkwürdig
strawberry die Erdbeere, –n
student body die Studentenschaft, –en
succeed gelingen, gelang, ist gelungen; **I succeed** es gelingt mir
suggest vor•schlagen, schlug vor, vorgeschlagen
sun die Sonne, –n
supper das Abendessen, –; **for supper** zum Abendessen; **eat supper** zu Abend essen
suppose: what do you suppose that means? was das wohl bedeuten soll?
sure sicher
surprise: I am surprised es wundert mich
surround umgeben, umgab, umgeben
swing: in full swing in vollem Gang

T

tablecloth die Tischdecke, –n
taste schmecken
take nehmen, nahm, genommen; **take place** statt•finden, fand statt, stattgefunden; **take a while** eine Weile dauern
talk: have a talk sich unterhalten, unterhielt, unterhalten
television set der Fernsehapparat, –e
tell by looking at es jemandem an•sehen
tenement house die Mietskaserne, –n
test prüfen, nach•prüfen
the . . . the je . . . desto
there (to) dahin

think of denken an *(acc.)*, dachte gedacht
think of (have an opinion of) halten von, hielt, gehalten
thorough gründlich
tightrope walker der Seiltänzer, –
time: every time jedes Mal; **for the first time** zum ersten Mal
tired müde
tool das Werkzeug, –e
tourist office das Verkehrsamt, ⸚er
toward auf *(acc.)* . . . zu
traffic der Verkehr
transport plane das Transportflugzeug, –e
traveling salesman der Reisend–
truck der Lastwagen, –
turn around (sich) um•wenden, wandte um, umgewandt
turn off ab•biegen, bog ab, ist abgebogen

U

until bis; **not until** erst
uphill bergan, bergauf
uprising der Aufstand, ⸚e
use: no use vergebens
useful thing der Gebrauchsartikel, –
used: get used to sich gewöhnen an *(acc.)*

V

vegetable das Gemüse, –
voice die Stimme, –n

W

wait for warten auf *(acc.)*
waitress die Kellnerin, –nen
want to wollen
wasteland die Wüste, –n
watch zu•sehen, sah zu, zugesehen *(dat.)*
wedding ceremony die Trauung, –en
while die Weile, –n; **take quite a while** eine ganze Weile dauern
wilted welk
world die Welt, –en; **from all over the world** aus aller Herren Länder
worth while: be worth while sich lohnen

Y

year das Jahr, –e

Index

Acknowledgments for Illustrations

Sonntag in St. Peter im Schwarzwald: Deutsche Zentrale für Fremdenverkehr, Frankfurt a.M.
Altes Schwarzwälder Bauernhaus: Deutsche Zentrale für Fremdenverkehr, Frankfurt a.M.
Junge Schwarzwälderbäuerinnen in festlicher Tracht: Dr. Wolff & Tritschler OHG, Frankfurt a.M.
Prozession in Wolfach im Schwarzwald: Deutsche Zentrale für Fremdenverkehr, Frankfurt a.M.
Kurfürstendamm mit Ruine der Gedächtniskirche im Hintergrund rechts: Presse- und Informationsamt der Bundesregierung, Bundesbildstelle, Bonn
Das Brandenburger Tor (1956): Presse- und Informationsamt der Bundesregierung, Bundesbildstelle, Bonn
Arbeiteraufstand in Ost-Berlin im Juni 1953: Wide World Photo
Kundebung am 1. Mai 1951 auf dem Marx-Engels Platz in Ost-Berlin: Presse- und Informationsamt der Bundesregierung, Bundesbildstelle, Bonn
Beim Kaffee auf den Wannsee-Terassen im Grunewald: Presse- und Informationsamt der Bundesregierung, Bundesbildstelle, Bonn
Feier am 10. Jahrestag der Blockadeüberwindung auf dem Platz der Luftbrücke vorm Tempelhofer Flughafen: Presse- und Informationsamt der Bundesregierung, Bundesbildstelle, Bonn
Freie Universität Berlin: Presse- und Informationsamt der Bundesregierung, Bundesbildstelle, Bonn
Kirche in der Wies innen: Bildarchiv Foto Marburg
Altes bayrisches Ehepaar: Dr. Wolff & Tritschler OHG, Frankfurt a.M.
In Bayern tragen die Männer gern die kurze Lederhose: Dr. Wolff & Tritschler OHG, Frankfurt a.M.
Auf dem Weg zur Kirche: Dr. Wolff & Tritschler OHG, Frankfurt a.M.